LAS 1001 HISTORIAS DE LA HISTORIA DE LAS MUJERES

LAS 1001 HISTORIAS DE LA HISTORIA DE LAS MUJERES

Constance Jones

grijalbo mondadori

Título original: *1001 Things Everyone Should Know About Women's History*

Ilustraciones: Sabala
© 1998, Constance Jones
© 2000 de la edición en castellano para todo el mundo:
      GRIJALBO (Grijalbo Mondadori, S.A.)
      Aragó, 385, 08013 Barcelona
      www.grijalbo.com
© 2000, Héctor Castells, por la traducción
© 2000, Equipo Punta Este, por la adaptación
Diseño de la cubierta y del interior: Luz de la Mora
Primera edición
Reservados todos los derechos
ISBN: 84-253-3384-9
Depósito legal: B. 3.805-2000
Impreso en Hurope, S.L., Lima, 3bis, 08005 Barcelona

Para mis sobrinas, Alyssa y Diana

AGRADECIMIENTOS

Desearía dar las gracias a algunas personas que han contribuido a hacer realidad este libro: al editor Rob Eobertson, por la idea original; a mi agente, Gordon Kato, por someter a mi atención este proyecto y ocuparse de todos los detalles; a Carleen Brice, por su contribución a la sección Economía, trabajo y negocios; a Deidre Elliott, por sus aportaciones a la sección Ciencia, medicina y tecnología y ciencias modernas; a Heather Lewis, por su ayuda en las secciones Arte y espectáculos, Deportes y aventuras y Mujeres salvajes; a los editores Frances Jones y Denell Downum, por cuidar del libro de principio a fin; y a mi colega y amiga, Jackie Kohler, por su increíble fe en mí durante un período de transición.

INTRODUCCIÓN

Muy pocas personas discutirían hoy en día el hecho de que las mujeres han conseguido grandes logros en todo el mundo y han consumado toda suerte de avances sorprendentes desde los albores de la humanidad. Es igualmente cierto que muy pocos negarán que este hecho ha sido a menudo obviado por los historiadores.

Aunque la Historia de las mujeres no ha sido olvidada, la mayoría de los profanos estarían de acuerdo en que incluso los historiadores especializados tienden, desafortunadamente, a convertirla en un aprendizaje aburrido y tedioso. A pesar de ello, y gracias a los hechos azarosos que se han ido descubriendo por el camino, la Historia de las mujeres es algo más que la historia del sufragio y la discriminación. De hecho, las mujeres han desempeñado en la historia un papel significativo y muy variado, y han protagonizado tanto éxitos fascinantes como estrepitosos fracasos en todos los campos; el único problema es que no hemos oído suficiente sobre ellos.

Las mil y una historias de la Historia de las mujeres es un intento de darle la vuelta a la tortilla. Aunque el libro no pretende ofrecer una visión exhaustiva, se ocupa de los logros de las mujeres, tanto de las conocidas como de las que no lo son, que han seguido el dictado de sus pulsiones en todos los campos del conocimiento humano. El texto expone una amplia variedad de hechos, y nos muestra lo complejo y excitante que puede resultar un paseo por la Historia de las mujeres, aproximándose de un modo novedoso a la introducción al tema. Desde sus páginas emerge una historia fascinante: la historia de la gente de a pie, de todas las épocas de la historia, de todos los rincones del mundo, que están unidas por nada más —y nada menos— que el hecho común de su sexo.

Lo que aquí se recoge es una mirada tanto a lo imprescindible como a lo accesorio, a personas, lugares, materias y hechos que han poblado la Historia de las mujeres. En el libro confluyen los hechos fundamentales y una saludable dosis de sorprendentes y escandalosas anécdotas que son las que al fin y al cabo pueden hacer de la historia algo entretenido. Al hojear estas páginas, el lector se tropezará con políticas, artistas, atletas, médicas, trabajadoras, profesoras, soldados, criminales, líderes espirituales, ciudadanas de a pie, artistas, poetas, científicas, benefactoras, amas de casa, diplomáticas, músicos, inventoras, amantes, empresarias, periodistas, granjeras, activistas, funcionarias y todo tipo de exploradoras de emociones. Es posible que en el camino aprenda mucho más de lo que espera, sin que se aperciba de ello.

El texto está distribuido de acuerdo con distintas áreas de interés; ilumina las vidas, palabras, trabajos y legados de las mujeres en diez categorías: Gobernantes, legisladoras y políticas, Religión y humanitarismo, Educación y mundo académico, Ciencia, medicina y tecnología, Economía, trabajo y negocios, La vida cotidiana, Literatura y periodismo, Arte y espectáculos, Deportes y aventuras, Mujeres salvajes. Eso es tanto como decir que puede leerse de un tirón o bien emplearse a modo de diccionario, rastreando en la clasificación para localizar el tema que se busca rápida y fácilmente. O incluso se puede abrir el libro por cualquier página al azar y encontrar algún hecho sorprendente. Por otro lado, las divertidas ilustraciones de esta edición española a cargo de Sabala darán vida al texto dondequiera que usted se pare.

Las mil y una historias de la Historia de las mujeres incluye minibiografías, anécdotas, cortos análisis y una generosa dosis de citas y extractos de fuentes históricas. Aunque recorra todos los períodos históricos de los que se tiene noticia, el libro pone mayor énfasis en los siglos XIX y XX, en los que la mujer ha desempeñado un papel más activo en la vida pública. Igualmente, la atención se concentrará en la información sobre mujeres europeas y norteamericanas, pues ambas sociedades han ofrecido mayores oportunidades al desarrollo de la mujer.

El material presentado en estas páginas, que ha sido redactado tras una meticulosa y cuidadosa investigación, está impregnado, a menudo, de un tono desenfadado, con el único propósito de ofrecer al lector una perspectiva fresca y contemporánea. La inclusión o exclusión de temas o personajes específicos se sitúa en el contexto de los conocimientos existentes, pero responde esencialmente a un espíritu de vitalidad y candor: la idea de que la historia es *diversión.* Desde ya, pedimos disculpas por los olvidos, que sólo podemos justificar alegando que la historia de la humanidad es larga y nuestra sabiduría no siempre le va a la zaga. Así, las cosas, dele la vuelta a la página y… a disfrutar.

PRIMERA PARTE

GOBERNANTES, LEGISLADORAS Y POLÍTICAS

CUATRO REINAS
DE LA ANTIGÜEDAD

I. LA REINA DE SABA

En el siglo X a.C., Balkis fue la célebre reina que se unió al rey Salomón de Israel. Según la Biblia, que únicamente se refiere a ella como «la reina de Saba», viajó a Jerusalén para aprender de la legendaria sabiduría de Salomón. Llegó acompañada «de una numerosa comitiva, con camellos cargados de especias y de mucho oro, además de piedras preciosas», para mostrar la prosperidad de su pueblo.

Balkis fue una de las primeras gobernantes de Saba, antiguo reino del sureste de Arabia donde actualmente está asentada la República del Yemen. Saba fue una región poderosísima hasta el siglo II a.C., gracias al excelente provecho que obtuvo de las rutas comerciales a Palestina.

2. SEMÍRAMIS (m. 807 a.C.)

La reina asiria conocida como Semíramis hubo de gobernar en nombre de su hijo durante cuatro años, del 811 al 807 a.C., al fallecer su esposo, el rey Shamshi Adat. Semíramis derrotó en la guerra a los medos y a los caldeos, e introdujo algunos principios de la religión babilonia. La leyenda le atribuye erróneamente la fundación de Babilonia y sostiene también que ordenaba ejecutar a los amantes que no colmaran su deseo.

3. SALOMÉ ALEJANDRA (m. 67 a.C)

Casada consecutivamente con dos reyes de Judea, Salomé Alejandra se convirtió en reina a la muerte de su segundo esposo, en el año 76 a.C. Estuvo al frente del gobierno de los macabeos o asmoneos, una estirpe de líderes políticos que fue decisiva en la ob-

tención de la libertad de los judíos. Desempeñó un papel fundamental en el curso de un encarnizado enfrentamiento que se suscitó durante su reinado entre dos sectas judías: los fariseos y los saduceos. Gracias a su intervención en favor de los fariseos, originariamente conocidos como *hasidim*, sus rivales fueron expulsados de las posiciones de influencia política y religiosa que ostentaban. Los fariseos, a quienes se considera los creadores del judaísmo rabínico, postulaban que todo aspecto de la vida debía regirse por la ley divina.

4. CLEOPATRA (69-30 a.C.)

Tras ascender al trono egipcio junto con su hermano Tolomeo XIII en el año 51 a.C., Cleopatra estuvo dos años luchando duramente contra él, antes de que éste lograra usurparle el poder. Tuvieron que pasar dos años más hasta que Julio César acudiera en su ayuda y derrotara a Tolomeo. Tras dejar el poder en manos de su hermano menor (que a la vez era su esposo), Cleopatra se desplazó a Roma para cobijarse en el regazo de su amante, el César. Como quiera que el César no tardó en ser asesinado, Cleopatra regresó a Egipto y mató a su hermano, logrando que su hijo Cesarión le relevara en el poder y gobernara junto con ella.

En el año 42 a.C. dio comienzo el célebre romance que la unió a Marco Antonio. Éste había pasado dos años en Egipto, al cabo de los cuales volvió a Roma y contrajo matrimonio con la hermana de Octavio, el futuro emperador. Sin embargo, en el año 36 a.C. Cleopatra salió en su búsqueda, mientras aquél encabezaba una campaña militar contra los partos. A raíz de ese apasionado encuentro, Marco Antonio se divorció de su esposa para casarse con Cleopatra. Vivieron en Egipto hasta que el resentido Octavio decidió poner precio a sus cabezas y les declaró la guerra. Cleopatra acompañó a Marco Antonio en todas sus batallas, hasta el desembarco de Accio en el año 31 a.C., desde donde, humillados, se dirigieron por separado a Alejandría. Allí empezó a circular el rumor de que Cleopatra había muerto; Marco Antonio, incapaz de soportar tal pérdida, se suicidó. Cleopatra, viva en realidad, no tardó en seguir sus pasos y se entregó a la picadura letal de un áspid. Octavio ordenó ejecutar a Cesarión y convirtió Egipto en una nueva provincia del Imperio romano.

REINAS GUERRERAS

5. EMPERATRIZ JINGO (c. 169-269)

Sus ambiciones militares tuvieron una profunda influencia en los albores del desarrollo cultural de Japón. A la muerte de su esposo, el emperador Chuai, asumió la regencia de Japón y gobernó en nombre de su hijo. Según la tradición, Jingo envió un gran ejército a la conquista de Corea, objetivo que alcanzó en el año 203. Durante su dilatado gobierno de sesenta y nueve años, defendió con éxito el trono de los numerosos desafíos que sufrió. Su conquista de Corea abrió un intercambio cultural de varios siglos que propició la penetración en la cultura japonesa de elementos no sólo de raíz coreana, sino también de origen chino. Jingo pervive admirada en la cultura japonesa como sobresaliente diosa y gobernadora.

6. ZENOBIA (m. después del 274)

Una de las grandes reinas guerreras de la historia, Zenobia gobernó sus dominios alentada por una desmesurada ambición tratando de ampliarlos tanto como pudiera. Junto con su esposo Odenat, reinó en Palmira, ciudad enclavada en el límite septentrional del desierto sirio. Cuando el rey fue asesinado (posiblemente con la connivencia de su propia esposa), Zenobia se hizo con el control de la próspera ciudad-estado y reinó en nombre de su joven vástago. Fue una habilísima estratega, que, fingiendo una lealtad incondicional hacia Roma, emprendió la conquista de los pueblos lindantes con Palmira. Las campañas militares le permitieron ampliar sus dominios a Siria, Egipto y Asia Menor; embriagada de poder, anunció su intención de independizarse de Roma. Sin embargo, en el año 272

el emperador Aureliano invadió el reino y conquistó los territorios periféricos sitiando la ciudad de Palmira. Finalmente, devastada y arruinada, la ciudad se rindió, y Aureliano capturó a Zenobia. Orgulloso de su victoria, exhibió a la monarca por las calles de Roma como un trofeo, antes de desterrarla a una hacienda cercana a Tívoli.

7. KAHINA

Durante el siglo VIII, una líder beréber conocida como Kahina (la profetisa o la adivina), logró detener la invasión árabe y mantener la independencia de su región, el Túnez moderno. Kahina consumó su hazaña al unir los ejércitos beréber y bizantino y, gracias a ello, regió un estado independiente durante varios años, hasta que perdió la vida en el campo de batalla.

8. ETHELFLEDE (m. 918)

Fue la reina del estado anglosajón de Mercia, territorio enclavado en el centro de Inglaterra. Ethelflede luchó al lado de su esposo y de su hermano, defendiendo a su pueblo de los invasores galeses y vikingos (daneses). En el año 911, al morir su marido, gobernó en solitario sin perder la braveza que la había convertido en tan temible guerrera. También destacó por las majestuosas fortificaciones que construyó para proteger Mercia.

9. THAMAR (1160-1213)

Reina del imperio asiático de Georgia, Thamar guió a su pueblo a la cima de su poder. Se hizo famosa por su brillante capacidad de estadista y por sus sobresalientes estrategias militares: participó en multitud de batallas junto a su ejército, y se ganó el nombre de «rey Thamar». Su conquista de los territorios fronterizos rusos, turcos, persas y armenios, significó la cumbre de la prosperidad y el poderío de Georgia. Pese a sus innumerables logros, su extendida reputación de mujer insaciable en asuntos carnales motivó que la Iglesia georgiana se negara a canonizarla.

DOS REINAS VÍRGENES

10. ISABEL I DE INGLATERRA (1533-1603)

Hija de Enrique VIII y de Ana Bolena, Isabel gobernó Inglaterra y la transformó en uno de los imperios más poderosos que jamás hayan existido. Tuvo que luchar contra viento y marea por el trono, pues su padre degolló a Ana Bolena para despejar el camino con vistas a su futuro matrimonio con Jane Seymour, quien estaba al cuidado del único hijo legítimo de Enrique, que ocuparía el trono con el nombre de Eduardo VI. Tras ser encarcelada por reclamar el derecho al trono que le correspondía por nacimiento, Isabel tuvo que esperar a la muerte de Eduardo y al fin del reinado de su hermanastra María Tudor para hacerse definitivamente con la corona en 1558. Ya como reina, convirtió el protestantismo en la religión oficial de Inglaterra, y dirigió al país hacia una era de sosiego, prosperidad y, de florecimiento cultural. Además, actuó con eficacia incontestable frente a las intrigas que se suscitaron en la corte (en especial, la rebelión de los condes a favor de la reina escocesa María Estuardo) y atajó los conflictos con España, hasta que en 1588 derrotó a la formidable Armada Invencible. Tras consolidar a Inglaterra como una temible potencia naval, afianzó la fructífera expansión de su país en el Nuevo Mundo, inaugurando un período de más de cuatro siglos de imparable expansión del Imperio británico.

11. CRISTINA DE SUECIA (1626-1689)

Tras heredar el trono de Suecia a los seis años, esta hija única fue educada como un niño, mientras sucesivos regentes tomaban las riendas del país a la espera de que alcanzara la mayoría de edad.

Cristina fue coronada en 1644 y se encontró con un país devastado por la guerra, sumido en una crisis económica y presa de todo tipo de disensiones y revueltas. En vista de todo ello, decidió tomar medidas para fortalecer la corona: impuso moderación a los cazadores de brujas, embriagados por una espiral de excesos, y restringió la aplicación de la pena de muerte. Fue elogiada por proteger las humanidades y alentó el trabajo del filósofo francés René Descartes. En 1654 nombró a un sucesor y abdicó de su trono, levantando la consecuente oleada de especulaciones: se decía que no le hacía ninguna gracia la perspectiva de consagrar su vida al matrimonio y a la descendencia reales. Tras el golpe de efecto se convirtió al catolicismo y se trasladó a Italia, donde fue mecenas de Bernini, Corelli y Scarlatti. Murió en la miseria.

REINAS AFRICANAS

12. LAS REINAS DE MEROE

La civilización meroe, enclavada en el antiguo imperio africano de Nubia, alcanzó la cima de su grandeza bajo el mandato de un linaje de reinas. Bartare, que reinó desde el año 284 hasta el 277 a.C., fue la primera. Tras ella, otras muchas brillaron: Shanakdakhete (177-155 a.C.), Amanerinas (99-84 a.C.), Amanishakete (41-12 a.C.), Amanitere (12 a.C.-12 d.C.) y Amanikhatashan (62-94 d.C.). Todas ellas promovieron el comercio y contribuyeron al auge de las fundiciones de hierro; también trazaron ambiciosos proyectos de construcción de edificios públicos y restauraron los magníficos templos urbanos de Meroe.

13. EL PRINCIPIO DE ALGO GRANDE

Los hausa, una de las civilizaciones que existieron en África entre el siglo XV y el XVIII, erigieron sus ciudades-estado amuralladas bajo el liderazgo de las mujeres. Anteriormente, la dinastía Habe, una estirpe de reinas africanas, estuvo gobernando la parte baja del río Níger durante los siglos x y xi, hasta que la última de las reinas se casó con el rey de Bagdad, motivando el inicio de una saga de reyes Habe.

14. KASA

Entre 1341 y 1360, el afamado reino de Mali, en el oeste de África, fue gobernado por una mujer a la que se designaba con el nombre de Kasa, palabra del mandingo que significa reina.

15. AWURA POKOU

Awura Pokou, reina baulé del oeste de África entre 1735 y 1750, aproximadamente, lideró a su pueblo hacia la consecución de un nuevo estatus independiente: cuando la confederación ashanti pretendió ejercer un mayor control sobre las tribus de sus dominios, la reina baulé se rebeló, llevándose a su pueblo consigo rumbo al lejano oeste. Finalmente, se estableció en el territorio que hoy en día ocupa Costa de Marfil.

REINAS AMBICIOSAS

16. ARQUITECTA DE DINASTÍAS

La emperatriz Wu Zetian, antigua concubina imperial, se casó y se convirtió en emperatriz. A la muerte de su esposo, tomó las riendas del poder, ganó la guerra contra Corea y siguió gobernando durante cincuenta años más. Despiadada con todo aquel que osara interponerse en su camino, fue una brillante administradora que mejoró las precarias condiciones en que vivía la mujer china y reinó durante la «edad de oro» de la dinastía de los T'ang.

17. IRENE (752-803)

Irene ascendió al poder a la muerte de su marido, el emperador León IV, y gobernó el Imperio Romano de Oriente como regente de su hijo. Como emperatriz, restableció el tradicional culto a las imágenes de la tradición cristiana, conteniendo a los partidarios del movimiento iconoclasta. El cumplimiento del decreto propició un período de enorme creatividad en el arte bizantino. Sin embargo, cuando su hijo Constantino VI accedió al trono en el año 790, la apartó del poder, aunque acabó accediendo a compartirlo con ella. Después de aquella afrenta, Irene ordenó que su hijo fuera arrestado, le dejó ciego y lo encerró en prisión, exigiendo el poder absoluto sobre el Imperio. Pero en 802 la aristocracia la destronó y fue desterrada a la isla de Lesbos, en el mar Egeo.

18. ZOÉ Y TEODORA

Estas hermanas gobernaron, tanto juntas como separadas, el Imperio bizantino entre el año 1028 y el 1056, y acabaron con la corrupción que asolaba a la Iglesia y al gobierno. Pese a que Teodora era la mayor, Zoé se convirtió antes en emperatriz, en el año 1028. Teodora tramó el derrocamiento de su hermana, aunque terminó compartiendo el poder con Zoé y su esposo, Constantino IX, en el año 1042. Zoé murió en el año 1050 y Constantino IX en el 1055; sólo entonces Teodora gobernó el Imperio en solitario.

19. INFLUENCIAS ISLÁMICAS

Durante el siglo XIII, al menos dos mujeres se sobrepusieron a la tradición musulmana, para convertirse así en líderes de sus respectivos pueblos. Raziy'yat-ud-din sucedió a su padre en el gobierno de la dinastía eslava de Delhi, en la India. Mientras, Shahar al-Dur venció a su propio hijo en la disputa por el trono de Egipto.

20. AIXA (siglo XV)

Mujer del penúltimo y madre del último rey nazarí de Granada, vencido por los Reyes Católicos. Tras la toma de la capital, Aixa le dijo a su hijo Boadbil: «Llora como mujer lo que no has sabido defender como hombre».

21. ISABEL LA CATÓLICA (1451-1504)

La mujer que apoyó los viajes de Cristóbal Colón, la reina Isabel ha dejado una profunda huella en la historia de España y en la historia del mundo. En 1469, antes de acceder al trono de Castilla y León, se casó con Fernando de Aragón. Una década después, en 1479, su autoridad se extendió cuando su esposo heredó la corona de Aragón. Una vez unidas ambas coronas consolidó su majestuosa monarquía, y demostró que su ambición superaba a la de su esposo. Sus implacables campañas contra los invasores musulmanes, de cuyo último reducto en la península Ibérica expulsó en 1492, hicieron que se ganara la reputación de «reina guerrera de las cruzadas». Su brillante talento como estratega y su resistencia en el campo de batalla resultaron fundamentales para preservar la seguridad de España. Como ferviente católica, tras la derrota de los musulmanes, expulsó a los judíos de sus dominios, e instauró la Inquisición para liquidar de raíz a todos los cristianos heréticos.

Cuando se entrevistó con Cristóbal Colón fue consciente de que aquella expedición de vocación puramente exploradora, podía reportarle más tierras y la expansión del catolicismo, de modo que financió el viaje transoceánico que debía cambiar el destino del mundo.

La noticia del descubrimiento se difundió por toda Europa; Isabel se apresuró a mantener la presencia de España en el Nuevo Mundo y tras el regreso de Colón le envió inmediatamente de vuelta. No fue hasta mucho después de la muerte de la reina que España añadió a sus dominios el Caribe y gran parte de las regiones del norte y del centro de América.

22. CATALINA DE MÉDICIS (1519-1589)

Reina de Francia y madre de tres reyes franceses, Catalina nació en Florencia en el seno de la riquísima y poderosa familia de los Médicis. En 1547 se casó con un duque francés, quien, al cabo de los años, se convertiría en el rey Enrique II, junto al que pasó unos años relativamente plácidos ejerciendo de esposa y de madre de familia. Su vida dio un giro radical a la muerte de su esposo y de su primer hijo, al verse obligada a tomar las riendas de Francia como regente de su segundo hijo, el futuro rey Carlos IX. Pero cuando éste alcanzó la mayoría de edad, Catalina continuó al frente del país, aferrada obstinadamente al poder. Comoquiera que quería preservar el poder de la corona, intervino en el conflicto entre los católicos romanos y los protestantes hugonotes, y pese a que la envergadura del enfrentamiento desató sendas guerras civiles, una en 1562 y otra en 1567, en ambas ocasiones se sirvió de sus influencias políticas y de algunos edictos reales para liquidar la lucha y mantener el poder. Todavía temerosa de una posible rebelión hugonote, Catalina maquinó la forma de acabar con su líder. En 1572 su estrategia derivó en la matanza de San Bartolomé, en la que murieron cincuenta mil hugonotes. Dos años después de aquella jornada, su hijo Enrique III se convirtió en rey, y el poder de su madre declinó. Aun así, por aquel entonces Catalina ya había conseguido casar a una de sus hijas con Felipe II, rey de España, y a la otra con el futuro rey de Francia.

Impulsó también el progreso en la enseñanza de la lengua francesa, del arte y de la arquitectura; añadió un ala al palacio del Louvre y ordenó la construcción del jardín de las Tullerías y la del castillo de Monceau. También construyó una célebre biblioteca de manuscritos raros y curiosos.

23. MARÍA TERESA (1717-1780)

Archiduquesa de Austria y reina de Hungría y de Bohemia, María Teresa fue hija, esposa y madre de varios emperadores sucesivos del Imperio austrohúngaro (dio a luz a dieciséis hijos, incluyendo a María Antonieta). En 1740, cuando sucedió a su padre en el trono, se desató la guerra de Sucesión en Austria, en la que la coalición formada por Prusia, España y Francia apoyaba las reinvindicaciones de Baviera y Sajonia. Confiados en que una mujer sería incapaz de ofrecerles resistencia, sus oponentes lucharon contra ella durante ocho interminables años, en una guerra que todos, a excepción del rey de Prusia, acabarían perdiendo. Después de aquello, María Teresa fomentó en su país un vigoroso desarrollo económico. En 1756 su alianza con Francia hizo prender la llama de la guerra de los Siete Años. Austria acabaría perdiendo aquella guerra, pero María Teresa prosiguió consolidando el poder de su familia en la región; tras un pacto con Rusia y con Prusia, se hizo con parte de Polonia.

24. CATALINA LA GRANDE (1729-1796)

Alemana de nacimiento, esta mujer presidió uno de los períodos más fascinantes de la historia de Rusia. Siendo todavía una adolescente, Sophie Friederike Auguste von Anhalt-Zerbst se trasladó a Rusia, donde adoptó el nombre de Yekaterina Alekseyevna y se casó con el futuro zar Pedro III. Desde entonces Catalina se consideró rusa. Su pasión por Rusia, tan grande como su insaciable ambición de poder, la impulsó a conspirar contra su esposo, el débil Pedro III, que tuvo que abdicar. Tras autoproclamarse emperatriz, Catalina II inició la expansión del territorio ruso. Sus conquistas de Polonia, Turquía, Crimea y Ucrania ampliaron extraordinariamente sus territorios e incrementaron la población en 16 millones de personas: pasó de 20 a 36. Pero no acabó ahí: Catalina secularizó las vastas tierras de la Iglesia rusa, abogó por una reforma legislativa y estimuló la vida intelectual y cultural, hasta que estalló la Revolución francesa (1789). Entonces hizo más severo el control sobre el pueblo ruso. Bajo su reinado millones de campesinos se vieron reducidos a la servidumbre.

25. VICTORIA (1819-1901)

Tras acceder al trono con dieciocho años, Victoria pareció aceptar el papel de reina establecido consuetudinariamente en Inglaterra. Sin embargo, alentada por su esposo, el príncipe Alberto, pronto sometió a la cámara parlamentaria a sus órdenes. En 1850 ya tenía el poder de la política inglesa en sus manos: no sólo modeló la política exterior y la política interior, sino que reorganizó decisivamente el sistema colonial instaurado en la India. Cuando murió el príncipe Alberto en 1861, Victoria abandonó algunas de sus funciones protocolarias, aunque siguió ejerciendo una poderosa influencia sobre los primeros ministros de su país. Encontró un aliado en el conservador Disraeli, y se opuso a la filosofía liberal de Gladstone. En 1876 fue coronada emperatriz de la India; también luchó fervientemente por la protección de los intereses británicos en Suráfrica durante la guerra de los bóers. Su mandato fue el más largo de los habidos hasta entonces en la historia de Inglaterra; en 1862 su popularidad entre sus súbditos alcanzó cotas insospechadas. No en vano, Victoria regeneró la imagen de la monarquía británica, y convirtió a su imperio colonial en el más poderoso de la historia. Paralelamente, Inglaterra alumbró una numerosa y cada vez más próspera clase media, que asumió y enarboló aquella moral conservadora que hoy se conoce como victoriana.

26. TZ'U HSI (1835-1908)

Concubina en la corte del emperador Chu I, Tz'u Hsi sólo necesitó seis años para convertirse en la gobernadora «de facto» de China, como regente de su hijo, el emperador Tsai-ch'un. Cuando éste murió en 1873, siguió al frente del poder, esta vez como regente de su sobrino, Tsau't'ien. Gobernó como autócrata hasta 1889, mostrando una voluntad de hierro y un talante netamente conservador. Tras retirarse durante un breve lapso de tiempo, tomó de nuevo las riendas del país en 1898, para atajar los intentos de su nieto por liberalizar la política exterior china. En 1900 respaldó la revolución de los bóxers en la que los nacionalistas se rebelaron contra la intensificación de la influencia extranjera. La revolución fracasó y

Tz'u Hsi abandonó la corte; aunque más tarde volvería para reformar exhaustivamente algunos asuntos esenciales del país. Famosa por su iracundo temperamento y por su adicción al opio, fue conocida como «la Vieja Buda» y como la «Emperatriz Viuda».

27. ISABEL II (1830-1904)

Hija mayor de Fernando VII y de M.ª Cristina de Borbón, fue proclamada reina a la muerte de su padre (1833) bajo la regencia de su madre primero, y más tarde, la del general Espartero (1840-1845). La corona le fue disputada por su tío Carlos M.ª Isidro y no quedó garantizada hasta el final de la primera guerra carlista (1840).

Durante su reinado, la inestabilidad política y su vida privada, tras un matrimonio fallido con el príncipe Francisco de Asís de Borbón, contribuyeron a debilitar la monarquía. A pesar de su carácter campechano y populachero (fue apodada «la Chata») fue derrocada por la revolución democrática de 1868 («la Gloriosa»). Su hijo Alfonso XII fue restituido en el trono en 1874, pero ella pasó el resto de su vida en el exilio.

MUJERES INFLUYENTES

28. LIVIA (56-29 a.C.)

Tercera mujer del primer emperador de Roma, Livia tuvo una enorme influencia política durante una de las épocas fundamentales de la historia de Roma. Augusto, su segundo esposo, que había accedio al poder por decreto de Julio César, resultó decisivo para devolver el orden a Roma tras el asesinato de César. Durante los años de intrigas políticas y militares, Livia mantuvo a Augusto bajo su influjo. Era madre de su única hija, una niña llamada Julia, tristemente célebre por su comportamiento disoluto. Pero en reconocimiento a su apoyo político, Augusto concedió a Livia el título honorífico de Julia Augusta. Más adelante, Augusto adoptó a Tiberio, uno de los hijos de su primer matrimonio, como sucesor. Cuando Augusto murió y Tiberio le relevó, la tesitura permitió a Livia aumentar todavía más su autoridad en lo concerniente a asuntos públicos. Tal era su poder y la admiración que despertó, que en algunas provincias se la consideraba una diosa viva. Finalmente, rubricó su majestuosidad irguiendo un templo en su honor y en el de Tiberio. En el año 42, su nieto Claudio la divinizó oficialmente.

29. GALA PLACIDIA (c. 390-450)

Nacida diez años después de que el cristianismo se hubiera convertido en la religión oficial de Roma, Gala, hija de Teodosio el Grande, se convirtió en la soberana del Imperio Romano de Occidente. Su padre murió cuando ella contaba sólo cinco años de edad, y dejó el trono a su hermano mayor, Flavio Honorio, que tenía once. En realidad, el poder fue ejercido por los tutores de los hermanos. Aquella tesitura fue aprovechada por Alarico, el rey visigodo, para debilitar el Imperio Romano a base de constantes escaramuzas. En el año 410 Alarico lanzó su ataque más virulento, y tras saquear Roma, secuestró a Gala Placidia. Confinada al exilio, Gala se casó primero con Ataúlfo, el sucesor de Alarico, y posteriormente con Constancio, un general romano, pero crecían los rumores sobre su relación íntima con Honorio. En el año 421 Honorio proclamó a Gala, su hermana, y al esposo de ésta como Augusta y Augusto, y nombró a este último coemperador. En el año 425 el hijo de ambos heredó el trono, justo al iniciarse el decimoquinto año de Placidia en el reinado al frente del Imperio de Occidente. Una vez Valentiniano III (así se llamó el nuevo emperador) se hizo con el poder, Placidia dirigió su atención hacia Honoria, su hija, a quien prohibió que se casara con el huno Atila, uno de los hostigadores más cruentos del Imperio Romano. De nada sirvió: al morir Gala, Atila reclamó el territorio que le correspondía en nombre de Honoria; Roma no reconoció su derecho y Atila invadió la Galia.

30. LEONOR DE AQUITANIA (c. 1122-1204)

Heredera de Aquitania, una región equivalente a un tercio de la Francia moderna, Leonor participó activa y directamente en la mayoría de acontecimientos que marcaron el rumbo político de su tiempo. A los quince años se casó con el rey Luis VII de Francia, a quien se unió para sumarse a su lucha en las cruzadas. Después de quince años de matrimonio, se divorció para casarse con el rey Enrique II de Inglaterra. Desde el trono de Inglaterra, Leonor reclamó a Francia su derecho sobre Aquitania, que el país galo le denegó. Ahí germinó la semilla de una guerra, que se dilataría durante cuatro siglos, entre Francia e Inglaterra. En 1173 la madre de Ricardo Corazón de León y Juan sin Tierra (ambos futuros reyes de Inglaterra) tuvo que apelar de nuevo a su temperamento para sacar partido de las infidelidades de su esposo. Éste sólo halló una forma para deshacerse de ella y la tuvo confinada hasta el año 1189; aunque Leonor todavía fue capaz de frustrar los intentos de su esposo por divorciarse de ella y de acallar su reclamación sobre Aquitania. Cuando Ricardo se convirtió en rey y partió a las cruzadas, Leonor tomó las riendas de Inglaterra hasta su regreso, y combatió los intentos de Juan por usurparle el trono a su hermano. Posteriormente, intervino en la reconciliación de sus hijos, cuando Juan sucedió a Ricardo, y sofocó una rebelión promovida por su nieto, Arturo.

31. BERENGUELA (1181-1246)

Una de las más influyentes reinas españolas. Fue reina de Castilla y León, hija de Alfonso VII de Castilla y esposa de Alfonso IX de León, a quien le unió un matrimonio, concertado para poner fin a la guerra entre ambas coronas peninsulares.

Berenguela recibió como dote de aquella boda los territorios fronterizos entre Castilla y León, y se vio envuelta en una tumultuosa disputa por aquellos, encabezada por la Iglesia. En 1204, después del nacimiento de su hijo Fernando, el papa exigió la disolución del matrimonio a causa del parentesco que unía a los cónyuges. La complejidad política obligó a Berenguela a sacar fuerzas de flaqueza (hubo de soportar el destierro y la muerte de su padre), y a sacar a relucir sus extraordinarias dotes persuasivas.

Renunció al trono de Castilla a favor de su hijo Fernando y, a la muerte de Alfonso IX, convenció a las hijas de éste para que le permitieran hacer uso de los derechos de su vástago al trono leonés. Éstas abdicaron en favor de Fernando, unificando las coronas de Castilla y Léon.

32. JUANA ENRÍQUEZ (1425-1468)

Reina de Navarra (1447 y 1468) y de Aragón (1458-1468), fue la segunda esposa de Juan II, rey de la corona de Aragón (1458-1479) y rey concorte (1425-1441) y efectivo (1441-1479) de Navarra. Ejerció una fuerte influencia política: en Aragón intervino en la guerra entre agramonteses y beaumonteses, y en Cataluña medió en el conflicto entre el rey y las Cortes, partidarias de conceder el derecho de promogenitura al príncipe Carlos de Viana. Tras la prematura muerte de éste fue nombrada tutora de su hijo Fernando, príncipe heredero, y lugarteniente del Principado. En 1462 se trasladó a Gerona, y la defendió del ataque de Hug Roger de Pallars, en plena guerra civil; combatió enérgicamente contra Pedro de Portugal durante el sitio de Lérida en 1464, y contra Renato de Anjou en las campañas del Ampurdán. Fue la perspicaz artífice del matrimonio entre su hijo Fernando y la heredera de Castilla, la futura Isabel la Católica.

33. MALINCHE o MALINTZIN
(c. 1502-c. 1530)

Cautivado por su belleza, Hernán Cortés la compró al cacique vencido cuando llegó a Yucatán y la hizo bautizar como Marina. Era una princesa azteca de familia enfrentada con la de Moctezuma y rondaba los trece años. Fue el único amor del conquistador y pronto fue conocida como doña Marina. Le fue siempre fiel y sus inteligentes consejos le fueron siempre muy provechosos. Al menos tuvo un hijo de Cortés, Martín Cortés, que llegó a ser caballero de

Calatrava, lo que no impidió que la Inquisición le condenara a muerte por irreligioso.

Cuando Cortés volvió a España, dejó a Marina a cargo de uno de sus capitanes, Juan de Jaramillo. No se sabe nada más de ella, pero la tradición popular ha dado su nombre a un volcán, cercano al Popocatepetl y eternamente coronado de nieve, el Malintzin.

34. PRINCESA DE ÉBOLI
(Ana Mendoza de la Cerda, 1540-1592)

Cuando tenía doce años, se concertó su matrimonio con Ruy Gómez de Silva, príncipe de Éboli, que no se consumó hasta siete años después, reinando ya Felipe II, que era quien lo había proyectado.

Fue íntima de la reina, la francesa Isabel de Valois, y cuando enviudó, a los 33 años, la princesa fue obligada por Felipe II, primero, a ingresar en un convento y, después, a exclaustrarse, dado su turbulento carácter.

De regreso a la corte, la princesa, «hermosa, aunque tuerta», fue amante del rey, y participó, junto a Antonio Pérez, en diversas intrigas cortesanas. También participó en los tratos secretos con los rebeldes de Flandes. Asesinado Escobedo y encarcelado Pérez (1578), doña Ana fue acusada de pródiga y encerrada por el rey. A los dos años se le permitió retirarse a su villa de Pastrana, donde vivió hasta su muerte.

35. ISABEL FARNESIO (1692-1766)

Originaria de Parma (Italia), ascendió al trono de España en 1714 cuando se casó con Felipe V. Mujer de firme temperamento, se impuso a su marido. Al llegar a palacio desterró de su nueva corte a todos aquellos que simpatizaban con Francia y promovió el ascenso de Alberoni al poder, encargándole el cometido de desarrollar una política que le permitiera acabar con la dominación austríaca en Italia. Tras el fracaso de Alberoni y dado que la herencia del trono español recaía en los hijos del primer matrimonio de Felipe, Isabel dirigió su política hacia la obtención de tronos italianos para sus hijos. Su perseverancia dio sus frutos: en 1731 consiguió que se reconociesen los derechos de su primogénito Carlos sobre Parma y Piacenza; y, posteriormente, tras la intervención española en la guerra de Sucesión de Polonia, el reino de Nápoles y Sicilia.

A la muerte de su esposo, Felipe V, consiguió, gracias a su hijastro Fernando VI, el mantenimiento de las tropas españolas en Italia, que reportarían la cesión de Parma, Piacenza y Guastalla al infante Felipe en 1748. Sin embargo, Fernando VI murió sin sucesión, e Isabel fue nombrada regente hasta la llegada de su hijo Carlos a la península.

36. LA REINA MADRE

En 1827 el líder zulú Shaka (1760-1827), hijo de la reina Nandi, ordenó la ejecución de centenares de ciudadanos en honor a la memoria de su madre. Mientras Shaka levantaba el imperio zulú en el sureste de África, su madre le informó de que a su muerte debía ejecutar el sangriento ritual. Poco después de su muerte, Shaka enloqueció y sus hermanos le mataron.

37. ANNA ELLA CARROLL (1815-1893)

Escritora política originaria de Maryland, consagró su pluma a la propaganda unionista durante la guerra civil. En 1861 publicó *Los poderes de guerra del gobierno*, un alegato a favor de la decisión del presidente Lincoln de emplear sus fuerzas militares contra el Sur; un año después publicó *La explicación del gobierno nacional de la rebelión auspiciada por los ciudadanos del país*, en la que describía los puntos de vista de Lincoln sobre las consecuencias constitucionales suscitadas por la secesión. Sus ideas sobre estrategia militar influyeron en el plan general de concesiones sobre el río Tennesse del general Grant, que, a la postre, sería el detonante de la célebre marcha de Sherman.

38. PROPAGANDISTAS EN TIEMPOS DE GUERRA

Tokio Rose, mujer fundamental para la estrategia japonesa durante la segunda guerra mundial, difundió propaganda a las tropas norteamericanas estacionadas en el sur del Pacífico. Su auténtico nombre era Iva Ikuko Toguri d'Aquino, y nació en California, aunque era de ascendencia japonesa. Tokio Rose tuvo una homóloga en Europa, Axis Sally, una norteamericana llamada Mildred Gillars, que emitió propaganda nazi entre las tropas norteamericanas. Ésta finalmente, fue capturada y encarcelada por las fuerzas aliadas.

39. JIANG QUING (1914-1991)

Tercera esposa del líder chino Mao Zedong, Jiang Quing desempeñó un relevante papel en la revolución comunista, a pesar de que la misma revolución acabaría ocasionándole la desgracia. Tras pasar parte de la década de 1930 trabajando como actriz, se unió al Partido Comunista, donde conoció a Mao. En 1937 se casó con él. Después de que los comunistas, bajo las órdenes de Mao, derrocaran al gobierno en 1949, Jiang se convirtió en una figura destacada de las artes. Promovió el rechazo a las tradiciones y a los convencionalismos sociales reinantes, y propuso un trabajo articulado alrededor del credo de Mao; fue una de las impulsoras de la violenta revolución cultural que tuvo lugar entre 1966 y 1969. La influencia que ejerció sobre su marido la convirtió en una de las figuras más poderosas de su país, hasta la muerte de éste en 1976. Apartada del poder, fue arrestada y acusada, junto a otros tres conspiradores, de traición y otros crímenes contra su pueblo. La llamada banda de los cuatro fue juzgada y condenada en 1981. Unos años más tarde la sentencia de muerte que recayó sobre Jiang fue reducida a cadena perpetua. Las autoridades chinas declararon, sospechosamente, que la causa de su muerte en 1991, fue el suicidio.

40. MARÍA EVA DUARTE DE PERÓN (1919-1952)

Segunda esposa del líder argentino Juan Perón, destacó por sus brillantes aptitudes para la política, y trabajó extraoficialmente para mejorar las condiciones de la mujer y las de las clases trabajadoras. Su compromiso con las causas sociales se debió, en parte, a su humilde pasado, y la ayudó a ganarse el corazón del proletariado argentino, que la bautizó con el afectuoso sobrenombre de Evita. Conoció a Perón mientras trabajaba como actriz en un popular serial radiofónico, y se casó con él en 1945, un año antes de que se convirtiera en presidente. A pesar de que nunca compartió los postulados del gobierno oficial, estuvo vinculada a las tareas de Perón. Organizó a las mujeres trabajadoras, participó en la defensa del sufragio femenino y luchó en favor de los derechos sanitarios. Fue vehementemente apoyada por los descamisados, e irritó a diversos políticos influyentes, hasta el punto de que en 1951, los militares impidieron que accediera a la vicepresidencia del país.

41. MARÍA ESTELA MARTÍNEZ DE PERÓN (n. 1931)

Su biografía está ligada a su matrimonio con el líder del Partido Justicialista argentino, Juan Domingo Perón, y a pesar de que se la recordará por sus cargos políticos, su dedicación vocacional ha sido siempre la música (fue profesora y estudió baile clásico). Colaboró intensamente junto a Perón en la política argentina, llegando a la vicepresidencia en 1973. Al año siguiente Perón cayó enfermo y María Estela hubo de tomar las riendas políticas de Argentina. A la muerte de Perón, y en virtud de un precepto constitucional, su cargo accidental se oficializó, hasta que fue destituida por una junta militar. En 1981 fue procesada y condenada a ocho años de prisión por un presunto desfalco en los fondos públicos, aunque en julio de ese mismo año obtuvo la libertad.

Tras su liberación viajó a España, donde realizó una extravagante campaña política cuyo fin era dirigir al Partido Justicialista desde el otro lado del océano. Pasó el año alimentando aspiraciones políticas y en 1984 regresó de nuevo a Argentina, con intención de reincorporarse a la política activa. Sin embargo, al año siguiente, 1985, se retiró.

TRES REINAS AUTÉNTICAMENTE NOBLES

42. HEDWIGE (c. 1373-1401)

Pese a que sólo vivió veintiocho años, le bastaron tres décadas escasas para estar considerada hoy día como una de las reinas más distinguidas de la historia de Polonia. En 1386 se casó con Ladislao II, y durante su corta existencia le sobró tiempo para sobresalir en las relaciones internacionales, tanto diplomáticas como militares; promover el arraigamiento del cristianismo en su país, y fundar la Universidad de Cracovia.

43. MARGARITA VALDEMARSDOTTER (1353-1412)

Hija del rey Valdemar IV de Dinamarca, y esposa de Haakon VI, de Noruega, Margarita gobernó ambos países como regente de su hijo desde 1376 hasta el año de la muerte de éste, en 1387. Dinamarca y Noruega eligieron a Margarita como la candidata idónea para unir sus respectivas soberanías, y en 1389 los suecos le ofrecieron su trono a cambio de que se impusiera sobre el inepto monarca que les gobernaba. Una vez logró capturar y encerrar al rey sueco, se embarcó en la conquista de Suecia, que lograría en 1397. Tras la victoria, unió Suecia, Noruega y Dinamarca en la Unión de Kalmar, y coronó a su sobrino, Erik de Pomerania, como rey. La Unión se prolongó hasta 1523, hasta la insurrección de Gustavo Vasa.

44. MARÍA CRISTINA DE HABSBURGO-LORENA (1858-1929)

Su formidable inteligencia y educación motivaron que Cánovas del Castillo la propusiera como reina a la muerte de la primera esposa de Alfonso XII. La sugerencia desembocó en boda y en noviembre de 1879 María Cristina y Alfonso XII se casaban. De su unión nació Alfonso XIII, futuro rey de España, quien se erigió en la única esperanza en la delicada coyuntura que atravesó España al morir Alfonso XII. El pacto del Pardo (1885), suscrito por Cánovas y Sagasta, instauró el turno pacífico de gobierno hasta que finalizara la minoridad de Alfonso XIII. María Cristina juró la regencia ante las Cortes y mantuvo el liderazgo político del país hasta que su hijo alcanzó la mayoría de edad, en 1902. Durante la regencia de María Cristina se promulgó la ley del sufragio universal.

El gobierno de María Cristina sufrió su peor crisis con el desastre colonial de 1898, que afectó profundamente a la regente. En 1902, al cumplir su hijo la mayoría de edad, se retiró a un discreto segundo plano político

CONFLICTOS EN PALACIO

45. INTRIGAS ROMANAS

Tan leal como intrépida, Agripina I (*c.* 14 a. C.-33 d. C.) acompañó a su esposo, César Germánico, en las campañas militares que éste dirigió en nombre de Roma. Además, dio a luz al despiadado Calígula, y a una hija, Agripina II, la Joven (*c.* 15-59 d. C.), heredera de su osadía, que no de su decencia. Casada en tres ocasiones, Agripina la Joven, fue la madre del nefario Nerón. Después de persuadir al emperador Claudio, su tío y esposo, para que nombrara a Nerón como su sucesor, se cree que le envenenó. Otra de las esposas de Claudio, la notoriamente disoluta Valeria Mesalina, intentó declarar contra él y terminó ejecutada. Agripina fue más efectiva en sus intrigas contra Claudio, y, finalmente, encontró en Nerón la horma de su zapato. Claro que éste la asesinó, quizá a instancias de su mujer Popea Sabina (d. 69 d. C.). Nerón, por supuesto, siguió su particular camino, hasta convertirse en uno de los gobernadores romanos más libertino y desalmado.

46. MARÍA, REINA DE ESCOCIA (1542-1587)

María Estuardo, reina de Escocia a los seis días, provocó diversos tumultos en Escocia e Inglaterra, debido a su ferviente adhesión al catolicismo. Fue educada en Francia, y en 1558 se casó con el futuro Francisco II, de quien, además de su fe religiosa, heredó la refinada cultura francesa. Cuando su marido murió, volvió a Escocia en 1561. Se casó entonces con su primo Enrique Estuardo, le nombró rey e impuso el catolicismo. Los nobles de su corte, enfurecidos, promovieron varias insurrecciones para derrocarla, forzándola, finalmente, a abandonar la corte junto a su pequeño hijo. Por aquel entonces Enrique había muerto y ella había huido para casarse con el conde de Bothwell. Su matrimonio supuso un ultraje para los nobles, y sus seguidores la abandonaron, no dejándole otra alternativa que la de abdicar a favor de su hijo, quien se convirtió entonces en Jacobo VI de Escocia. Fue condenada a prisión, pero consiguió escapar y reunir un ejército de seis mil adeptos. Los escoceses superaron su arremetida y en 1568, María huyó a Inglaterra. Allí, Isabel I la encarceló. Sus adeptos promovieron varias conspiraciones para derrocar a la reina Isabel e instalar a María Estuardo en el poder. En 1586 fue condenada por conspirar contra Isabel, y ésta ordenó su ejecución.

47. MARIANA DE AUSTRIA (1634-1696)

Reina de España entre 1649 y 1665, y regente en nombre de su hijo Carlos II, gobernó acechada por las suspicacias y las disensiones con la nobleza, estamento por el que mostró un curioso desinterés. Su inexperiencia, su ignorancia y sus escrúpulos religiosos, motivaron que delegara las responsabilidades al frente del trono a su confesor, el jesuita Juan Everardo Nithard, a quien nombró miembro del consejo de regencia e inquisidor general y gobernador de Flandes. La impopularidad de su política alentó la oposición de la nobleza, buena parte de la cual se agrupó alrededor de Juan José de Austria, hermanastro de Carlos II, para relevar a Nithard. Pero cuando parecía que Mariana había acatado el relevo, depositó su confianza en Fernando de Valenzuela, apodado el «duende de palacio» profundo y hábil conocedor de las intrigas de la corte. La nobleza, indignada, incrementó la presión para que Juan José de Austria llegara a palacio, y en vista de ello Mariana otorgó mayores competencias a Carlos II, para que Juan José no le disputara a ella el poder. Sin embargo, en 1677 Juan José de Austria asumió las funciones de primer ministro de Carlos II, y Mariana fue confinada en Toledo. A la muerte del primer ministro en 1679, Mariana regresó a la corte, siendo ya rey su hijo Carlos, y mantuvo sonadas disputas con las dos esposas de éste: María Luisa de Orleans y Mariana de Neoburgo.

UNA REINA ACTUAL

48. SOFÍA DE GRECIA (n. 1938)

Hija de Pablo I de Grecia y de Federica de Brunswick, en 1962 se casó con Juan Carlos de Borbón, el rey Juan Carlos I. La reina Sofía encarna el paradigma de la monarca moderna: sus funciones no son totalmente ajenas a los trasiegos políticos y se ha consagrado a impulsar numerosos proyectos e instituciones de carácter filantrópico y social. En todo momento prestó su apoyo al rey en el difícil proceso de la transición española a la democracia. Los reyes tienen tres hijos: Elena, Cristina y Felipe; las dos primeras, infantas de España, han tenido descendencia.

SABALA

113. CARMEN ALBORCH

Valenciana, doctora en Derecho, fue directora e impulsora durante los primeros años noventa del Instituto Valenciano de Arte Moderno (IVAM) y consiguió convertirlo en uno de los puntos de referencia de la vanguardia artística española. En 1993 fue nombrada ministra de Cultura en el gobierno del Partido Socialista Obrero Español, cargo que ocupó hasta 1996.

En 1999 publicó *Solas*, una autobiografía intelectual y colectiva, que se convirtió en un éxito y que comienza de esta contundente manera: «Las mujeres solas no nos conformamos. Vivimos acompañadas mientras se mantiene el deseo, mientras perduran la complicidad y el respeto. Pero cuando no existe sincronización con nuestra pareja, preferimos estar a solas que resignarnos al desamor. En cualquier caso, no somos militantes de la soledad».

MUJERES SOLDADO

49. AMAZONAS CHINAS

Según la leyenda China, Hua Mu-lan se convirtió en soldado en el siglo v, después de vencer a su padre en un duelo. Luchó heroicamente durante doce años, y se hizo pasar por hombre con tal convicción que su capitán le ofreció la mano de su hija.

50. EL OSADO DÚO

En el siglo VII dos mujeres árabes resultaron fundamentales para el inicio de la expansión del Imperio árabe en Oriente Medio, Europa y África. Una oficial del ejército conocida como Khaula se alió con su superior Waferia y juntas derrotaron al ejército griego.

51. GUERRERAS JAPONESAS

En el siglo XIII japonés, una samuray llamada Tomoe se ganó un lugar entre las mejores luchadoras de la historia de Japón. Los documentos de la época la describen como «un ejemplo para miles de guerreros, capaz de enfrentarse tanto a Dios como al demonio».

52. DEBORAH SAMPSON (1760-1827)

Esta rebelde afroamericana nacida en Plymouth, Massachusetts, se dejó arrebatar por su ferviente patriotismo para servir en el ejército durante la revolución americana. En 1782 se confeccionó un traje de hombre, adoptó el sobrenombre de Robert Shurtleff, y se alistó en una ciudad donde nadie la conocía. Su asombrosa corpulencia y su temperamento le permitieron ocultar su condición mientras sirvió en el cuarto regimiento; de hecho, mantuvo su identidad en secreto aun después de ser abatida en la batalla de Tarrytown. Se extrajo sin ayuda la metralla de su propia pierna y se reincorporó al campo de batalla. Allí fue alcanzada en el hombro. Un médico descubrió que era mujer después de que cayera enferma de fiebre. Éste mantuvo el secreto, pero Sampson fue pronto repatriada por razones de salud. Después de la guerra, sus aventuras salieron a la luz en forma de libro. Gracias a la ayuda de Paul Revere pudo asegurarse una pensión de soldado por el estado de Massachusetts y otra por el gobierno federal.

53. LAS ANDANZAS DE UNA COSACA

Tras abandonar a su esposo y hacerse pasar por hombre, Nadezhada Durova (1783-1866) sirvió durante ocho años en uno de los regimientos cosacos de Rusia, donde alcanzó el rango de oficial de caballería.

54. UNA MUJER CON AGALLAS

La doctora Mary Edwards se convirtió, en 1865, en la primera mujer distinguida con la Medalla al Honor de Estados Unidos, en reconocimiento a su trabajo como enfermera y cirujana del ejército unionista durante la guerra civil. Pese a ello, el ejército le revocó la medalla en 1917 arguyendo que su heroísmo no había quedado probado. Murió dos años después. Finalmente, en 1977 el ejército se retractó y le restituyó la condecoración.

LEYES Y LEGISLADORAS

55. EL CÓDIGO DE HAMMURABI

El primer código jurídico del que se tiene constancia fue elaborado por este rey de la primera dinastía babilónica a finales del siglo XVIII a. C. y establecía los derechos jerárquicos aplicables a la mujer. En este código, las mujeres fueron equiparadas a los hombres en materia de potestad sobre los hijos, y se les permitió delegar tales facultades sobre quien creyeran más conveniente. Además, una vez casadas, recibían una dote, privilegio al que los hombres no tenían derecho.

56. PRIMERAS IGUALDADES

Un grupo de arqueólogos descubrió durante su exploración de las ruinas de Micenas (la cultura que floreció en Grecia en la Edad del Bronce) algunas lápidas con inscripciones que sugieren que el hombre y la mujer participaron de un mismo estatus legal en el que fue uno de los primeros estados europeos.

57. HISTORIA DE LAS LEYES, I

La primera mujer abogado conocida en la historia ejerció en Babilonia en el año 550 a.C.

58

«El marido y la mujer son una sola persona ante la ley; esto es, la existencia legal de la mujer queda en suspenso durante el matrimonio, o, en última instancia, quedará absorbida por la de su esposo» (sir William Blackstone, *Comentarios sobre las leyes de Inglaterra*, 1765).

59. CIUDADANOS DE SEGUNDA

En la antigua Atenas, la mujer estaba legalmente sometida al hombre. Sus padres, sus hermanos, sus esposos e incluso sus hijos controlaban tanto las riquezas como los hijos de toda mujer. Las únicas leyes que protegían a la mujer lo hacían de un modo tan abstracto que la protección beneficiaba todavía más a sus guardia-

nes masculinos. Imposibilitadas para emprender una sola acción legal contra tal injusticia, también fueron excluidas del gobierno, la política y la guerra.

60. LA LEY DE LAS DOCE TABLAS

Las doce tablas, escritas entre el año 451 y el 450 a. C., constituyen el primer código legal de la antigua Roma. Muchas de las leyes definían sin reserva el lugar de la mujer en la sociedad: sometida a la autoridad del hombre. Algunas disposiciones detallaban quién debía ser el responsable de controlar el destino de la mujer en cada etapa de su vida; así, bien un joven o bien un adulto debían resolver si le concedían la vida en libertad o si preferían esclavizarla; o, incluso, si la dejaban vivir. Otras leyes daban cobertura a la herencia de la propiedad de la mujer y a la libertad de autoridad del hombre que disfrutaban las vírgenes vestales.

61. HISTORIA DE LAS LEYES, II

Bettisia Gozzadini mantuvo su cátedra durante diez años (desde 1239 hasta 1249), en la Universidad de Bolonia.

62. MARGARET BRENT (1600-1671)

Mucho antes de que en Estados Unidos se permitiera a una mujer entrar en el cuerpo de abogados, Margaret Brent ejercía el derecho en las colonias británicas. Nació en Inglaterra, no se casó, a los treinta y ocho años cruzó el Atlántico y fue la primera mujer a la que se concedió una hacienda en una colonia: Maryland. Al poco tiempo de desembarcar, Brent ya se había convertido en una de las máximas propietarias de la colonia y participaba activamente en la política local. En 1644 reunió una milicia para la defensa de la colonia, y en 1647 colaboraba con el gobernador de Maryland, Leonard Calvert. A pesar de que le fue denegado el derecho a voto en una asamblea local, Brent desempeñó un papel fundamental en el progreso de la colonia, y entre 1642 y 1650 invirtió su perspicacia legal en más pleitos de los que ninguna otra ciudadana de la colonia hubiera llegado a soñar.

63

«Las mujeres desarrollaron las leyes y su aplicación práctica en lo concerniente al orden familiar y a las costumbres tribales, tanto como lo hicieron los hombres; pero cuando los estatutos jurídicos suplantaron a la tradición, cuando los tribunales sustituyeron a la justicia individual y hubo necesidad de un cuerpo específico de legisladores para definir y administrar leyes, cada vez más difíciles de entender conforme aumentaba la complejidad de las relaciones sociales, sólo los hombres accedieron a la justicia» (Anna Garlin Spencer, *La participación de las mujeres en la cultura social*, 1912).

64. BIENES MUEBLES E INMUEBLES

Durante el siglo XIX, se convino conceder a las mujeres estadounidenses, de toda raza y procedencia, el mismo trato legal que a niños y esclavos. De tal forma, toda renta que ingresaran o toda herencia que recibieran pasaba directamente a engrosar el patrimonio de sus esposos. Se consideraba que los hijos de las mujeres eran propiedad exclusiva de los maridos. Asimismo, se les denegó la posibilidad de invertir, firmar contratos, hacer testamento y litigar sin el consentimiento de sus esposos o el de sus parientes masculinos más cercanos. Tampoco podían divorciarse sino bajo unas rigurosísimas circunstancias. A partir de la década de 1860 y en vista de la presión que ejercieron las activistas que defendían los derechos de la mujer, los estados incorporaron gradualmente los derechos de propiedad de la mujer.

65. LA LEY DE ASOCIACIÓN

En 1851 la ley de asociación alemana prohibió la participación de la mujer en reuniones o asociaciones políticas. La ley fue revisada en 1884, pero los derechos de la mujer siguieron discriminados hasta bien entrado el siglo xx.

SOBRE LOS DERECHOS DE LA MUJER

66

«En el nuevo código legal que, supongo, será necesario que realices, desearía que te acordaras de las mujeres y que seas más generoso y favorable con ellas que tus antecesores. No pongas tan ilimitados poderes en manos de los maridos. Recuerda que todos los hombres serían tiranos si pudieran. Si no se presta un cuidado y una atención específica a las damas, estamos dispuestas a promover una rebelión, no permitiremos que se disponga extralimitadamente de nuestros derechos, con leyes en las que no tenemos ni voz ni voto» (Abigail Adams, en una carta a John Addams, 1776).

67

«Considerando que me dirijo a ti como legislador, sospecho que, cuando los hombres luchen por su libertad y se les permita ser juzgados por sí mismos y se respete su felicidad, las cosas cambiarán; ¿no es injusto e inconsecuente sojuzgar a las mujeres, aun cuando creas que actúas firmemente para fomentar su felicidad? ¿Quién hizo del hombre el juez exclusivo, si a la mujer le corresponde tanto como a él la virtud de la razón?» (Mary Wollstonecraft, en una carta a Talleyrand, 1791).

68

«Aun admitiendo que Eva fuera la mayor de las pecadoras, me parece que el hombre debería estar satisfecho con el poder que ha reclamado y ejercido en los últimos seis mil años; después de ello, su máximo gesto de nobleza debería manifestarse a través del sacrificio por redimir a los débiles, antes que por mantener a la mujer sujeta a sus dictados. Pero yo no mendigaré favores por mi condición sexual. No me rindo ni reclamaré la igualdad. Todo lo que pediré de mis hermanos es que dejen de sojuzgarnos y permitan que nos levantemos sobre esta tierra que Dios ha creado para que ocupemos todos» (Sarah Moore Grimké, en una carta a Angelina Grimké, 1837).

69

«Cuando ni un solo hombre… ¿entre un millón debería decir? No, cuando ni uno sólo entre cientos de millones es capaz de pensar que la mujer no fue hecha sólo para su disfrute, cuando rasgos tan penosos como éste son nuestro pan de cada día, ¿podemos pensar que el hombre siempre será justo con los intereses de la mujer? ¿Podemos pensar que adquirirá un discernimiento y una perspectiva religiosa suficientes de la mujer como para impartir justicia, a excepción de cuando actúe (accidental o transitoriamente) movido por sentimientos…?» (Margaret Fuller, *La mujer en el siglo XIX*, 1845).

70

«Muchos de aquellos a los que se conoce como sabios o como hombres buenos en esta tierra estarían mucho más satisfechos de discutir sobre los derechos de los animales antes que hacerlo sobre los de las mujeres. A su juicio, llegar a pensar que las mujeres están capacitadas para compartir los mismos derechos que el hombre, les convertiría en blasfemos. Muchos de los que, finalmente, descubrieron que los negros pueden compartir algunos derechos con el

resto de los miembros de la especie humana, deben de ser convencidos todavía de que las mujeres son aptas para ostentar cualquier derecho» (Frederick Douglass, 1848).

71

«Aquel hombre de allí dice que las mujeres necesitan que las ayuden a subir a las carrozas, que las alcen para no salpicarse en el fango y a estar siempre en el mejor de los sitios allí donde vayan. A mí nunca nadie me ha ayudado a subir a una carroza, ni a pasar por encima de un charco de fango, o me ha llevado al mejor de los sitios. ¿No soy yo una mujer, acaso? ¡Miradme! ¡Mirad mi brazo! Yo he trabajado la tierra, la he arado y he recolectado todo para almacenarlo en un establo sin la ayuda de hombre alguno. Entonces, ¿no soy yo una mujer? Podría trabajar y comer tanto como un hombre —si tuviera la oportunidad de hacerlo—, e incluso dar azotes igual de bien. ¿Y no soy yo una mujer? He parido a trece hijos y he visto cómo la mayoría de ellos eran vendidos como esclavos, y cuando lloré para desahogar mi dolor de madre, nadie, excepto Jesús, me escuchó ¿Y no soy yo una mujer?» (Sojourner Truth, 1851).

72

«El prejuicio contra el color de la piel, del que tanto hemos oído hablar, no es más fuerte que el prejuicio del sexo. De hecho, se produce por la misma causa, y se manifiesta, en muchos casos, del mismo modo. La piel de los negros y el sexo de las mujeres son la evidencia primera de que ambos desean estar sujetos al hombre sajón blanco» (Elizabeth Cady Stanton, 1860).

73

«Los hombres, sus derechos y nada más; las mujeres, sus derechos y nada menos» (Susan B. Anthony y Elizabeth Cady Stanton en *La Revolución*, 1868).

74

«Los hombres no sólo buscan la obediencia de las mujeres, quieren sus sentimientos. Todos los hombres, a excepción de los más obtusos, desean encontrar en la mujer que más cerca está de ellos, no una esclava sometida, sino aquella que anhele serlo libremente; no una esclava cualquiera, sino su predilecta» (John Stuart Mill, *La sujeción de la mujer*, 1869).

75

«De mis dos rémoras, ser mujer me resulta más traumático que ser negra» (Shirley Chisolm, *Sin amo ni patrón*, 1970).

76

«La enmienda sobre la Igualdad de Derechos se refiere a un movimiento político socialista y contrario a la familia, que alienta a las mujeres a abandonar a sus esposos, a matar a sus hijos, a practicar la brujería, a acabar con el capitalismo y a convertirse en lesbianas» (Pat Robertson, 1994).

LA LUCHA POR EL SUFRAGIO

77. SOCIEDAD NACIONAL PARA EL SUFRAGIO DE LAS MUJERES

En 1867 un grupo de sufragistas británicas, encabezado, entre otras, por Dame Millicent Garrett Fawcett y Lydia Becker fundó la primera organización inglesa a favor del sufragio. John Stuart Mill, apoyó al grupo y auspició la primera conferencia pública que se celebró a favor del sufragio.

78. CIUDADANAS DEL MUNDO

Hizo falta un siglo para que los países con gobiernos elegidos democráticamente adoptaran el sufragio universal. Nueva Zelanda, en 1839, fue el primer país en permitir que todas las mujeres pudieran votar a escala nacional. El proceso fue seguido lentamente por otros países, y en los ochenta todos los países, con la excepción de algunos de religión musulmana, habían admitido el sufragio femenino.

1906 Finlandia
1908 Australia
1913 Noruega
1916 Dinamarca e Islandia
1917 Unión Soviética y Países Bajos
1918 Canadá y Luxemburgo
1919 Austria, Checoslovaquia, Alemania, Italia, Polonia y Suecia
1920 Estados Unidos
1923 Filipinas
1928 Gran Bretaña y Puerto Rico
1929 Ecuador
1930 Suráfrica
1931 España
1932 Brasil y Uruguay
1934 Turquía y Cuba
1941 Panamá
1944 Francia
1945 Guatemala y Japón
1946 Italia, México y Argentina
1947 Bolivia y China
1948 Bélgica, Corea del Sur e Israel
1949 Chile, India, Indonesia y Siria
1950 El Salvador
1954 Belice y Honduras
1956 Egipto, Grecia, Nicaragua y Perú
1957 Tunicia
1958 Argelia y Mauricio
1961 Bahamas y Camerún

1962 Mónaco
1963 Irán
1964 Libia y San Marino
1965 Afganistán
1966 Barbados y Botswana
1968 Irlanda
1970 Andorra
1971 Suiza
1974 China
1977 Lietchtenstein
1980 Cabo Verde
1985 Bangla Desh

79. LA BATALLA EN SU PROPIO FRENTE

La primera guerra mundial acabó con las últimas barreras que resistían el advenimiento del sufragio femenino en Estados Unidos. Mientras las tropas norteamericanas embarcaban rumbo a Europa para luchar, las mujeres irrumpieron en las fábricas de manufactura de armamentos y de infraestructura militar; consagraron voluntariamente su tiempo libre a proveer de fondos a sus compatriotas y a empaquetar mercancías delicadas. Las más osadas cruzaron el océano para conducir ambulancias o ayudar como enfermeras. Una vez concluida la guerra, sólo algunos militares conservadores tuvieron la desfachatez de levantar su voz contra la concesión del voto a las mujeres.

80. LA DECIMONOVENA ENMIENDA

El 10 de enero de 1918 la Cámara de Representantes de Estados Unidos aprobó la enmienda a favor del sufragio femenino, que se conocería popularmente como la enmienda Anthony, en homenaje a la mujer que la auspició: Susan B. Anthony. El Senado aprobó la enmienda el 4 de junio de 1919, y catorce meses más tarde el estado de Tennessee fue el último en ratificarla. Así, el 26 de agosto de 1920 la enmienda decimonovena se incorporó oficialmente a la

Constitución norteamericana. Y dice así: «El derecho al voto de los ciudadanos de Estados Unidos no podrá ser denegado o limitado, ni por los Estados Unidos ni por cualquier otro estado, por razones de sexo». Aquel día las mujeres norteamericanas obtuvieron por fin uno de los derechos fundamentales en toda democracia.

LAS SUFRAGISTAS Y SUS SENTIMIENTOS

81. ELIZABETH CADY STANTON (1815-1902)

Mujer extremadamente inteligente (ya despuntaba cuando era una niña) y líder feminista (cuando creció), Elizabeth Cady Stanton conoció la realidad de los prejuicios sexistas a través de su padre, un severo juez, que, en cierta ocasión, le confesó: «Oh hija mía, ojalá hubieras sido un chico». Estudiante devoradora de todo lo que caía en sus manos, sobresalió en griego, lengua que antes de casarse ya leía para distraerse, en la biblioteca de su padre. Durante la celebración de su matrimonio, Stanton se negó a pronunciar la palabra «obediencia» e insistió en mantener su apellido de soltera. Lo empleó hasta el fin de sus días conjugándolo con el de su esposo. En 1840, mientras pasaba su luna de miel en Londres, donde se estaba celebrando la Convención Mundial contra la Esclavitud, su vida experimentó un cambio decisivo: allí conoció a Lucretia Mott, una perseverante feminista, que se convirtió en su mentora. En 1848 convocaron la primera Convención sobre Derechos de la Mujer, celebrada en la ciudad natal de Stanton, Seneca Falls (Nueva York). Cady Stanton redactó el estatuto de la convención en un texto al que bautizó como «Declaración de Sentimientos y Propuestas», y en el que se invistió como líder del movimiento feminista. En 1851 Elizabeth conoció a Susan B. Anthony, con quien inició una fructífera relación mantenida hasta el fin de sus días. Juntas editaron el periódico *The Revolution*, preocupado por temas como el derecho a la propiedad de la mujer; y en 1880 escribieron el primero de los tres volúmenes de la *Historia del sufragio femenino*. Tras la guerra civil, mientras el movimiento feminista porfiaba en su lucha en favor del sufragio, Cady Stanton abordó otros ámbitos de investigación. Así, en su libro *La Biblia de la mujer* (1895), acusó al cristianismo de fomentar el sexismo; poco después, emprendió una gira de conferencias en las que reivindicó la educación para la mujer. Hacia el final de su vida, Stanton se refirió con satisfacción a las mujeres que debían sucederla en su lucha: «Hay una cosa de la que los hombres deberían estar seguros, y es que la próxima generación no discutirá la cuestión de los derechos de la mujer con la infinita paciencia con la que lo hemos hecho nosotras durante medio siglo».

82. EMMELINE PANKHURST (1858-1928)

La suya fue la única voz, de entre todas las británicas, que se levantó, de un modo auténticamente poderoso, a favor del sufragio femenino. Emmeline Pankhurst ayudó a financiar la Sociedad Nacional para el Sufragio de las Mujeres en 1867, y a finales de esa misma década redactó el primer proyecto de ley tendente a instaurar el sufragio femenino. En la década de 1870 escribió y abogó por la tramitación legal de la ley de propiedad de las mujeres casadas, que sería aprobada en 1882. En 1889 fundó la Liga de Sufragistas; cinco años más tarde, en 1894, intervino decisivamente en la aprobación de un nuevo proyecto de ley que concedía el derecho al voto a las mujeres casadas en el marco de las elecciones locales. Sin embargo, su creciente frustración ante el sistemático rechazo parlamentario a la aprobación del sufragio femenino universal, y el conservadurismo de las cámaras frente a los colectivos que exigían el sufragio, motivaron que, en 1903, fundara la Unión Femenina Social y Política (WSPU). El colectivo adoptó tácticas activas para persuadir a la opinión pública de la necesidad del sufragio femenino, logrando una notable repercusión y concienciación social, que desembocó tanto en marchas y manifestaciones como en boicots y piquetes. Algunas activistas llegaron a perseguir a los políticos antisufragistas, atentar contra edificios y poner bombas, para difundir su mensaje. Las autoridades condenaron a prisión a varias afiliadas del WSPU, entre ellas a Pankhurst y sus dos hijas (Christabel y Estelle), quienes se declararon en huelga de hambre en señal de protesta. Cuando estalló la primera guerra mundial, el grupo de Pankhurst suspendió sus actividades y clamó por el fin del conflicto, lo que aumentó considerablemente el número de incondicionales que las apoyaban. Las reivindicaciones se reanudaron al acabar la guerra, y Pankhurst vivió lo suficiente para ver que en 1928 se concedía, finalmente, el sufragio a las mujeres británicas.

83

«Siempre me ha dado la impresión de que cuando los miembros antisufragistas del gobierno critican la militancia de las mujeres, parecen una suerte de camada descontrolada de animales carroñeros echándose encima de presas inofensivas que deben oponer una resistencia desesperada para no ser devoradas hasta la muerte» (Emmeline Pankhurst, 1912).

84

«Si algún día ocurriera que Inglaterra sólo pudiera ser gobernada a partir del disturbio y la violencia, yo me declaro la primera en participar en esa apuesta. Sin embargo, yo abogo por tener sólo una oportunidad en una situación completamente inversa a la planteada, ¡cuando el voto se haya ganado!… Cuando hayamos conseguido ese propósito, entonces sí estaremos en disposición de ayudar al hombre a resolver los conflictos del siglo XX. Obviamente, no podrán afrontarlos sin nuestra ayuda» (Christabel Pankhurst, en una carta a Henry Harben, 1913).

85. ALICE PAUL (1885-1977)

Esta socióloga cuáquera fue decisiva para la radicalización del movimiento sufragista a comienzos del siglo XX, infundiéndole un entusiasmo que fue fundamental para su inminente éxito. Tras licenciarse por el Swarthmore College en 1905, Paul completó su formación con un máster y el posterior doctorado en sociología por la Universidad de Pennsylvania. Participó en el activismo en el seno del movimiento sufragista inglés. En 1912 regresó a Estados Unidos y se afilió a la Asociación Nacional de Mujeres a favor del Sufragio, que posteriormente abandonaría para involucrarse en una organización más radical. Ésta se llamó Unión Congresista de Mujeres a favor del Sufragio (en 1917 se convirtió en el Partido Nacional de Mujeres), organizada en piquetes. Apoyaron las turbulentas manifestaciones de Washington del 3 de marzo de 1913, durante la toma de posesión del presidente Woodrow Wilson, en las que Paul lideró a unas ocho mil manifestantes, veintiséis carrozas, diez bandas y seis carros en una marcha que fue presenciada por más de medio millón de espectadores. La caballería de Estados Unidos tuvo que emplear más de cinco unidades para controlar el brote de violencia, que se saldó con doscientas personas heridas. La repercusión de aquella jornada disparó los donativos y ayudó a las sufragistas a reunir cerca de medio millón de firmas, con las que pretendían suscribir la tramitación de una solicitud de enmienda constitucional. Paul prosiguió con sus piquetes itinerantes, a los que dirigió al Capitolio y a la Casa Blanca, y terminó en prisión junto a varias de sus colaboradoras; allí siguieron con sus reivindicaciones, declarándose en huelga de hambre. En 1917, durante la segunda toma de posesión de Wilson, Paul dirigió una marcha alrededor de la Casa Blanca, que resultó decisiva para que la siguiente ceremonia presidencial resultara la primera en que un presidente era elegido, en parte, gracias al voto de la mujer.

86. LA ÚNICA SUPERVIVIENTE

Charlotte Woodward fue la única de las participantes de la convención a favor de los derechos de la mujer celebrada en Seneca Falls en 1848, que vivió para votar después de que fuera aprobada la enmienda decimonovena. Cuando se celebró la convención de Seneca Falls tenía diecinueve años; en 1920 cuando pudo votar, ya había cumplido los noventa y uno.

87. MARTIRIZADAS POR EL VOTO

Mucho antes de que el movimiento sufragista cobrara forma en Estados Unidos, en Inglaterra ya se habían desatado toda suerte de disturbios, atentados terroristas y demás actos radicales. Resulta especialmente espeluznante el caso de una activista suicida, que se arrojó al hipódromo de Epsom Downs y fue pisoteada hasta la muerte por los caballos.

REBELDES Y RADICALES

88. EN BUSCA DE LA INDEPENDENCIA

El pueblo del antiguo Vietnam pasó varios siglos en lucha contra los invasores chinos. De aquella resistencia surgieron varios héroes famosos, entre los que se contaban algunas mujeres; de hecho, fueron dos mujeres quienes lideraron la mayor sublevación. En el año 39, las hermanas Trung Trac y Trung Nhi, ambas viudas de sendos aristócratas muertos por los chinos, lideraron una rebelión que culminó con la hermana mayor, Trung Trac, como jefe del estado independiente de Vietnam que duró cuatro años, el tiempo que los chinos invirtieron en reconquistar los dominios rebeldes; pese a ello, la resistencia prosiguió durante los siglos sucesivos. Las mujeres encabezaron muchos de los pronunciamientos posteriores: Phung Thi Chinh combatió embarazada y, después de dar a luz, se reincorporó al campo de batalla con su recién nacido sujeto en la espalda con una correa. En el año 240 Trien Au formó un ejército y combatió durante seis meses antes de conocer la derrota. Conocida como «la Juana de Arco vietnamita», la valerosa guerrera prefirió suicidarse antes que rendirse a los chinos.

Algunos años después, una campesina de veintitrés años llamada Trieu Thi Tinh arrastró a miles de seguidores a una revuelta que acabaría por fracasar; Thi Tinh prefirió, igualmente, el suicidio a la rendición, y murió frente al enemigo. La tradición de las mujeres guerreras sobrevive en el siglo XX: la Asociación de Mujeres contra el Colonialismo, creada en 1930, se alineó a favor de la independencia y reunificación de Vietnam, y durante la guerra contra Estados Unidos, los soldados yanquis constataron que las mujeres que defendían Vietnam del Norte, eran más tenaces que sus camaradas masculinos.

89. OLYMPE DE GOUGES (m. 1793)

Defensora de la Revolución francesa, esta escritora política salpicó con sus críticas a algunos de los líderes y filósofos revolucionarios. Autora de varios tratados sobre la educación y los derechos de la mujer, alcanzó una gran notoriedad en 1791, cuando publicó una audaz respuesta a la «Declaración de Derechos del Hombre y del Ciudadano». El documento, que ensalzaba los principios de igualdad, libertad y fraternidad, denunciaba la omisión de los derechos de la mujer. Gouges redactó la «Declaración de los Derechos de la Mujer y de la Ciudadana» para hacer comprender que la revolución debía apoyar legal, económica y socialmente la igualdad de la mujer. Ello suscitó las burlas de los líderes masculinos de la insurrección, quienes la hubieran ignorado de no haberse hecho pública la oposición de Gouges a la ejecución del rey Luis XVI. Su última osadía fue censurar la violencia política de Robespierre, quien había instaurado el reino del Terror contra todo aquel que pudiera ser enemigo de la Revolución. Gouges fue inmediatamente incluida en esa categoría, y en 1793 fue ejecutada.

90. ALGUNAS REVOLUCIONARIAS

La Revolución francesa, fundada en los ideales de la Ilustración, denegó la igualdad de derechos entre mujeres y hombres. A pesar de que las mujeres resultaron decisivas para el éxito de la Revolución, de que desplegaron masivas manifestaciones, pusieron multitud de panfletos y consignas en circulación, e incluso lucharon, pronto comprendieron donde estaban los límites de aquel grito que clamaba por la «Igualdad, la Fraternidad y la Libertad». En 1793 la Convención votó en contra de la participación de la mujer en aso-

ciaciones políticas; además se prohibió que las mujeres participaran en actividad política alguna y se las excluyó de la ciudadanía. No es de extrañar, pues, que Théroigne de Mericourt, quien osó movilizar a las mujeres luchadoras para que exigieran la igualdad de derechos, fuera agredida por una muchedumbre enfebrecida y, acto seguido, confinada en un hospital psiquiátrico hasta el día de su muerte.

91. CHARLOTTE CORDAY (1768-1793)

Noble francesa partidaria de los girondinos durante la Revolución francesa. Horrorizada ante la persecución de que era objeto su partido por parte de los jacobinos, consiguió una audiencia con el revolucionario Jean-Paul Marat, a quien apuñaló mortalmente mientras estaba en el baño. Fue guillotinada pocos días después.

92. LOUISE MICHEL (1830-1905)

Una de las líderes del movimiento anarquista en Francia, Michel empezó su trayectoria política feminista fundando en 1866 una organización a favor de los derechos de las mujeres, dedicada a prevenir la prostitución y a la mejora de los salarios y de la educación de la mujer. En 1871 Michel entró en la Comuna de París. La radicalización de sus reivindicaciones políticas le valió el exilio dos años después, en 1873. En 1880, pudo regresar a Francia en virtud de la declaración de amnistía general, y se reincorporó de inmediato a la primera línea de la agitación política. Tras ser sentenciada a seis años de prisión en 1883, Michel rechazó el indulto, pero accedió a trasladarse a Londres para lograr su excarcelación. En 1896, de nuevo de regreso en París, siguió promoviendo la agitación con sus alegatos anarquistas. Michel también difundió su ideología en los varios libros que escribió a lo largo de su vida.

93. VICTORIA WOODHULL (1838-1927)

En 1872 el partido por la igualdad de derechos eligió a Victoria Woodhull como candidata a la presidencia de Estados Unidos. Mujer tan directa como controvertida, era la hija de un médico embaucador y aficionado al esoterismo. Trabajó junto a su hermana Tennessee Cleflin dedicándose a ocupaciones varias: psicóloga, corredora de bolsa en Wall Street y editora de la revista *Woodhull and Claflin's Weekly*, un periódico feminista semanal en el que se abordaban temas como el aborto, la prostitución y otras cuestiones que escandalizaban a la moral puritana. Woodhull fue la primera norteamericana en publicar el *Manifiesto comunista* de Karl Marx, aunque su rasgo distintivo fue su entusiasta defensa del «amor libre». En una de las ediciones especiales de su publicación, Woodhull puso al descubierto la relación amorosa que mantenían el conocido sacerdote Henry Ward Beecher y una de sus feligresas. Después de aquello, fue detenida y acusada de difundir información obscena, y su campaña presidencial finalizó.

94. ROSA LUXEMBURG (1871-1919)

Nacida en Polonia, Luxemburg dejó su tierra natal a los dieciocho años, debido a su afiliación al radicalismo político clandestino. Estudió en la Universidad de Zurich, donde se inició en el marxismo y se unió al movimiento socialista. En 1898, tras participar en la fundación del Partido Comunista polaco, se trasladó a Berlín, donde se afilió al Partido Socialdemócrata alemán (SPD). En 1905 la Revolución rusa la devolvió a Varsovia, y una vez allí fue encarcelada; en 1907, una vez excarcelada, volvió a Berlín para impartir clases en la escuela del SPD. Se opuso a los intereses alemanes en la primera guerra mundial y decidió fundar, junto a Karl Liebknecht, una facción revolucionaria dentro del SPD, el movimiento espartaquista. Sus actividades antibelicistas le acarrearon una nueva pena de prisión, aunque al ser liberada prosiguió entregada a su activismo radical. En 1919, con motivo de la revuelta espartaquista, Luxemburg fue detenida y, posteriormente, ejecutada.

95. EMMA LA ROJA (1869-1940)

Emma Goldman emigró de Rusia a Estados Unidos en 1885, y se convirtió en una de las radicales más afamadas de la época. Fue anarquista, simpatizó con el socialismo, y fue encarcelada en varias ocasiones por difundir consignas contrarias al gobierno. Fue también la fundadora y editora del periódico anarquista *Mother Earth*, y viajó por todo el mundo dando conferencias sobre feminismo, pacifismo y socialismo. En 1919 fue deportada a la Unión Soviética, y quedó defraudada al presenciar el frustrado intento de sus ideales socialistas. Después de aquello se trasladó a Londres, y más tarde colaboró con la causa republicana durante la guerra civil española.

96

«No existe nada comparable a un buen gobierno» (Emma Goldman).

97. TERESA CLARAMUNT (1862-1931)

Anarcosindicalista española, probablemente la primera revolucionaria de su país en el siglo XIX, y una de las militantes fundamentales del movimiento libertario español. Trabajadora del textil, tuvo ocasión de mostrar sus sobresalientes cualidades como oradora y organizadora sindical, enarbolando consignas en defensa de las trabajadoras explotadas. Claramunt vivió al filo de la ilegalidad, pasó largas temporadas en prisión y después del llamado «proceso de Montjuïc» fue expulsada de España. Vivió en Francia y en Gran Bretaña, y cuando volvió del exilio, en 1898, fundó la revista *El Productor* (1901), y siguió entregada a la causa sindicalista, por lo que, de nuevo, ingresó en prisión, tras promover una huelga general. En 1911, dos años después de haber estado involucrada en la Semana Trágica de Barcelona (1909), fue detenida y, estando en prisión, contrajo una parálisis de la que no se recuperó. En 1929 pronunció, ya muy debilitada, su último mitin.

98. MARGARITA NELKEN (1896-1968)

Mujer comprometida, Margarita Nelken consagró su vida a la lucha por los derechos de los desahuciados y a la escritura, siendo los derechos de la mujer uno de los temas recurrentes de sus ensayos. Sus ambiciones artísticas se concretaron en la pintura y la crítica de arte. Se afilió al Partido Socialista y fue elegida diputada por Badajoz en 1931. Fue dirigente de la Federación de Trabajadores de la Tierra, colaboró en el órgano de propaganda *Claridad*, fundado por un grupo de intelectuales socialistas que se oponían a la política de Prieto y Besteiro. En 1937 se afilió al Partido Comunista, en el que tan sólo militaría durante dos años. Hubo de exiliarse a México, donde prosiguió su enérgica lucha a fuerza de escribir. Allí murió dejando para la posteridad documentos históricos tan significativos como *La condición social de la mujer en España* (1919), *En torno a nosotras* (1927), *Tres tipos de virgen* (1929) o *El expresionismo mexicano* (1965).

99. DOLORES IBÁRRURI, «LA PASIONARIA» (1895-1989)

Procedente de una humilde familia minera, se incorporó muy joven a la organización socialista de Somorrostro y comenzó a escribir en la prensa obrera. Su compromiso político la llevó al activismo clandestino durante la dictadura de Primo de Rivera, y en 1930 fue elegida miembro del comité central del Partido Comunista.

En 1932, tras permanecer unos meses en la cárcel, volvió al ruedo político con fuerzas renovadas y participó en el IV congreso del partido, que se celebró en Sevilla. Después de eludir una condena a quince años de prisión por su apoyo a los mineros, organizó, desde la clandestinidad, el suministro de ayuda a las mujeres e hijos de los detenidos. Diputada por Asturias en 1936, fundó la organización Mujeres contra la Guerra y el Fascismo y promovió una amplia campaña de propaganda a favor de la España republicana. Tuvo que exiliarse al finalizar la guerra civil, lo que no le impidió alcanzar la secretaría general del Partido Comunista hasta 1960, cuando pasó a

ocupar la presidencia. En 1977 una entregada multitud la recibió en su regreso a España, donde, de nuevo, sería elegida diputada por Oviedo.

100. VICTORIA KENT (1898-1987)

Política y penalista española, pionera en varios terrenos de la vida sociopolítica española de principios de siglo, fue la primera mujer en ingresar en el Colegio de Abogados de Madrid, la primera en el mundo que formó parte de un tribunal militar; y, en 1931, una de las primeras mujeres españolas diputada a las Cortes Constituyentes, donde participó en representación del Partido Radical Socialista.

Kent fue designada directora general de Prisiones y emprendió una serie de reformas en el anacrónico sistema penitenciario español, aunque acaso su actitud más controvertida fue su oposición a la concesión del voto femenino: Kent consideraba que las mujeres no votarían a favor de la República.

Tras la guerra civil y estando en París, le sorprendió el estallido de la segunda guerra mundial, y pasó varios años oculta durante la ocupación nazi: así lo relata en su libro *Cuatro años en París* (1947). Tras el periplo francés se trasladó a México y más tarde a Nueva York, ciudad en la que editó la revista *Ibérica*.

101. FEDERICA MONTSENY (1905-1994)

Dirigente anarquista española, destacó por la enérgica defensa de sus convicciones y por su compromiso político, que la llevó a enrolarse en la Confederación Nacional del Trabajo (CNT) y a intervenir en las luchas contra los moderados entre 1931 y 1933. Entre noviembre de 1936 y mayo de 1937, en plena guerra civil, fue ministra de Sanidad y Asistencia Social en el gobierno de Largo Caballero, convirtiéndose en la primera mujer en ocupar una cartera ministerial. Asumió la evacuación de los refugiados y las necesidades políticas y militares suscitadas durante la guerra, aconsejando la marcha del dirigente anarquista Durruti a Madrid. Su participación fue providencial durante la escalada de violencia que sacudió Barcelona durante 1937, y gracias a su influencia se puso fin a la huelga general de la CNT. Terminada la guerra, se exilió en Francia, donde prosiguió sus actividades, hasta que la muerte de Franco le permitió regresar a España y participar en la reconstrucción de la CNT. Su defensa de la mujer quedó patente en varios de sus ensayos, entre los que destacan: *La mujer, problema del hombre* (1932) o *Cien días en la vida de una mujer* (1949); igualmente expuso sus ideas políticas en libros como *Crónicas de la CNT* (1974) o *El anarquismo* (1976).

102. HANNAH SZENES (1921-1944)

Poetisa antes del estallido de la segunda guerra mundial, esta húngara judía fue un miembro feroz de la resistencia antinazi. Sus convicciones sionistas la impulsaron a emigrar a Palestina, donde se unió a la milicia clandestina. Respaldada por la milicia, logró infiltrarse en paracaídas en la Yugoslavia nazi, con el objetivo de organizar la resistencia judía. Sin embargo, antes de poder iniciar su misión, fue capturada por los nazis, quienes la sometieron a brutales torturas para conseguir informaciones confidenciales de la resistencia. Szenes no confesó y fue ejecutada por un pelotón de fusilamiento.

LOS DERECHOS CIVILES

103. EL FONDO DEL AUTOBÚS

El 1 de diciembre de 1955, Rosa Parks (n. 1913) inició una nueva etapa en la lucha por los derechos civiles cuando rehusó levantarse de su asiento e irse al fondo del autobús en Montgomery, Alabama, ya que los asientos de la parte delantera estaban reservados para los blancos. No era la primera vez que lo hacía, pero sí fue la primera que el conductor del autobús la hizo arrestar. Parks había sido secretaria de la sección local del NAACP (Asociación Nacional para el Progreso de las Personas de Color) durante doce años y más

de una vez había sido expulsada de los autobuses de Montgomery por negarse a acatar las leyes de segregación. Su arresto inició un boicot de un año durante el cual cientos de afroamericanos prefirieron ir andando a trabajar antes que coger los autobuses. La presión sobre las autoridades locales para cambiar su política produjo un proceso que en última instancia llegó hasta el Tribunal Supremo de Estados Unidos. En noviembre de 1956, el tribunal dictaminó a partir de este caso que las leyes de segregación en los autobuses de Alabama eran inconstitucionales. El boicot y la victoria legal proporcionaron un nuevo ímpetu al movimiento por los derechos civiles.

POLÍTICAS

104. GOBERNANDO EL NILO

Desde el establecimiento de la primera dinastía egipcia, alrededor del año 3200 a. C., las aristócratas egipcias disfrutaron de un considerable poder político. Según el sistema sucesorio egipcio, los faraones heredaban el trono de la rama familiar materna, lo cual permitió a las reinas gobernar en su nombre durante los períodos de enfermedad. La reina Hatshepsut, por ejemplo, gobernó aproximadamente desde el año 1570 hasta el 1546 a. C., y desempeñó un papel decisivo en la reunificación del reino después del período de las contiendas civiles. Dotadas de los mismos derechos legales que sus homólogos masculinos, las mujeres de rango inferior recibían formación para servir al gobierno y participaban tanto en la política exterior como en la interior.

105. LAS FU

Ya en el año 1700 a. C. las aristócratas chinas conocidas como *fu* participaron activamente en la política de su país. Paralelamente al advenimiento de la dinastía Shang, o Yin (la primera de las chinas), las *fu* dirigieron ejércitos y múltiples organismos civiles encargados de supervisar la agricultura, la religión y la recaudación de impuestos en China. Las *fu* permanecieron activas por muchos siglos.

106. DIPLOMÁTICAS OLVIDADAS

Una de las delegadas del pueblo ashanti en las conversaciones de paz con los británicos, la princesa Akyaawa Yikwan, fue la artífice de que las negociaciones resultaran un éxito absoluto. En 1831, ambos países firmaron un tratado de paz que mejoró notablemente las condiciones para los ashanti, al menos durante un tiempo.

107. CLARA CAMPOAMOR (1896-1972)

Una de las precursoras del feminismo en España, fue una mujer de procedencia humilde, que se licenció en Derecho por la Universidad de Madrid en 1924. Desde entonces su perseverancia y su incansable defensa de los derechos de la mujer la hicieron transitar por los distintos eslabones en la política española. En 1931 dio forma a sus ambiciones políticas, de carácter netamente radical, fundando la Unión Republicana. Entre 1931 y 1933 fue diputada por Madrid en las Cortes Constituyentes. Allí compartió cargo junto a otras dos de las pioneras del feminismo político español: Margarita Nelken y Victoria Kent; y a esa época pertenecen dos de sus primeros ensayos: *El derecho femenino en España* (1936) y *El voto femenino y yo* (1936). Tras su paso por las Cortes fue delegada del gobierno español en la Sociedad de Naciones y directora de Asistencia Pública y Beneficencia (1933-1934). Reivindicó la igualdad de derechos para la mujer y el sufragio femenino, pero el estallido de la guerra civil la obligó a exiliarse, primero en Francia y posteriormente en Argentina. El régimen franquista ya no le permitiría volver a España, aunque antes de fallecer en Suiza, en 1972, recordó que seguía llevando su país en el corazón, con dos obras en las que se reveló también como biógrafa: *Sor Juana Inés de la Cruz* (1944) y *Vida y obra de Quevedo* (1945).

108. LAS DOS PRIMERAS MINISTRAS

 La líder de los laboristas ingleses, Margaret G. Bondfield, se convirtió en la primera mujer del país que consiguió ocupar un puesto en el Consejo de Ministros, en 1929, tan sólo un año después de que las mujeres hubieran obtenido el derecho al voto. Cincuenta años más tarde, el Parlamento británico invistió a Margaret Thatcher primera ministra de Gran Bretaña, convirtiéndose en la primera mujer que ocupaba el cargo. Thatcher estuvo al frente del ejecutivo durante once años, hasta su dimisión en 1990.

109. EMMA BONINO (n. 1946)

Esta italiana ha sido una de las mujeres que ha mostrado un compromiso político más tenaz en el proceso de paz en Europa y en la defensa de los derechos humanos. Se licenció en Lenguas y Literatura Extranjera por la Universidad Bocconi de Milán, y desde entonces vive entregada a la política. En 1975 fundó el CISA (Centro de Información, Esterilización y Aborto), para prestar asistencia médica a las mujeres. Un año más tarde, y como presidenta del Partido Radical, fue elegida diputada del Parlamento italiano, cargo para el que sería reelegida en todas las convocatorias posteriores, y desde el que también ocupó un escaño en la Mesa del Parlamento.

Desde 1979 ha proyectado sus reivindicaciones más allá del ámbito italiano; aquel año fue diputada en el Parlamento Europeo, cargo para el que fue reelegida en 1994. Ha promovido campañas internacionales a favor de los derechos humanos, civiles y políticos de los países de la Europa del Este. De hecho, en 1997 su implicación en el conflicto yugoslavo le costó un angustioso secuestro, del que salió indemne. Ha defendido la despenalización de las drogas, la lucha antinuclear y toda acción política de renovación, consignas que hizo públicas, como líder del Partido Radical.

En 1998 se presentó a la elecciones a la República de Italia.

110. SOLEDAD BECERRIL (n.1944)

Política española, Becerril fue la primera ministra de la democracia después de la transición. Estudió Filosofía y Letras en la Universidad de Madrid, para luego impartir docencia en el Centro de Estudios Universitarios y en la Facultad de Ciencias Empresariales de la Universidad de Sevilla, ciudad de la que fue diputada por UCD entre 1977 y 1979. Allí fraguó su futura e histórica designación de ministra de Cultura. Fue un cargo efímero (1981-1982), y una vez lo abandonó dio un giro en su orientación ideológica y se adscribió al refundado Partido Popular. Fue de nuevo diputada electa en Sevilla por su nuevo partido en 1989 y 1993, además de primera teniente de alcalde de la ciudad en 1987 y 1991. Durante este período participó activamente en la organización de la Exposición Universal de Sevilla. Como no podía ser de otro modo, su estrecho vínculo y su cercanía a la capital andaluza, hicieron que concurriera a su alcaldía en 1995. Ganó las elecciones y ejerció el cargo hasta 1999.

111. CRISTINA ALMEIDA (n. 1945)

Política y abogada española. Mujer de encomiable entusiasmo, su elocuencia le ha deparado una gran popularidad, que ha revalidado en sus numerosas apariciones públicas.

Desde 1997 es la presidenta, junto a Diego López-Garrido, del partido político Nueva Izquierda, escisión de la coalición Izquierda Unida, en la que militaba desde 1986. Asimismo, Almeida es una brillante abogada laboralista y una feminista perseverante. En 1979 fue concejala en el Ayuntamiento de Madrid por el Partido Comunista, partido en el que militaba desde 1963 y del que sería expulsada en 1981 por disensiones con la cúpula del mismo, presidida por Santiago Carrillo. Poco después publicó el ensayo *La mujer y el mundo del trabajo* (1982), en el que analiza las vicisitudes de la mujer en la sociedad contemporánea. Buena comunicadora, además de sus apariciones televisivas, Almeida ejerce su influencia en la opinión pública participando en debates radiofónicos y escribiendo artículos de prensa.

112. CRISTINA ALBERDI (n. 1946)

Una de las muchas mujeres que han ejercido la libertad política brindada por la democracia. Esta abogada española fue ministra de Asuntos Sociales con el Partido Socialista Obrero Español entre 1993 y 1996 y la primera mujer miembro del Consejo General del Poder Judicial. Alberdi se ha pronunciado en favor de la reforma de las leyes discriminatorias para la mujer, y por la defensa de sus derechos. Además de su carrera política, ha desarrollado una ardua labor vindicativa que ha quedado recogida en libros como *Aborto: sí o no* (1975), *Análisis de la realidad jurídica en torno a la mujer* (1982) y *El discurso político como superestructura ideológica* (1982).

113. CARMEN ALBORCH

Valenciana, doctora en Derecho, fue directora e impulsora durante los primeros años noventa del Instituto Valenciano de Arte Moderno (IVAM) y consiguió convertirlo en uno de los puntos de referencia de la vanguardia artística española. En 1993 fue nombrada ministra de Cultura en el gobierno del Partido Socialista Obrero Español, cargo que ocupó hasta 1996.

En 1999 publicó *Solas*, una autobiografía intelectual y colectiva, que se convirtió en un éxito y que comienza de esta contundente manera: «Las mujeres solas no nos conformamos. Vivimos acompañadas mientras se mantiene el deseo, mientras perduran la complicidad y el respeto. Pero cuando no existe sincronización con nuestra pareja, preferimos estar a solas que resignarnos al desamor. En cualquier caso, no somos militantes de la soledad».

114. ISABEL TOCINO (n. 1949)

Política y abogada española de dilatada carrera política, militó en las filas de Alianza Popular. Estudió derecho en la Universidad de Santander, su ciudad natal, desde la que ha ejercido también el cargo de diputada autonómica por el Partido Popular. Fue presidenta de la Asociación de Mujeres Conservadoras, organismo cercano al

Opus Dei, y desde 1991 figura en el comité ejecutivo del Partido Popular. Poco antes, Tocino saltó a la luz pública a raíz del enfrentamiento que mantuvo con el ultraconservador y presuntamente corrupto Juan Hormaechea, presidente entonces de la comunidad de Cantabria. En 1993 entró en el Congreso como diputada por Toledo, y tres años más tarde alcanzaría la cartera ministerial de Medio Ambiente, un ministerio de nueva creación en el ejecutivo español.

115. ESPERANZA AGUIRRE (n. 1952)

Una de las mujeres más controvertidas de la escena política española reciente, Esperanza Aguirre ha entrado de lleno en la historia por ser la primera mujer en alcanzar la presidencia del Senado. Estudió derecho en la Universidad Complutense, para luego opositar con éxito a una plaza en el Cuerpo de Técnicos de Información y Turismo del Estado. Su trayectoria política ha ido unida a Alianza Popular, partido al que se afilió en 1987, dos años antes de su refundación como Partido Popular. Ha sido la primera ministra de Educación y Cultura del gobierno de José María Aznar, cargo que abandonó para ocupar la presidencia del Senado.

116. MARGARITA MARISCAL DE GANTE (n. 1954)

Política y jueza española, Mariscal de Gante se inició en la magistratura en Aguilar de la Frontera, una población cordobesa. Desde allí emprendió el camino de regreso a Madrid, su ciudad natal, ejerciendo en el distrito judicial de Aranjuez. En 1990, de nuevo establecida en Madrid, se incorporó al Consejo General del Poder Judicial con el cargo de vocal, inscribiéndose en su facción más conservadora. En 1996 la victoria en las elecciones generales del líder del Partido Popular, José María Aznar, la encumbraría a la titularidad del Ministerio de Justicia.

117. LOYOLA DE PALACIO VALLE-LERCHUNDI
(n. 1956)

Inició su actividad política en la secretaría de Nuevas Generaciones, brazo político juvenil de Alianza Popular. De Palacio comenzó la carrera de Telecomunicaciones, pero pronto la abandonó por la de Derecho, que cursaría en la Universidad Complutense de Madrid.

En 1983 fue nombrada secretaria general técnica del Grupo Parlamentario Popular, y desde entonces ha asumido diversos cargos políticos. Obtuvo las actas de senadora y diputada por Segovia entre 1986 y 1996. Ocupó la cartera de Agricultura entre 1996 y 1999, cuando fue elegida eurodiputada y nombrada comisaria europea de Transportes y Comunicaciones y vicepresidenta de la Comisión.

DE ACTIVISMO Y DE ACTIVISTAS

118. SENECA FALLS

En 1848, Lucretia Mott y Elizabeth Cady Stanton organizaron la primera Convención por los Derechos de la Mujer en Seneca Falls, Nueva York. Las delegadas discutieron sobre los problemas que afectaban a las mujeres y aprobaron una «Declaración de Sentimientos y Propuestas», que redactaron tomando como modelo la Declaración de Independencia. La declaración, que fue rubricada por cien de las trescientas asistentes a la Convención, declaraba que «todos los hombres y las mujeres son iguales» y esbozaba «una historia de las injurias y usurpaciones sistemáticas a las que el hombre ha sometido a la mujer», historia que se corroboraba con la presentación de una relación de agravios, entre los cuales se incluían: la privación del derecho de voto y de propiedad a la mujer, la imposibilidad de acceder a la educación y al trabajo, la existencia de un doble modelo de moralidad para hombres y mujeres y la tiranía psicológica a que el hombre sometía a la mujer. En la declaración, las delegadas solicitaron «la inmediata admisión de todos los derechos y privilegios que correspondían a las mujeres como ciudadanas de Estados Unidos».

119. LA LÍNEA FÉRREA CLANDESTINA

Desde 1780 hasta la Emancipación, miles de esclavos fugitivos lograron alcanzar su ansiado refugio en los estados del Norte y Canadá gracias a la existencia de una línea de ferrocarril clandestina. Harriet Tubman, una esclava fugitiva que regresó al Sur en diecinueve ocasiones para guiar a un total de trescientos esclavos camino de la libertad, fue la más famosa conductora del ferrocarril. Otra conductora, la también fugitiva Ann Wood, transportó a un grupo de niños y niñas hasta el norte, perdiendo a dos de las criaturas a su cargo en un tiroteo con cazadores de esclavos.

120. PACIFISTAS IRLANDESAS

En 1976 Mairead Corrigan (1944) y Betty Williams (1943), dos mujeres de Irlanda del Norte, obtuvieron el premio Nobel de la Paz por su denuedo por conseguir la paz en su tierra natal. Desde 1968, los católicos han intentado poner fin a las discriminaciones que padecen por vivir en un país predominantemente protestante. Cuando Inglaterra intentó hacerse con el gobierno de Irlanda del Norte, la escalada de violencia aumentó. Semejante situación motivó que Mairead Corrigan, católica, y Betty Williams, protestante, unieran sus fuerzas para fundar el Partido de la Paz (1976), en lo que constituyó una iniciativa por unir a católicos y protestantes. Su gesto mereció la admiración de la Comisión del Nobel, que reconoció la importancia del movimiento femenino en favor de la paz.

121. YELENA BONNER (n. 1924)

Más conocida por ser la esposa del físico y disidente soviético Andréi Sajárov, la dilatada carrera de Yelena Bonner como activista es digna de reconocimiento. Tras luchar junto a su marido por denunciar la vulneración de los derechos humanos en la Unión Soviética, Bonner se dedicó a la reforma política. En 1975, cuando el gobierno soviético negó a Sajárov el derecho a viajar, Bonner acudió a Oslo en nombre de su marido para recoger el premio Nobel de la Paz y leer su discurso. Un año después, Bonner fundó un grupo a favor de las libertades civiles. Estuvo al frente de éste hasta 1984, año en que se les prohibió, tanto a ella como a su marido, salir del país. Sajárov falleció en 1989, poco después de la caída de la Unión Soviética, lo que no desalentó a Bonner para seguir luchando por los derechos humanos en la nueva República de Rusia. En 1990 se opuso a la concesión del Nobel de la Paz a Mijaíl Gorbachov y en 1995 dimitió de su cargo en la comisión de derechos humanos del gobierno de Yeltsin, en señal de protesta por la sangrienta guerra que éste auspició contra Chechenia. Actualmente dirige la Fundación Sajárov, un gabinete de estudios dedicado a la lucha por los derechos humanos.

122. WINNIE MANDELA (n. 1934)

Después de que su esposo, Nelson Mandela, fuera encarcelado en 1964, Winnie Mandela lo relevó en la campaña para la abolición del *apartheid* desde el Congreso Nacional Africano (ANC). Sus actividades políticas le costaron un año de prisión (de 1969 a 1970) y llevaron al gobierno de Suráfrica a declararla proscrita en 1976. Desobedeciendo las consignas del gobierno, continuó con su lucha contra el *apartheid*, llevando a cabo en ocasiones acciones violentas que le llevaron a perder el apoyo de algunos seguidores de su marido. Cuando Nelson Mandela fue liberado en 1990, Winnie se defendía de las acusaciones que pesaban sobre ella por ser la supuesta instigadora del apaleamiento, en 1988, de cuatro jóvenes negros, uno de los cuales murió. Recurrió su condena y empezó a trabajar en el departamento de Bienestar Social del ANC, pero en 1992 nuevas pruebas de su implicación en el caso la obligaron a abandonar sus compromisos en la organización. Se separó de su esposo y perdió el último recurso que le quedaba para obtener el indulto, aunque pudo evitar la prisión mediante el pago de una fianza. Tras recuperar la presidencia de la Liga de Mujeres del ANC, se hizo con un cargo en el nuevo gobierno creado por Nelson Mandela. En 1994 se convirtió en viceministra de Arte, Cultura, Ciencia y Tecnología, a pesar del deterioro de su imagen. En 1997 se defendió a sí misma ante la Comisión Verdad y Reconciliación de Suráfrica, negando su implicación en las torturas y asesinatos acaecidos en Soweto a finales de los años ochenta. Viendo su integridad puesta en duda, Mandela rechazó la nominación de la Liga de Mujeres como candidata para la vicepresidencia del ANC, poniendo fin a su carrera política.

123. AUNG SAN SUU KYI (1945)

Líder del movimiento democrático y pro derechos humanos de Birmania, recibió el premio Nobel de la Paz en 1991, mientras permanecía arrestada en su domicilio por la policía birmana. Su compromiso con el pueblo birmano no es fruto de la casualidad, dado su nacimiento en el seno de una familia políticamente activa. Su madre fue una célebre diplomática, y su padre, asesinado en 1947, fue un líder de la independencia. Tras ser educada en la India y en Inglaterra, donde se graduó por la Universidad de Oxford, Aung San Suu Kyi estudió la filosofía de la no violencia de Gandhi y regresó a Birmania imbuida de tales principios en 1988. Allí denunció la represión impuesta por la dictadura militar birmana y colaboró en la fundación de la Liga Nacional para la Democracia. Partidaria de la no violencia, logró frustrar los esfuerzos del gobierno por impedir las elecciones libres, en las que su partido consiguió el 80 por ciento de los escaños del Parlamento. Sin embargo, los militares se negaron a someterse al gobierno elegido democráticamente y, en 1989, colocaron a Aung San Suu Kyi, bajo arresto domiciliario. Rechazó numerosas oportunidades para exiliarse, prefiriendo permanecer en su país. Durante su arresto, escribió y publicó *Libertad desde el miedo y otros escritos* (1991). Tras ser liberada en 1995, reanudó su vida de activismo político.

124. WILMA MANKILLER (n. 1945)

En 1985 los miembros de la tribu cherokee eligieron como jefe a Wilma Mankiller, convirtiéndola en la primera mujer que lideraba una de las principales tribus amerindias. Mankiller inició su andadura a finales de la década de 1960 y fue una incansable activista a favor de los derechos de los indios. Una vez en el poder, fijó sus prioridades en la educación, la atención sanitaria y el desarrollo de la comunidad, y promovió las iniciativas de los cherokees. Durante su mandato, el número de miembros de la tribu ascendió de cincuenta y cinco mil a ciento cincuenta y seis mil, y Mankiller fue elegida para dirigir el Consejo Intertribal de Oklahoma. En 1994 renunció a su cargo para continuar su trabajo en otros compromisos.

125. RIGOBERTA MENCHÚ (n. 1959)

En 1992 la Comisión encargada de otorgar el Nobel distinguió con el premio Nobel de la Paz a Rigoberta Menchú, una guatemalteca que ha dedicado su vida a luchar por la justicia social en su patria y por el respeto a los pueblos indígenas en todos los rincones del continente. India quiché crecida en la más absoluta miseria, estuvo vinculada a distintos grupos políticos implicados en la interminable guerra entre los militares guatemaltecos y las guerrillas rebeldes. En los años setenta, esa lucha arrebató la vida a su padre, a su madre y a su hermano de dieciséis años. En 1981 huyó a México, donde se ganó el reconocimiento internacional como defensora de los derechos humanos y la emancipación de los pueblos indígenas. Menchú se declaró partidaria de la rebelión contra el gobierno militar de Guatemala y lideró el Comité de Unión Campesina, otrora encabezado por su padre. En 1983 publicó el libro, *Yo, Rigoberta Menchú,* en el que describía su vida como símbolo de la opresión sufrida por su pueblo y cuya veracidad biográfica ha sido puesta en entredicho. En 1986 Guatemala recuperó los derechos civiles, aunque la vulneración de los derechos humanos y las luchas de la guerrilla continuaron. El gobierno continúa acusándola de apoyar a las guerrillas, si bien ello no ha sido obstáculo alguno para que su Nobel de la Paz haya atraído la atención mundial sobre la situación de Guatemala.

EL DERECHO AL ABORTO

126. BREVE APUNTE HISTÓRICO

En la Antigüedad, aunque resulte paradójico, el aborto era una práctica común y aceptada para controlar la natalidad. Tan sólo tras la difusión de las grandes religiones del mundo (especialmente el islamismo y el cristianismo), el aborto pasó a ser considerado una práctica cuestionable. Tales reservas no cobraron forma legal hasta el siglo XIX, cuando el Parlamento británico prohibió el aborto. Siguiendo el ejemplo británico, otros países, entre ellos Estados Unidos, aprobaron una serie de leyes que limitaban el aborto. El péndulo empezó a retroceder en 1920, cuando la Unión Soviética legalizó el aborto libre. Después de la segunda guerra mundial, Japón y varios países de la Europa del Este hicieron lo propio. Hoy en día, alrededor del 20 por ciento de la población mundial vive en países que sólo admiten el aborto si el embarazo supone un peligro para la vida de la madre; otro 40 por ciento lo hace en países donde se contempla un abanico más amplio de posibilidades, y el 40 por ciento restante habita en países en los que la mujer puede abortar libremente, sïempre y cuando lo haga dentro del plazo estipulado.

127. PRIMERAS LEYES EN ESTADOS UNIDOS

Antes de 1820, el aborto era una práctica legal y no penalizada en Estados Unidos. En 1821 el estado de Connecticut fue el primero en interponer limitaciones, promulgando una ley que prohibía el aborto después de haberse percibido el primer movimiento del feto. Hacia 1860 distintas leyes restringían el aborto en veinte estados y en los veinte años siguientes les siguieron otros veinte estados y territorios.

128. DICTAMEN MÉDICO

En 1859 la Asociación de Médicos de Norteamérica denunció formalmente el aborto. Según se desprendía claramente de sus argumentaciones, la razón fundamental de semejante postura no respondía a motivos científicos, sino morales y a la voluntad de controlar a las mujeres. El informe emitido en 1871 por la comisión de abortos criminales afirmaba que la mujer que aborta «hace caso omiso al curso marcado por la Providencia [y] pasa por alto las obligaciones a las que se debe como firmante del contrato matrimonial».

ALGUNAS PINCELADAS SOBRE LAS MUJERES ESPAÑOLAS Y SUS DERECHOS

129. PARTICIPACIÓN POLÍTICA DE LAS MUJERES DURANTE LA BAJA EDAD MEDIA (ss. X-XIII)

Si bien la práctica jurídica feudal establecía que la herencia debía transmitirse por vía masculina, durante los siglos X, XI, XII y XIII existieron casos en todos los reinos de la península, si exceptuamos Cataluña, en los que hubo mujeres que llegaron a reinar participando plenamente en el poder, como Urraca de Castilla, Urraca de León y Teresa de Portugal. Sin embargo fueron excepciones a la norma, ya que en nada cambió el marco jurídico imperante (las mujeres eran meras transmisoras del poder o *auctoritas* y su ejercicio o *potestas*). En realidad, esas reinas se beneficiaron de unas circunstancias especiales que les permitieron eludir la subordinación patriarcal establecida; en cualquier caso, la participación política de las mujeres era algo excepcional y no aplicable al común de la población femenina.

130. AUTONOMÍA RELIGIOSA
DE INSTITUCIONES MONÁSTICAS
Y ÓRDENES MENDICANTES
DURANTE LA BAJA EDAD MEDIA (ss. XIII-XV)

A pesar de la supeditación de las órdenes de mujeres a una autoridad religiosa masculina y la expresa prohibición eclesiástica de
que las mujeres crearan una orden, a partir del siglo XIII, fecha
en que surgieron las clarisas fundadas por santa Clara (quien redactó unas normas monacales propias), y durante los siglos sucesivos proliferaron en la península conventos, monasterios y órdenes femeninas. En algunos de ellos surgió una nueva religiosidad
que aspiraba a la unión con la divinidad sin aceptar la mediación
de la jerarquía eclesiástica. Preconizaban una religiosidad individual, autónoma e independiente, libre de injerencias; de hecho,
algunos de esos espacios se convirtieron en importantes centros
intelectuales en los que las mujeres gozaron de gran libertad. Isabel de Villena, Teresa de Cartagena y Beatriz de Silva fueron destacadas clarisas que lucharon por la independencia en la práctica
religiosa. A partir del siglo XV, tras la reforma de Cisneros y durante todo el siglo XVI, la jerarquía eclesiástica adoptó severas medidas para contener la libertad religiosa femenina, hasta lograr so-
meterla a instancias masculinas.

131. PRIMERAS VOCES A FAVOR
DEL RECONOCIMIENTO DE LA IGUALDAD
DE LOS SEXOS (s. XVIII)

En el período de la Ilustración, paralelo al desarrollo del conocimiento en todos los ámbitos del saber, se desarrolló un debate en
torno a la mujer. Uno de sus promotores fue el padre Feijoo, que
defendió la necesidad de un cambio de actitud en la valoración de
la naturaleza y capacidad de las mujeres, y subrayó el deber de reconocer la igualdad de los sexos.

132. EXTENSIÓN DE LA EDUCACIÓN PRIMARIA A TODA LA POBLACIÓN (1857)

La ley de Instrucción Pública de Claudio Moyano de 1857 estableció la educación primaria elemental para toda la población española con carácter de obligatoriedad. Los contenidos educativos establecidos para ambos sexos eran, salvo alguna excepción, idénticos pero seguía imperando la división por sexos.

133. PRIMERAS REIVINDICACIONES SOBRE LA PARTICIPACIÓN DE LA MUJER EN LOS ASUNTOS PÚBLICOS (s. XIX)

En las últimas décadas del siglo XIX surgieron, desde grupos minoritarios, las primeras voces que reivindicaban el derecho a la educación y al trabajo, la implantación del principio de igualdad y la participación de las mujeres en la vida política. Dichos grupos constituyeron el embrión del activismo feminista en España.

134. DEBATE EN TORNO A LA EXTENSIÓN DEL VOTO A LA MUJER (1877)

El debate se inicia en España relativamente pronto, alrededor de 1877, año en que se presentó una enmienda a la normativa electoral. En los años sucesivos se realizaron diversos tanteos y propuestas a favor de la extensión del voto a la mujer (1907, 1919), hecho que no se consumó hasta el advenimiento de la Segunda República.

135. APARICIÓN DE LA PRENSA DE ORIENTACIÓN FEMINISTA (1882)

A partir de 1882, fecha en que comenzó a publicarse *La Mujer*, y en los años siguientes (dejando al margen la revista *El Pensil de Iberia* publicada desde 1856 por Margarita Pérez de Celis y de orientación fourierista y feminista que no tuvo continuidad), apareció una serie de publicaciones que reflejaron el discurso emancipador y defensor de los derechos políticos de las mujeres; dichas publicaciones consolidaron, en gran medida, el movimiento feminista.

136. MODERNIZACIÓN DE LA ESTRUCTURA DE LAS INSTITUCIONES EDUCATIVAS (1909)

A partir de la ley de 1909 se implantó, al menos formalmente, el régimen de coeducación, aunque las presiones sociales frenaron su implantación, que quedó limitada hasta los niños de siete años.

137. INCORPORACIÓN DE LA MUJER A LA UNIVERSIDAD (1910)

La real orden del 7 de septiembre de 1910 permitió por vez primera el acceso de las mujeres a los niveles medio y superior de la enseñanza. No obstante, a partir de 1882, fecha en que Martina Castells se doctoró en Medicina y Cirugía por la Universidad de Madrid, aparecieron las primeras licenciaturas y doctorados expedidos a un reducido número de mujeres (once entre 1882 y 1891).

138. DICTADURA DE PRIMO DE RIVERA (1927)

Paradójicamente, entre 1927 y 1929 se adoptaron importantes medidas legislativas que afectaban a la mujer: regulación del seguro de maternidad y del trabajo a domicilio, participación de las mujeres en comités y en la Asamblea Nacional, órgano meramente consultivo. Tales medidas posibilitaron la presencia de mujeres, por primera vez en la historia, en la vida política de la nación.

139. ACCESO DE LA MUJER AL VOTO (1931)

Con la instauración de la Segunda República, el 14 de abril de 1931, millones de mujeres españolas pudieron participar en la actividad política con plenos derechos. Una de las primeras medidas que llevó a cabo el nuevo gabinete presidido por Alcalá Zamora fue la de reformar la ley electoral. El artículo 3.° concedía a la mujer el derecho pasivo al voto y el 4.° reconocía el derecho «a reputar como elegibles para las Cortes Constituyentes a las mujeres».

140. PRIMERAS DIPUTADAS EN LAS CORTES (1931)

Como resultado de las elecciones del 28 de junio de 1931 y de la reforma de la ley Electoral se establecieron, el 14 de julio del mismo año, las nuevas Cortes Constituyentes, dominadas por los partidos republicanos de centro e izquierda. De los 470 diputados, dos eran mujeres: Victoria Kent, del Partido Radical Socialista, y Clara Campoamor, del Partido Radical.

141. CONSTITUCIÓN DE 1931

De espíritu progresista, sancionó el principio de igualdad entre los sexos, estableciendo que «todos los españoles son iguales ante la ley» y especificando que el sexo no puede ser fundamento de privilegio jurídico: «Todos los ciudadanos participarán por igual del derecho electoral».

142. LA GUERRA CIVIL (1936-1939)

Supuso la creación de numerosas organizaciones de mujeres polarizadas, por parte del bando republicano, en torno al comunismo (JSU, Agrupación de Jóvenes Antifascistas, Unión de Muchachas) y al anarquismo; de estas últimas cabe destacar la agrupación libertaria Mujeres Libres, fundada por Lucía Sánchez Saornil, Mercedes Comaposada y Amparo Poch y Gascón, que en el plazo de dos años logró reunir a más de veinte mil afiliadas, y que pretendía, además de la destrucción del capitalismo y la abolición del estado, la liberación de la mujer y el fin del dominio patriarcal.

143. MUERTE DE FRANCO.
PRIMERAS MANIFESTACIONES FEMINISTAS (1975)

A raíz de la celebración de las Jornadas por la Liberación de la Mujer, celebradas en Madrid en diciembre de 1975, y las Jornades Catalanes de la Dona, celebradas en Barcelona en mayo de 1976, las posiciones feministas se polarizaron fundamentalmente en torno a dos corrientes: el feminismo socialista, que se identificaba con grupos y partidos políticos de izquierda admitiendo la doble militancia (MDM, ADM, ULM…), y el feminismo radical independiente, sin vinculación política alguna (grupo Lamar, grupo Terra). Una tercera vía, políticamente desvinculada, admitió la doble militancia (Frente de Liberación de la Mujer…). En los años sucesivos no cesaron de aparecer nuevas agrupaciones con programas políticos dispares y cada vez más enfrentadas. Con las elecciones de junio de 1977, prácticamente la totalidad de partidos políticos incorporaron un programa dirigido a las mujeres, y tras las elecciones legislativas de 1979, que no incrementaron de forma sustancial el número de mujeres elegidas en el Parlamento, se originó un «desencanto» que acabó diluyendo cualquier pretensión de unidad en el movimiento feminista.

144. CONSTITUCIÓN DEL 31 DE JULIO DE 1978

La Constitución de 1978 definió un marco jurídico en el que las mujeres son consideradas sujetos con plena igualdad y plenos derechos, tanto individuales como sociales. Destacan los siguientes artículos: el artículo 14, que establece el principio de igualdad entre hombres y mujeres; el artículo 23, que se refiere a la plena participación en los asuntos y los cargos públicos; el artículo 32, que afirma que el hombre y la mujer tienen derecho a contraer matrimonio con plena igualdad jurídica, y el artículo 35.1, que manifiesta que todos los españoles tienen el deber y el derecho al trabajo sin discriminación por razón de sexo.

145. REFORMAS DEL CÓDIGO PENAL

Las reformas afectaron, casi exclusivamente, al tratamiento punitivo de la conducta sexual de las mujeres: despenalización de los delitos de adulterio y amancebamiento y despenalización de la «expedición, venta, divulgación y propaganda de medios, instrumentos y métodos anticonceptivos».

146. LEY DEL DIVORCIO (1981)

La ley 30/1981 de 7 de julio, que estableció la regulación del matrimonio, su nulidad, separación y divorcio, se basa en el principio de que marido y mujer «son iguales en derechos y en deberes». En mayo del mismo año se efectuaron reformas en la legislación civil con el fin de formalizar la equiparación jurídica entre marido y mujer con relación a la titularidad y ejercicio de la patria potestad y a la administración y disposición de los bienes del matrimonio.

147. LEY DEL ABORTO (1985)

A lo largo de la década de 1980 se realizaron importantes reformas del código penal, entre las cuales cabe destacar la ley orgánica 9/1985 de 5 de julio, que estableció la despenalización del aborto en tres supuestos: peligro para la vida, salud física o psíquica de la madre; que el embarazo sea consecuencia de una violación, o que se presuma que el hijo puede nacer con graves deficiencias físicas o psíquicas.

LÍDERES CONTEMPORÁNEAS

148. GOLDA MEIR (1898-1978)

Nacida en Rusia y educada en Estados Unidos, Golda Meir abrazó el sionismo siendo todavía adolescente y contribuyó a la creación del estado de Israel. En 1921 se trasladó a Palestina junto a su esposo y comenzó a trabajar de inmediato en distintos grupos sociales y políticos. Líder de la Agencia Judía desde 1946 hasta 1948, fue una de las firmantes de la declaración de independencia de Israel y ganó las elecciones al primer Parlamento o Kenesset. Fue la primera embajadora en Moscú, ministra de Trabajo y de Asuntos Exteriores durante los años cincuenta y sesenta y, en 1969, a los setenta y un años, se convirtió en primera ministra. En 1974 se retiró de la política, aunque siguió dando conferencias hasta el día de su muerte.

149. INDIRA GANDHI (1917-1984)

Única hija de Jawajarlal Nehru, primer ministro de la India, Indira Gandhi se convirtió en primera ministra. Su carrera política estuvo jalonada de controversias y conflictos que culminaron en su asesinato. Se licenció en la Universidad de Oxford y, a su regreso a la India, tomó parte activa en la revolución india contra el colonialismo británico. El éxito obtenido en 1947 por el movimiento revolucionario llevó a su padre al poder y otorgó un puesto de influencia a Indira. Líder del Partido del Congreso, fue proclamada ministra de Información y Comunicación a la muerte de su padre, en 1964. Antes de convertirse en primera ministra en 1966, liberalizó la radiodifusión india. Cinco años después, su partido obtuvo una arrolladora victoria en las elecciones, aunque más adelante sus rivales políticos la acusaron de fraude electoral. Tras ser declarada culpable en 1975, Indira Gandhi denunció ser víctima de una conspiración política a la que no se resignaría: declaró el estado de emergencia, restringió los derechos civiles y arrestó a los disidentes, incluso después de haber sido revocada la condena del Tribunal

Supremo. Blanco de múltiples acusaciones, fue derrotada en las elecciones de 1977. Sin desanimarse, reorganizó su partido, y las elecciones celebradas en 1980 le otorgaron de nuevo el liderazgo de la India. Sin embargo, el 31 de octubre de 1984 fue asesinada por sus guardaespaldas sijs. Fue sucedida por su hijo Rajiv, que también fue asesinado.

150. VIOLETA BARRIOS DE CHAMORRO (n. 1929)

Elegida presidenta de Nicaragua en 1990, la figura de Chamorro ha suscitado el respeto de muchos defensores mundiales de los derechos humanos y el escepticismo de otros. Entró en la escena política en 1978, cuando su esposo, un editor de prensa en la oposición al dictador Anastasio Somoza, fue asesinado. Al año siguiente, Somoza huyó del país dejándolo, virtualmente, a las puertas de la guerra civil, y una junta militar sandinista tomó su relevo. Al principio, Chamorro apoyó a los sandinistas de izquierdas, para luego pasar a la oposición. En 1990 la Unión Nacional Opositora, una coalición antisandinista con apoyo de Estados Unidos, obtuvo el poder y propuso a Chamorro como candidata a la presidencia. Chamorro puso en marcha múltiples reformas militares y políticas con el propósito de conseguir la estabilidad política, pero no lo consiguió. El nombramiento de ciertos ex militantes sandinistas para cargos de responsabilidad desató la indignación de la contra y la lucha estalló de nuevo. Chamorro consiguió el apoyo de varios países extranjeros, si bien fue objeto de críticas, acusada de nepotismo.

151. CORAZÓN AQUINO (n. 1933)

En 1986 los filipinos asistieron al ascenso de una mujer al poder por primera vez en su historia. La viuda de Benigno Aquino, líder del Partido Liberal, subió al poder en medio del levantamiento que acabó con la caída de Ferdinand Marcos. Aquino decidió entrar en el terreno político en 1972, fecha en que Marcos impuso la ley marcial y decretó el encarcelamiento de su marido. Tras ser liberado en 1980, el matrimonio se exilió en Estados Unidos. Tres años después, al volver a Filipinas, Benigno Aquino fue asesinado; Corazón no desfalleció y, en 1986, desafió a Marcos concurriendo a la presidencia. El fraude y la violencia le costaron la derrota electoral, pero cuando Marcos se autoproclamó vencedor, el ejército se sublevó y el pueblo saltó a las calles para manifestarse a favor de Aquino. En medio del caos, Marcos huyó a Estados Unidos y Aquino fue proclamada presidenta, estableciendo un gobierno provisional. A pesar de que revisó la Constitución y supervisó la celebración de unas elecciones libres, la persistencia de los problemas económicos y políticos la disuadieron de presentarse por segunda vez a las elecciones en 1992.

152. BENAZIR BHUTTO (n. 1953)

La hija del primer ministro pakistaní fue la primera mujer que consiguió el cargo de primera ministra en un país musulmán. Después de que el general Muhammad Zia depusiera a su padre en 1977 y le ejecutara en 1979, Benazir Bhutto fue puesta bajo arresto domiciliario, acusada de dirigir el partido de la oposición, Partido del Pueblo Pakistaní (PPP). Exiliada en 1984, regresó a Pakistán en 1986, cuando los partidos políticos volvieron a ser legalizados. Reasumió entonces el liderazgo del PPP y en 1988 fue elegida primera ministra, después de que Zia muriera en un sospechoso accidente de aviación. En 1990, el presidente Ghulam Ishaq Khan la acusó de corrupción y la destituyó, y el PPP perdió las elecciones siguientes. Convertida en líder de la oposición, fue puesta en tela de juicio por organizar, presuntamente, un complot contra el partido gobernante, exiliándose de la capital en 1992. No se rindió: volvió de nuevo a su país, imponiéndose en las elecciones de 1993 y convirtiéndose en primera ministra, si bien fue cesada de nuevo en 1996.

SEGUNDA PARTE

RELIGIÓN Y HUMANITARISMO

111. CRISTINA ALMEIDA (n. 1945)

Política y abogada española. Mujer de encomiable entusiasmo, su elocuencia le ha deparado una gran popularidad, que ha revalidado en sus numerosas apariciones públicas.

Desde 1997 es la presidenta, junto a Diego López-Garrido, del partido político Nueva Izquierda, escisión de la coalición Izquierda Unida, en la que militaba desde 1986. Asimismo, Almeida es una brillante abogada laboralista y una feminista perseverante. En 1979 fue concejala en el Ayuntamiento de Madrid por el Partido Comunista, partido en el que militaba desde 1963 y del que sería expulsada en 1981 por disensiones con la cúpula del mismo, presidida por Santiago Carrillo. Poco después publicó el ensayo *La mujer y el mundo del trabajo* (1982), en el que analiza las vicisitudes de la mujer en la sociedad contemporánea. Buena comunicadora, además de sus apariciones televisivas, Almeida ejerce su influencia en la opinión pública participando en debates radiofónicos y escribiendo artículos de prensa.

DIOSAS, ESPÍRITUS Y DEMONIOS

153. ESTATUILLAS DE VENUS

En toda Europa, de Francia a Rusia y Turquía, los arqueólogos han desenterrado restos de tallas prehistóricas, de marfil y de estatuillas de arcilla que reproducen el cuerpo femenino. Éstas datan tanto del Paleolítico como del Neolítico, abarcando un lapso de tiempo que va del año 25.000 al 2.000 a.C., aproximadamente. Los hallazgos que se atribuyen a los albores del Paleolítico muestran formas voluptuosas, con grandes pechos, nalgas y muslos; mientras que los del último Neolítico son bastante menos explícitos en los atributos sexuales. A pesar de las diferencias, el descubrimiento de tales estatuillas (el número de figuras masculinas encontrado es muy inferior) ha desatado todo tipo de especulaciones acerca de la religión prehistórica. La hipótesis sobre si, en la prehistoria, los europeos rindieron culto a divinidades femeninas (de ahí que se las denomine Venus o diosas) sigue siendo tema de debate. Algunas feministas defienden la preponderancia del culto a las divinidades femeninas, y deducen que el culto a los dioses masculinos tan sólo se produjo después de que los hombres sometieran a las mujeres a su implacable dominio. A juzgar por los atributos sexuales de las figuras, el culto a tales diosas parece estar centrado en la fertilidad. Otras voces cuestionan la existencia de una religión unificada y dudan incluso de la sexualidad de las figuras. Puede que por aquel entonces las estatuillas no fueran más que amuletos empleados en los rituales femeninos de desvirgamiento o para invocar a la fertilidad; o puede incluso que reprodujeran personajes mitológicos o a las mismas sacerdotisas. De hecho, existe otra teoría que sugiere que las figurillas eran tan sólo juguetes para niños. Sea cual sea la interpretación correcta, lo que es innegable es que la tendencia prehistórica era trabajar mucho más las reproducciones femeninas que las masculinas, y ello invita a pensar que las mujeres de aquella época disfrutaban de una elevada consideración social y/o espiritual.

154. ISIS

A esta antigua reina egipcia de la fertilidad y de la maternidad se le atribuía una desmedida afición a los placeres de la carne y al uso de los poderes sobrenaturales. Hija del dios de la tierra y de la diosa del cielo, era a la vez hermana y esposa del dios Osiris, juez de los muertos, y madre del dios Horus, cuyo dominio era el día. El culto a Isis alcanzó su máximo esplendor durante la decimotercera dinastía (en el siglo IV a.C.). Su poderoso influjo traspasó las fronteras de Egipto e Isis tuvo numerosos seguidores en la antigua Grecia, que terminaron por asociarla con Deméter, la diosa griega de la fertilidad y de la tierra. En la antigua Roma, Isis alcanzó una popularidad extraordinaria y su extravagante culto se difundió hasta desembocar en el libertinaje. Tan sólo la irrupción del cristianismo en el siglo I logró mermar la popularidad de Isis, si bien los egipcios continuaron rindiéndole culto hasta el siglo VI.

155. KALI

Diosa hindú del tiempo (su nombre significa «tiempo» en sánscrito), la omnipotencia de Kali se extiende sobre todas las criaturas terrestres. Es también la amante del dios Siva, cuyo poder de destrucción iguala, si no supera. Kali es despiadada y negra, sus dientes chorrean sangre y se enorgullece de sus cuatro brazos. Cada uno de ellos tiene un significado simbólico: uno empuña una espada y otro una cabeza humana, el tercero extermina al miedo y el cuarto confiere la felicidad. Los seguidores de Kali persiguen los beneficios de estos dos últimos brazos a través del sacrificio de animales. De hecho, la tradición sostiene que los adoradores de Kali realizaban sacrificios humanos. Incluso algunos, como los Thugs, una banda hindú de asesinos, la invocaron en busca de su auxilio.

156. RASHKAS

Estos espíritus diábolicos de procedencia hindú y de curvas femeninas seducen a los mortales aprovechándose de su turbadora belleza. Asiduas a los cementerios, las rashkas se alimentan de carne humana.

157. AFRODITA

O Venus, diosa del amor y de la belleza de la que se decía que había emergido a la vida desde las profundidades del mar. Su presencia irradia luz, regocijo, placer y deleite; en su ausencia sólo existen la miseria y la fealdad. Afrodita era también la madre de Eros, o Cupido, el dios del amor, capaz de suscitar en los mortales tanto el éxtasis como el dolor. Existe un mito ancestral que señala a Afrodita como culpable de la guerra de Troya. Según el mito, Afrodita instigó a Paris, príncipe de los troyanos, a que secuestrara a Helena, la esposa del rey Menelao de Grecia. Interrogado por Zeus sobre cuál era la más bella de las tres diosas (Afrodita, Hera o Atenea), Paris eligió a Afrodita, quien le había sobornado a cambio de proporcionarle a la mujer más bella de la Tierra, Helena. Afrodita penetró en la mitología clásica siguiendo el curso de las religiones que llegaron de Oriente, y su estela todavía perdura en el cristianismo. Una de sus más fervientes sacerdotisas, una prostituta sagrada, se convirtió en santa Margarita de Antioquia; y, según parece, Afrodita guardaba muchas afinidades con la Virgen María de las primeras apariciones. Por algo será que hoy en día las pócimas de amor se conocen como afrodisíacos.

158. PALAS ATENEA/MINERVA

Una de las doce diosas del Olimpo, tanto en la mitología griega como en la romana, la hija de Zeus/Júpiter era huérfana de madre, aunque se aferró a su padre para fortalecer su crecimiento. Atenea, celadora de la vida civilizada, aparece en la poesía clásica simbolizada bajo la forma de una lechuza y encarna a la razón y a la sabiduría. También se le atribuye la creación del alfabeto griego, auspiciando el acceso del pueblo a la literatura.

159. ARTEMISA

Hermana gemela de Apolo e hija de Zeus y de Letona, Artemisa también es conocida en la mitología clásica como Diana o Cynthia. Fue la principal cazadora al servicio de los dioses y la diosa de la caza, del alumbramiento, de la naturaleza y de la vendimia. Al igual que su hermano, acostumbraba a cazar con arco y flechas, armas que en ocasiones empleaba para acallar las ofensas de los mortales. Patrona también de la juventud (en especial de las jóvenes) y de los animales salvajes (en especial del ciervo y del oso), su corazón era puro y su imagen cristalina. Asociada con la luna, Artemisa poseía además un oscuro álter ego llamado Hécate, bajo cuya forma se convertía en la diosa del infierno y del mal. Capaz de fundir la vida y la muerte, podía bendecir el óbito con un gesto rápido e inapreciable; se dice que era especialmente piadosa con las mujeres que morían al dar a luz.

160. ASTARTÉ

Muchísimo antes de la crucifixión de Jesucristo, los sajones rendían culto a un panteón de dioses en el que se encontraba Astarté, diosa de la primavera. Por ello, cada primavera realizaban una ceremonia en su honor, aun después de que los romanos invadieran su territorio. En el año 325 el emperador Constantino impulsó la difusión del cristianismo declarando que la ceremonia sajona se convertiría, en lo sucesivo, en la celebración de la resurrección de Cristo. Desde entonces, la figura de Astarté queda recogida en el calendario cristiano bajo la forma de la Pascua florida.

161. SUL O SULIS

Esta reina celta, venerada durante siglos antes del advenimiento del cristianismo, ha sido identificada con Atenea o Minerva, reina entre las reinas de las antiguas Grecia y Roma. En el siglo IV a.C., Sul se convirtió en la patrona de la ciudad de Bath (entonces llamada Aquae Sulis), cuyos manantiales curativos fueron utilizados hasta el siglo IV.

162. COATLICUE

Según las creencias aztecas, la diosa de la Tierra, Coatlicue alumbraba cada mañana a su hijo Huitzilopochtli, dios de la guerra y del sol. Y cada noche éste moría y se convertía en un colibrí, forma que, según los aztecas, adoptaban los guerreros que morían en el campo de batalla. Entonces Coatlicue reunía el rastro de plumas de los colibrís que caían durante la noche y se los llevaba al pecho para concebir de nuevo a Huitzilopochtli. Coatlicue era también la madre de Coyolxauhqui, diosa de la luna, que fue asesinada por Huitzilopochtli.

163. PELÉ Y HI'IAKA

Los hawaianos adoraban a Pelé, diosa de los volcanes, siguiendo el rito de convertir en guirnaldas las flores de *lehúa* y derramarlas sobre el cráter sagrado del volcán Kilauea. La hermana menor de Pelé, Hi'iaka-i-ka-poli-o-Pelé velaba por los bosques de *lehúas* con las que Pelé la había obsequiado. Según la leyenda, un buen día Pelé destruyó los bosques presa de un rabioso brote de celos, pues sospechaba que su hermana seducía al amante de sus sueños, Lohi'au. Lejos de amedrentarse, Hi'iaka envolvió el cuello de Lohi'au con dos guirnaldas de *lehúa* y el suyo propio con una y, ante la mirada de Pelé, le cantó una canción de amor. Aún hoy, la tradición invita a los adoradores que se acercan hasta el volcán a no coger la *lehúa* antes de llegar a la cima, pues, en caso de hacerlo, invocarán a la lluvia. En cambio, pueden recoger las flores en el camino de regreso, como recuerdo de su peregrinaje.

FIGURAS MÍTICAS

164. LILIT

Cuenta la leyenda hebrea que Dios creó a la primera mujer de Adán, Lilit, al tiempo que a Adán, y que vivieron en el Edén hasta que Lilit se negó a acatar la obediencia que debía observar como mujer y fue expulsada del paraíso. Entonces se convirtió en un demonio que moraba en el aire y que, según la leyenda arábiga, casó con el diablo, con el que engendró varios espíritus malignos. Desde entonces, Lilit, la «bruja de la noche» fue considerada como una amenaza para las embarazadas y los recién nacidos, no sólo por las tradiciones judía y árabe, sino también por la mitología babilónica.

165. EVA

Cuenta la Biblia que Dios creó a la primera mujer a modo de compañera y ayuda para el único y solitario habitante del Edén: Adán. Y si bien a éste lo creó a su imagen y semejanza, a Eva la extrajo de una de las costillas de Adán, concibiéndola desde el principio como un ser subordinado e inferior. La naturaleza inferior de Eva la hizo sucumbir a los ardides de la serpiente, cuyas artimañas la indujeron a morder la fruta del árbol de la ciencia, donde habitaban el bien y el mal, y, lo que es peor, a persuadir a Adán de comer de la fruta prohibida. La consumación del pecado original despertó la sexualidad de Eva y condenó a la descendencia de «la madre de la creación» a nacer a la sombra del pecado y a vivir en penitencia. Dios castigó a la pareja con la expulsión del paraíso y exhortó a las mujeres a vivir sometidas a la voluntad del hombre. Durante los tres mil años transcurridos desde que la historia fue escrita, aquella condena ha sido empleada para justificar la opresión de la mujer en la tradición judeocristiana. Tal concepción ya fue refrendada por un temprano escolástico, Tertuliano, que vivió entre el siglo II y el III en Roma y que resumió la moral de aquella historia en su escrito «El cuidado de la mujer». Uno de los pasajes dice así: «¿Y todavía no sabes que eres Eva? Ella todavía vive en este mundo, como dictamina el castigo de Dios sobre tu sexo. El demonio está dentro de ti. Tú rompiste la promesa del Árbol. Tú fuiste la primera en desobedecer a Dios. Tú fuiste la que avergonzó al hombre, a quien el demonio no sabía cómo derrotar. Fuiste tú la que no tuvo escrúpulos en deshonrar a aquel que había sido creado a imagen y semejanza de Dios. Con tu muerte pagarás por tus pecados, los mismos que han llevado a la muerte al hijo de Dios».

166. JUDIT

El libro bíblico de Judit relata la historia (probablemente ficticia) de una abnegada y valerosa viuda que liberó a los judíos del asedio de los asirios. La historia comienza cuando los israelitas, abatidos por el despiadado sitio del que eran objeto, empezaron a dudar de su propio Dios. Desesperada ante la debilidad de los suyos, Judit decidió tomarse la justicia por su mano y asesinó al general asirio, Holofernes. Haciéndose pasar por delatora, se infiltró en terreno enemigo y consiguió una invitación para cenar en la tienda de campaña de Holofernes. Judit animó a Holofernes a beber en exceso, y cuando estuvo adormecido le cortó la cabeza con su alfanje. Cuando exhibió su trofeo, los israelitas se envalentonaron de tal modo que lanzaron su ataque contra el enemigo. Con su general muerto, los asirios huyeron despavoridos. Tras la victoria, Judit presidió las celebraciones.

167. PANDORA

La mitología griega recoge la historia de Pandora, la primera mujer, que fue creada por Zeus a partir de agua y tierra. Llevado por la cólera, Zeus decidió vengarse de Prometeo creando a la mujer, a quien concibió como una perdición para el hombre, como una tentación irresistible y perniciosa hacia el mal. A Pandora se le atribuyen todas las adversidades de la humanidad, por haber sucumbido a la curiosidad femenina. Sucedió que los dioses le habían hecho entrega de una caja, bajo la prohibición categórica de que jamás debía abrirla, pero Pandora no pudo resistir la tentación. Al destaparla, Pandora liberó a todos los males que los dioses habían encerrado en el interior (las plagas, la desgracia, la angustia…). Pese a ello, la caja contenía también una parte buena, la esperanza, que desde entonces ha ayudado a los mortales a combatir un sinfín de adversidades.

168. SIBILAS

Tanto en la mitología griega como en la romana se cuenta que los mortales recurrían a ciertas mujeres sabias para que les socorrieran y asesoraran acerca de sus tribulaciones vitales. Estas mujeres, las sibilas, habitaban en lugares remotos, a veces hasta en cuevas, poseían el don de adivinar el porvenir y entregaban sus mensajes en hexámetros griegos. La primera mención de su existencia sostiene que una sibila predijo la guerra de Troya. Con el tiempo, la mitología clásica incluiría a diez sibilas, a las que identificó según su lugar de procedencia. Las profecías que supuestamente difundieron las sibilas estaban compiladas en los *Libros sibilinos*, custodiados en el templo de Júpiter, en Roma. En el año 405 se ordenó, en un clima de institucionalización del cristianismo, que todos aquellos volúmenes fueran quemados.

169. PRESENTE Y CREACIÓN

En los mitos de creación del pueblo vikingo, tres mujeres nórdicas guardaban el manantial sagrado del que manaba el agua de Yggdrasil, el fresno que preservaba la unión del universo. Aquellas tres mujeres, Uda, símbolo del pasado, Verdandi, símbolo del presente, y Skuld, símbolo del futuro, velaban por el flujo de agua blanca y sagrada mientras los dioses se reunían a diario para juzgar a los mortales.

170. LAS VALQUIRIAS

Según el *Elder Edda*, el libro de la mitología nórdica, los guerreros a los que la muerte sorprendía en el campo de batalla tenían visiones de «Doncellas virginales de deslumbrante belleza / cabalgando sobre las resplandecientes armaduras de sus corceles, / señalándoles con sus dedos inmaculados, / tan solemnes y profundas». El cometido principal de las valquirias, una suerte de doncellas que asistían las comidas de los dioses, era el de decidir quién viviría y quién moriría en el campo de batalla. Odín, soberano de los dioses nórdicos habitantes de Asgard, fue asistido por las valquirias, quienes, lideradas por Brunilda, acudieron a la llamada de Odín surcando el aire, para procurarle una muerte heroica y conducirlo al Valhala.

171. LA PAPISA JUANA

La leyenda de la papisa Juana surgió en el siglo XIII. Según se cuenta, Juana se disfrazó de hombre para poder estudiar filosofía y luego convertirse en monje. Tras alcanzar el rango de cardenal bajo el mandato del papa León IV, Juana fue ordenada sumo pontífice en el año 855. Y no fue desenmascarada hasta tres años después, cuando se puso de parto durante una procesión a la Basílica de Roma; tras el incidente, fue apedreada hasta la muerte por una muchedumbre enfurecida. La historia resultó tan convincente que se estableció como un hecho indiscutible de la historia oficial de la Iglesia. En 1601 el papa Clemente VII hizo lo posible por enterrar aquel recuerdo, pero la leyenda permaneció inalterable. Más adelante, los historiadores descubrirían las raíces de la fábula cuando indagaban sobre la vida de Marozia, quien tuvo al papado sometido durante años amañando los sucesivos nombramientos, que dejó en manos de su hijo (Sergio), su nieto y su bisnieto.

MODÉLICAS, O QUIZÁ NO TANTO

172. UNA PRECURSORA: LUCY
(c. 3.100.000 a.C.)

Lucy fue una adolescente que vivió en Hadar (Etiopía) hace unos 3,1 millones de años. Entre noviembre y diciembre de 1974, el equipo de antropólogos de Donald Johanson y Tom Gray recogió el 40 por ciento de su esqueleto.

Es el individuo más antiguo conocido de la especie *Australopithecus afarensis*. Sus piernas eran relativamente cortas comparadas con las de los homínidos posteriores, pero sus caninos estaban ya reducidos con respecto a los de su primo hermano, el chimpancé: Lucy estaba en el camino que desembocó en *Homo sapiens*.

Su nombre procede de la canción que atronaba incesantemente en el campamento de los antropólogos: «Lucy in the sky with diamonds».

173. SARA

En algún momento entre los años 2000 y 1500 a.C., la primera mujer de Abraham, Sara, dio a luz a Isaac, el futuro padre del pueblo judío. Sara había contraído matrimonio con su hermanastro en la ciudad de Ur, donde se les conocía como Sarai y Abram. Tras abandonar la ciudad por orden divina, vivieron una vida nómada, en espera de que Dios les concediera al heredero que les había prometido a cambio de su destierro, y a que hiciera de la descendencia de Abram «una gran nación». Cuando Dios refrendó sus promesas a través de un pacto o alianza, cambió los nombres de la pareja por los de Sara y Abraham. Pero el hijo nunca llegó y Sara rebasó su edad fértil. En vista de ello, Sara envió a su doncella Agar a Abraham, la cual concibió a Ismael cuando aquél contaba ya ochenta y seis años. Los musulmanes consideran a Ismael el progenitor del pueblo árabe. Finalmente, Sara dio a luz a Isaac, cuando Abraham contaba ya cien años y ella algunos menos. Desde entonces, Sara ha sido reverenciada en la historia del judaísmo, no sólo por ser la mujer a través de quien Dios cumplió con la alianza, sino también por ser la madre de los judíos.

174. DALILA

Una de las malas clásicas de la Biblia, Dalila es célebre por haber provocado la muerte de su amante. Dalila era la amante de Sansón, un juez israelita que, como buen ministro de Dios, había vivido toda la vida sin cortarse la cabellera. Su frondosa cabellera le había procurado una fuerza sobrenatural, gracias a la cual se había deshecho de muchos de sus enemigos paganos, los filisteos. Sin embargo, Sansón conoció a una amante que sería su perdición, Dalila, a quien los filisteos sobornaron para que descubriera la procedencia de la fuerza de Sansón, y así atacarle en su punto débil. Dalila sedujo a Sansón: utilizó a conciencia sus armas de mujer, y le persuadió para que le revelara su secreto. Cuando lo averiguó, avisó a los filisteos advirtiéndoles que le cortaran el pelo mientras dormía, lo que le reportó una recompensa de 1.100 monedas de plata de cada uno de los líderes filisteos. Una vez redujeron a Sansón, los filisteos vejaron a su víctima dejándolo ciego y esclavizándole, para luego exhibirlo vencido como un trofeo. Pero la cabellera de Sansón volvió a crecer y le dotó de la fuerza necesaria para echar por tierra el templo donde murió junto a tres mil filisteos. El destino de Dalila sigue siendo un misterio.

175. BERURIA

A pesar de que las enseñanzas judías tradicionales prohíben que la mujer pueda estudiar y enseñar la Torá, según la tradición, esta asombrosa mujer del siglo II era capaz «de leer trescientas leyendas de otros tantos héroes en una sola noche de invierno». Hija del martirizado Rabbi Hanania, y esposa de Rabbi Meir, Beruria echó por tierra el famoso postulado de Rabbi Eleazar, que afirmaba que: *«Instruir a una hija en la enseñanza de la Torá es como enseñarle obscenidades»* (ironías de la vida, la mujer de Eleazar, Irma Shalom, se in-

cluye entre los personajes judíos más instruidos del siglo I). Todavía hoy, los estudiosos de la Torá tienen en alta estima el trabajo de Beruria.

176. FÁTIMA (600-632)

Hija de Mahoma y de su influyente y abnegada primera esposa, Fátima es una de las cuatro mujeres perfectas veneradas por el islam. «La Resplandeciente» acompañó a su padre en el célebre viaje de La Meca a Medina; y se decía de ella que era virgen, aun después de haber dado vida a tres hijos. Se casó con Alí, primo de su padre y cuarto califa musulmán, apoyándole en su encarnizado duelo contra Abu Bakr, el primer califa. Su esposo, sus hijos y sus nietos fueron asociados, por su número, doce, con las horas del día. Se dice que sus descendientes son los fundadores de la dinastía fatimita, de África del Norte.

177. SANTA DYMPNA

Esta princesa irlandesa del siglo VII fue asesinada cuando intentaba escapar de las garras de su padre pagano, quien albergaba deseos incestuosos hacia ella. Martirizada en nombre de la castidad y de las virtudes cristianas, se ha convertido en la patrona de aquellos que padecen enfermedades nerviosas y mentales.

178. SANTA CRISTINA «LA ASOMBROSA» (1150-1224)

Esta joven belga fue santificada después de resucitar en su propio funeral. Estando ya postrada en su ataúd abierto, tras haber sufrido un fatal ataque cardíaco, Cristina revivió en plena misa de réquiem. Después de tan inesperada recuperación, se vistió con harapos y vagó por los bosques para deshacerse del hedor del pecado humano, mendigando comida y encaramándose a árboles, rocas y vallas para rezar. Supuestamente inmune al fuego, al frío y al dolor, aterró a todos los que la vieron y escapó a todos los intentos de ser apresada. No obstante, Butler, en su *Vida de los santos*, destaca que: «Existen pocos datos en la vida conocida de Cristina de Brusthem que induzcan a pensar que se tratara de algo más que un caso patológico».

179. SANTAS

Entre las distintas santas del catolicismo relacionadas con aspectos de la vida cotidiana, se cuentan las siguientes:

Águeda, patrona de las enfermeras
Inés, patrona de las niñas
Ana, patrona de las mujeres parturientas
Apolonia, patrona de los odontólogos
Bárbara, patrona de los albañiles
Brígida, patrona de los escolares
Catalina de Alejandría, patrona de los filósofos, de los oradores y de los estudiantes
Catalina de Bolonia, patrona del Arte
Catalina de Siena, patrona de los bomberos
Cecilia, patrona de los músicos
Clara de Asís, patrona de la televisión
Isabel de Hungría, patrona de los panaderos
Lidwina, patrona de los patinadores
María Magdalena, patrona de los arrepentidos y las prostitutas
Marta, patrona de los cocineros y de los sirvientes
Mónica, patrona de las mujeres casadas y de las madres
Paula, patrona de las viudas

180. LA VIVA IMAGEN DE BUDA

Nacida en 1941, la niña tibetana Doujebamo fue nombrada Buda (el Iluminado) vivo a la edad de cuatro años. Catorce años después, tras la invasión china, escapó del Tíbet con el Dalai Lama. No tardó en regresar al pueblo que la reverenciaba, renunciando a su título al servicio del Congreso Nacional del Pueblo.

LÍDERES, PREDICADORAS Y VISIONARIAS

181. NEFERTITI

Inmortalizada en un célebre busto considerado uno de los más extraordinarios ejemplos de arte del Antiguo Egipto, esta reina egipcia del siglo XIV a.C. dio forma al monoteísmo, junto con su marido, el faraón Amenofis IV. Persuadió a Amenofis para que proclamara a Atón, dios del Sol, como única divinidad egipcia, convirtiéndolo en el primer faraón monoteísta. Según las inscripciones cuneiformes, Nefertiti también debió de ejercer el sacerdocio, oficio tradicionalmente reservado a los faraones varones.

182. DÉBORA

Una de las siete profetisas de Israel, Débora vivió durante el siglo XII a.C. Su liderazgo fue decisivo para conseguir la victoria en la batalla contra los cananeos, una de las tribus opresoras del pueblo de Israel. Su triunfo se celebra en *El cántico de Débora,* una de las odas incluidas en el Libro de los Jueces. El poema está considerado uno de los escritos más antiguos de la literatura hebrea.

183. AISHA BINT ABI-BAKR (614-678)

Mahoma tuvo nueve esposas, la tercera de las cuales (su favorita) sigue viva en la memoria del islam como la «Madre de los creyentes» y la «Profetisa». Aisha bint Abi-Bakr era la hija del primer califa musulmán, Abu Bakr. Participó decisivamente en el derrocamiento del califa Uthman y defendió a su padre durante la encarnizada lucha por el poder que libró contra Alí, el esposo de Fátima. Fue capturada en la batalla del Camello, mientras combatía contra Alí, y, posteriormente, ejecutada.

184. PARANAZIN

Moctezuma, emperador azteca antes del desembarco de los conquistadores españoles, tenía a una profetisa por hermana, de nombre Paranazin. Se cuenta que pasó gran parte de su vida sumida en un trance cataléptico, permaneciendo inmóvil en la misma posición hasta finalizar el trance. Cuando volvió en sí, se dedicó a difundir profecías. Pronosticó la cercanía de la invasión y, poco antes de que se produjera, advirtió que el Imperio de Moctezuma sería derrocado inminentemente.

185. CATALINA DE SIENA
(Caterina Benincasa, 1347-1380)

Dominica italiana, a los seis años tuvo una iluminación. Se incorporó a la orden de los dominicos, y entre sus logros se cuentan su intervención para que el papa Gregorio XI volviera de Aviñón a Roma, y su aportación a la paz. En 1376, durante el Cisma de Occidente, fue embajadora entre los papas Gregorio XI y Urbano VI. Fundó una escuela mística en Siena y legó a algunos de sus discípulos el *Libro della Divina Dottrina* (1378). Antes había dado ya muestras de su lucidez y de su talento en libros como *Poesías religiosas*, *Via Crucis* u *Oraciones y sus correspondencias*. Su estela fue reavivada por Pío II, que la canonizó; por Pío IX, que la declaró segunda patrona de Roma, y por Pablo VI, que en 1970 la proclamó doctora de la Iglesia.

186. JUANA DE ARCO (1412-1431)

La santa patrona de Francia fue inspirada por voces celestiales que la guiaron hacia la victoria en las batallas decisivas de la guerra de los Cien Años contra Inglaterra. Santa Juana escuchó la primera llamada a los doce años y adquirió conciencia de que tenía que llevar a cabo la misión divina de socorrer al delfín, el futuro rey Carlos VII. En 1429 hizo llegar su mensaje al delfín, quien puso a su disposición a todo un ejército. Fue nombrada capitana y dirigió a sus tropas contra el asedio inglés de la ciudad francesa de Orleans. Una vez que los ingleses se retiraron, Juana escoltó a Carlos en su coronación. Pero porfió en la guerra (con la desaprobación del monarca) hasta que el ejército de Borgoña la capturó y la entregó a los ingleses en 1430. Éstos, a su vez, la enviaron a Ruán, donde fue acusada de herejía. Los clérigos se opusieron a su indumentaria masculina y a su firme creencia en anteponer su compromiso con Dios al que tenía con la Iglesia católica romana. Juana fue condenada por un tribunal de la Inquisición. Tras morir en la hoguera, en 1456 la Iglesia proclamó su inocencia. Juana de Arco se convirtió en una heroína nacional y en el símbolo del valor y la fidelidad. Fue beatificada en 1909 y canonizada en 1920.

187. MADRE SHIPTON

Nacida en 1488, esta mujer inglesa se confesó profetisa y fue acusada por ello de brujería. En cualquier caso, fue absuelta y se ganó un gran número de devotos, tanto antes como después de su muerte, a los setenta y tres años de edad. Sus profecías fueron publicadas por vez primera en 1641 en un panfleto, en el que procuraba establecer el modo en que se sucederían los acontecimientos inminentes más importantes; un texto similar apareció en 1677. En 1862 otra publicación relataba sus predicciones respecto al desarrollo tecnológico de la Revolución industrial, además de un pronóstico catastrófico: que el mundo se acabaría en 1881.

188. SANTA TERESA DE JESÚS
(Teresa de Cepeda y Ahumada, 1515-1582)

Reformadora religiosa sin parangón, su vida fue un ejemplo de austeridad, devoción y disciplina. Su religiosidad estuvo siempre marcada por su delicada sensibilidad, que dirigió por la senda de la frugalidad, hasta erigirse en la máxima exponente del misticismo occidental. En 1535 entró en el convento de la Encarnación y profesó en 1537, pero una enfermedad la postró durante algún tiempo, en el que fue presa de angustiosas dudas espirituales. Una visión del infierno en 1560 le mostró, paradójicamente, la luz: hizo votos de tomar el camino de la perfección y emprendió la tarea de la reforma carmelitana. Lo consiguió con creces, y entre sus gestas se cuentan no sólo la de fundar multitud de conventos, sino incluso la de crear una rama masculina dentro de la orden. Su formación religiosa y erudita bebió en los grandes escritores ascéticos de la época, pero gustó siempre de mostrarse como una monja sencilla: en su obra, cuajada de disculpas y de efusiones de modestia, se aprecia un peculiar estilo pleno de giros populares. Su vasto legado místico y literario, que fray Luis de León se esmeró en difundir a partir de 1588, sintetiza su incansable labor de reformadora. Entre sus obras destacan: *La vida, Libro de las relaciones, Libro de las fundaciones* o el opúsculo *Camino de perfección*, que son las cimas de su suntuoso y densísimo pensamiento. A nivel doctrinal se tiene por inigualable su obra *Las moradas* (1577). Cultivó también la poesía, desplegando un verso emotivo plagado de metros cortos y de canciones dedicadas a lo divino; de hecho, el carácter popularizante de sus obras, la llevó a incurrir en deliberadas incorrecciones lingüísticas. Fue muy representada en el barroco en toda suerte de retratos.

189. ANNE HUTCHINSON (1591-1643)

A causa de sus creencias religiosas, esta librepensadora anglosajona fue perseguida por el mismo pueblo que emigró a la indómita América del Norte en busca de libertad religiosa. Hutchinson emigró de Inglaterra a la colonia de la bahía de Massachusetts y, en 1634, se estableció en Boston. Fue admirada por su inteligencia y misericordia y pronto organizó una serie de reuniones a las que asistieron fundamentalmente mujeres (pero más tarde también hombres) para escuchar sus reflexiones. Su principal enseñanza consistió en la divulgación del antinomianismo, pensamiento que postulaba que la fe en la salvación a través de Cristo liberaba a los cristianos de las disposiciones del Antiguo Testamento. Los jerarcas del puritanismo vieron en Hutchinson una amenaza para sus estrictos principios morales y legales; pero esta librepensadora también contó con muchos adeptos. La polvareda

política que suscitó su caso la llevó ante los tribunales, donde, en 1637, se defendió de las acusaciones de calumniar a los pastores de la fe puritana. Fue declarada culpable, excomulgada y condenada al destierro. Hutchinson se trasladó primero a Rhode Island y posteriormente a Nueva York, donde fue asesinada a manos de los indios en agosto de 1643.

190. JEANNE MARIE BOUVIER DE LA MOTTE GUYON (1648-1717)

Esta acaudalada viuda francesa, más conocida como Madame Guyon, obtuvo una gran notoriedad como mística. Promovió el quietismo, doctrina religiosa que perseguía la perfección espiritual a través de la meditación. En 1688 el arzobispo de París la encarceló por sus escritos heréticos, aunque la esposa del rey Luis XIV consiguió que fuera liberada al año siguiente. Guyon reanudó su trabajo y volvió a ser encarcelada de 1695 a 1703. Dado que las condiciones de su liberación la obligaban a abandonar París, se trasladó a Diziers y, posteriormente, a Blois. A las puertas de la muerte, declaró compartir completamente la doctrina de la Iglesia católica.

191. VITA KIMBA

Cuando los europeos desembarcaron en África, uno de sus pretextos para conquistar el continente era la de difundir el cristianismo entre sus habitantes. Los misioneros protestantes y católicos encontraron una audiencia conflictiva entre los practicantes de las religiones tradicionales africanas, quienes tendían a incorporar elementos de sus antiguas creencias a las de nueva adopción, dando lugar a un sincretismo sin ninguna afinidad con el pensamiento religioso europeo. Entre los líderes africanos que aceptaron parte del mensaje de los misioneros foráneos, se encontraba Vita Kimba, una sacerdotisa y predicadora que vivió en el Congo, a caballo entre el siglo XVII y el XVIII. Convencida de haber sido san Antonio en una vida anterior, promovió su propia versión del catolicismo, en la que integró una saludable dosis de religión africana extraída de su lar-

ga práctica. En 1706, cuando un sacerdote católico fue puesto al corriente de sus actividades, Vita Kimba fue quemada en la hoguera por hereje.

192. ANN LEE (1736-1784)

Esta obrera analfabeta nacida en la industrial Manchester introdujo la asociación «Shaker», una facción radical del grupo religioso Sociedad de los Amigos (a cuyos miembros se conocía popularmente como *cuáqueros*), en América. Se afilió al grupo en 1758, y doce años después, en 1770, se convirtió en su líder. Lee, conocida como Madre Ana, tuvo varias iluminaciones y proclamó encarnar la segunda venida de Cristo a la Tierra. Tras dejar Inglaterra en 1774 junto a ocho miembros más, formó una avanzadilla de los *cuáqueros* en Watervliet, Nueva York, en 1776. Allí, ella y sus seguidores vivieron en comunidad, consagrados al celibato y a una existencia sencilla. El movimiento floreció rápidamente, engendrando dieciocho comunidades más y absorbiendo a unos seis mil afiliados en cincuenta años. Los cuáqueros se hicieron famosos por sus característicos muebles artesanos y la decoración de sus casas, antes de que el movimiento comenzara a decaer a mediados del siglo XIX.

193. MARY BAKER EDDY (1821-1910)

Físicamente delicada, emocionalmente frágil y acosada por las desgracias familiares, esta mujer originaria de New Hampshire parecía ser una improbable candidata para fundar una gran religión mundial y, sin embargo, la historia la reconoce como la única mujer que lo consiguió. Pasó los primeros cuarenta y cinco años de su vida luchando contra varias enfermedades, combatiendo tanto las depresiones como su adicción a la morfina y sufriendo innumerables crisis nerviosas. Mientras ello ocurría, quedó viuda al cuidado de un niño al que fue incapaz de educar. Su segundo matrimonio terminó en divorcio. Más tarde, Eddy encontraría cierto alivio en las enseñanzas de Phineas Quimby, un hipnotizador que propugnaba el poder de la mente sobre la materia. Tras resarcirse de los sufrimientos que la habían dejado exánime, abundó en las ideas de Quimby para crear su propia doctrina. Perfiló sus ideas en el libro *Ciencia y salud, claves para las Sagradas Escrituras* (1875) y no tardó en ganarse un número considerable de adeptos en el área de Boston. Su tercer esposo, Asa Eddy, la alentó a que fundara una iglesia, cosa que hizo en 1879. La Primera Iglesia cientista de Cristo creó rápidamente el Colegio de Metafísica y publicó el *Christian Science Journal* (posteriormente *Christian Science Monitor*). Fundamentalmente conocida por difundir la creencia de que toda enfermedad puede ser curada a través de la oración, Eddy y su iglesia tuvieron que enfrentarse a múltiples críticas y a constantes litigios, mientras la influencia de la Iglesia cientista iba aumentando. Alrededor de 1887, Eddy volvió a caer en la morfina y vivió aislada hasta su muerte.

194. ANTOINETTE LOUISA BROWN BLACKWELL (1825-1921)

Cuñada de Elizabeth Blackwell —la primera norteamericana en conseguir una licenciatura en Medicina—, Antoinette Louisa Brown Blackwell fue, a su vez, la primera mujer en ejercer el sacerdocio en una iglesia de Estados Unidos. Su trayectoria como predicadora se inició en la infancia: a los nueve años ya daba sermones en la iglesia congregacionalista de su pueblo natal. Posteriormente se graduó en el Oberlin College y en el Seminario Teológico, convirtiéndose en una de las primeras norteamericanas en hacerlo. Afiliada a la Iglesia Unitaria, fue conocida como una entusiasta oradora. Blackwell fue además una reformista, que defendió los derechos de las mujeres y el abolicionismo, aunque siempre desde la moderación. A los noventa años subió a un púlpito por última vez.

195. HELENA PETROVNA BLAVATSKY (1831-1891)

Fundadora junto a H. S. Olcott de la Sociedad Teosófica, Helena Blavatsky elaboró la filosofía del ocultismo conocida como teosofía. A los dieciséis años dejó su Rusia natal para embarcarse en un largo viaje, que la llevaría a estudiar durante siete años junto a mahatmas hindúes. Empezó a sentirse atraída por el espiritismo (comunicación con los muertos) después de haber estado a punto de morir. Fue entonces cuando se convenció de que tenía poderes psíquicos. Poco después de llegar a Nueva York en 1873, se convirtió en una líder teosófica, predicando una doctrina según la cual, conforme a un ciclo de purificación, el espíritu se convierte en materia y la materia en espíritu. Postulaba que el espíritu humano alcanza la perfección a través de sucesivas reencarnaciones, hasta trascender la impureza del mundo físico. Sus enseñanzas hindúes la llevaron de nuevo a la India en 1878, cuando ya tenía la ciudadanía norteamericana. Las afirmaciones que propagó sobre su avanzado desarrollo espiritual le valieron muchos detractores, que la trataban de charlatana y la acusaban de plagio; a pesar de ello y de ellos, permaneció firme hasta su muerte.

196. ANNA HOWARD SHAW (1847-1919)

Esta sufragista nacida en Inglaterra desembarcó en Estados Unidos siendo una niña y, a los veinticuatro años, ya se había convertido en pastora metodista. En 1878 le fue denegada la solicitud para ordenarse oficialmente en el metodismo y fue privada de la licencia para predicar. Sin embargo, Shaw ejerció de predicadora hasta cerca de 1885, cuando se graduó en medicina. Poco después se consagró a la defensa del sufragio y, con el tiempo, se convirtió en una figura importantísima en la lucha por el derecho al voto de la mujer.

197. NEHANDA DE ZIMBABWE (1863-1898)

Sacerdotisa, profetisa y abanderada de la tradición religiosa de su pueblo, Nehanda lideró en 1898 la sublevación de los shona contra los intentos de los blancos por dominar su pueblo. Las ambiciones coloniales de Cecil Rhodes en Suráfrica confirieron a la herencia de Nehanda una importancia aún mayor, pues su misión incluía también la preservación de la cultura shona. Nehanda fue capturada por los blancos, quienes intentaron convertirla al cristianismo, sabedores de que si lo lograban terminaría toda la resistencia. Nehanda rehusó y fue ejecutada.

198. AIMEE SEMPLE MCPHERSON (1890-1944)

Paradigma de la predicadora evangelista, Aimee Semple McPherson se hizo famosa por su peculiar estilo misionero y por su creencia en las propiedades curativas de su fe. Nacida en Ontario, McPherson fue misionera pentecostal en China de 1908 a 1909. Más tarde se aventuró a recorrer Estados Unidos, difundiendo su fogoso mensaje tanto a través de la radio como en persona. McPherson se estableció en el majestuoso templo del Ángelus en Los Ángeles, inaugurado en 1923, y predicó durante veinte años. Además, en 1927 fundó la Iglesia Pentecostal Internacional del Verdadero Evangelio. McPherson tuvo miles de incondicionales, aunque suscitó también considerables controversias. En mayo de 1926 desapareció mientras nadaba en las aguas del Pacífico, y tras su reaparición, algunas semanas más tarde, denunció haber sido secuestrada. Fue procesada y exculpada de la acusación de perjurio que pesaba sobre ella. Falleció a la edad de cincuenta y cuatro años.

199. AYN RAND (1905-1982)

Autora de novelas como *El manantial* (1943) y *El atlas menguante* (1957), Ayn Rand se convirtió en una auténtica autora de culto para la multitud de seguidores que se adhirieron a sus teorías sobre el objetivismo y el egoísmo racional. En sus obras postulaba la idea de que la consecución de los intereses individuales representa el mayor bien para el ser humano. La obra de Rand no se ciñó exclusivamente a las novelas; también escribió ensayos como *Para los nuevos intelectuales* (1961) y *La virtud del egoísmo* (1965).

200. MADRE TERESA DE CALCUTA (1910-1997)

Galardonada con el premio Nobel de la Paz en 1979, ha sido aclamada por su desinteresada dedicación a los miembros más desvalidos, pobres y enfermos de la sociedad. Nacida en Albania y ordenada monja de la Iglesia católica en 1937, Teresa de Calcuta ocupó el puesto de directora de un instituto de Calcuta hasta 1948. Ese mismo año obtuvo un permiso especial para dejar la enseñanza y poder trabajar al cuidado exclusivo de enfermos y moribundos en la ciudad. Fue la fundadora de la organización Misioneras de la Caridad y abrió el centro Nirmal Hriday (Corazón Puro), hogar para los moribundos desamparados de Calcuta. A medida que su influencia fue creciendo, estableció misiones para propagar su ayuda hasta el último confín del mundo.

201. UNA REFORMISTA REACCIONARIA

Durante la década de 1970, la presentadora fundamentalista cristiana Anita Bryant emprendió una virulenta campaña homófoba en su estado natal de Florida, Estados Unidos. Bryant estaba convencida de que aquellos a los que aludía como a un «segmento enfermo de la sociedad» constituían una amenaza para la moral de la juventud norteamericana. «Los homosexuales no sufren discriminación alguna cuando reservan sus perversiones sexuales a la privacidad de sus casas», declaró Bryant. Y añadió: «Los homosexuales no pueden procrear, por lo que salen a las calles en busca de nuevos adeptos. Y para renovar sus filas, reclutan a la juventud norteamericana».

202. UNA CONEXIÓN ENTRE LA MENTE Y EL CUERPO

Los años ochenta asistieron al florecimiento del movimiento *New Age*, un fenómeno paradigmático de la sociedad moderna que, basado en las creencias y prácticas espirituales, propugnó la purificación física y mental. Una de las máximas exponentes de este movimiento es Louise Hay, cuyo libro *Puedes curar tu vida* (1984) le reportó una notable popularidad. La filosofía de Hay establece, básicamente, que las reflexiones íntimas producen un profundo impacto en las circunstancias de la vida del individuo, y que repercuten especialmente en su salud física. Partiendo de esa base, Hay atribuye un simbolismo concreto a cada parte del cuerpo y vincula los síntomas y los males específicos de cada órgano a un conjunto de rasgos emocionales singulares. Su doctrina aboga por una fórmula curativa consistente en recitar afirmaciones positivas para extirpar los mecanismos perniciosos que actúan sobre los pensamientos y las emociones. Hay afirma que el uso de tal práctica la llevó a curarse de un cáncer.

PRINCIPIOS, CREENCIAS Y FUNDAMENTOS

203. EL YIN Y EL YANG

Uno de los preceptos por antonomasia de la filosofía china es el del yin y el yang: el principio femenino (yin) y el principio masculino (yang). Trazada por el emperador Fu Hsi en el año 2800 a.C., esta doctrina persigue la consecución de la salud y la armonía a partir de un equilibrio perfecto del yin y el yang. No obstante, en ese equilibrio perfecto la parte femenina queda subordinada a la masculina.

204. NIDDA

Texto talmúdico que aborda la ley judía relativa a la «impureza» de la mujer, considerada contagiosa. Prohíbe la entrada a los templos a las mujeres durante el período de menstruación y exige el aislamiento de éstas hasta varios días después de concluida. El texto dispone que la mujer deberá quedar excluida de la sociedad durante los cuarenta días posteriores al alumbramiento de un niño y durante los ochenta días posteriores al alumbramiento de una niña.

205. BUDISMO MAHAYANA

Rama del budismo que sostiene que las diferencias entre hombres y mujeres son insignificantes, y asegura que las mujeres son compañeras y guías espirituales esenciales para el hombre. Esta tradición, históricamente asociada al Tíbet, se caracteriza por su profusión de simbolismos femeninos. Las monjas tibetanas se hicieron famosas gracias a sus virtudes espirituales.

206. HABLANDO DE LA ILUMINACIÓN...

Buda, padre y creador de una de las principales religiones del mundo, reconoció el potencial espiritual de la mujer. En el año 550 a.C., su tía Mhaprajapati le pidió permiso para fundar una orden de monjas y él se lo concedió, abriendo así la puerta del desarrollo espiritual a las mujeres devotas.

207. EL «RAMAYANA» («Las hazañas de Rama»)

Este poema épico sánscrito que ilustra los principios del hinduismo, idealiza la capacidad de las mujeres para hacer frente al sufrimiento. El poema relata la historia de Sita, quien debe exiliarse junto a su marido, el príncipe Rama, cuando su derecho al trono es desafiado. Tras ser secuestrada por el perverso rey Ravana, Rama la rescata, y, de nuevo en libertad, deberá soportar la sospecha de haber sido infiel a su esposo con su secuestrador. Rama alcanza entonces el trono, pero Sita permanece en el exilio, donde vivirá varios años criando a sus hijos, antes de reunirse con su esposo.

208. EL «MAHABHARATA»

Este poema épico sánscrito describe la absoluta sumisión de la esposa en el matrimonio, como el máximo deber de las mujeres hindúes. El *Mahabharata*, poema bastante más largo que el *Ramayana*, contiene el célebre diálogo sobre el sentido de la vida que lleva por título *Bhagavad-Gita*. Éste relata la historia de dos familias emparentadas de la realeza enemistadas por el control del reino. Aquellos personajes femeninos que en la historia viven velando a sus esposos hasta la muerte simbolizan en el poema la encarnación de la virtud.

209. VIRGINIDAD

Muchas religiones esgrimen la virginidad como un componente fundamental de la virtud femenina, siendo el cristianismo el ejemplo más obvio. A principios de la era cristiana, María, madre del hijo de Dios, fue convertida en el ideal de mujer. Muchos cristianos creyeron que María no sólo era virgen cuando concibió y dio a luz a Jesús, sino que continuó siéndolo hasta el fin de sus días, convirtiéndose en el máximo exponente de la virtud y la pureza. Otros consideran que permaneció inmaculada, aun cuando la Biblia sostiene que el pecado original se adquiere con el mero nacimiento. De hecho, la virginidad podía ser estimada hasta el punto de que la opinión pública del carácter moral de la mujer dependiera casi exclusivamente de ella.

210. EL CULTO A LA VIRGEN

Ninguna figura femenina, ya fuera real o alegórica, ocupa un lugar tan significativo en la historia del cristianismo como María, la madre de Jesús. Su figura, mencionada brevemente en el Evangelio, pasó a ser reverenciada en el siglo II como la Madre de Dios, como la Virgen María y como Santa María. La veneración a María se intensificó entre los siglos IV y VII, cuando la Iglesia incorporó a su calendario diversos días festivos en su honor. Entre los siglos XIII y XV los cristianos siguieron rindiéndole culto. María adquirió los atributos de intercesora entre los pecadores y un Dios severo; sus fieles acudieron a ella en busca de su misericordia. Durante ese período, los católicos adoptaron el rosario, una forma de oración en la que se recitaban diez avemarías por cada padrenuestro; más adelante, su figura dio lugar a varias letanías y plegarias que aludían a ella como el Consuelo de los Pecadores, la Rosa Mística y otros títulos de índole simbólica. La Iglesia católica desarrolló, además, la doctrina de la Inmaculada Concepción (María fue concebida sin pecado original) y la de la Asunción (al morir, María ascendió al cielo). En tal contexto, los creyentes vieron en María no sólo la encarnación del bien, sino la imagen misma de la perfección, y las mujeres trataron de emularla.

211. LA BIBLIA DE LA MUJER

A finales del siglo XIX, la feminista Elizabeth Cady Stanton escribió *La Biblia de la mujer* con el fin de ofrecer una visión del cristianismo despojada de todo prejuicio sexista. La introducción dice así: «La Biblia enseña que la mujer introdujo en el mundo el pecado y la muerte, precipitando la desgracia de la especie…». «El matrimonio debería significar para ella una condición de bondad; la maternidad, una etapa de sufrimientos y angustias, y, en silencio y sujeción, debía desempeñar el papel de sometida…». Stanton fue vilipendiada por sus opiniones religiosas, si bien la publicación de *La Biblia de la mujer* supuso un primer hito en el largo camino hacia la consecución de la igualdad entre los sexos. Y es que Cady Stanton había inmolado el concepto victoriano de mujer.

212. FUNDAMENTALISMO CRISTIANO CONTEMPORÁNEO, I

«No está bien que una joven vista con una prenda que pueda desatar en cualquier hombre deseos que no podrán ser decentemente satisfechos fuera del matrimonio. Igualmente, la Biblia ya nos advierte de que no seamos tan masculinas como para resultar una amenaza para los hombres. Si tu discurso es elevado, pero tu aspecto es frío, duro, carnal y calculador, será tu apariencia lo que contará» (Diane Hay, profesora en la Universidad Bob Jones, Greenville, Carolina del Sur).

213. FUNDAMENTALISMO CRISTIANO CONTEMPORÁNEO, II

«Sí, la religión y la política se mezclan. Estados Unidos es una nación fundada en los principios bíblicos. Nuestro gobierno se rige por los valores cristianos. La prueba de estos valores es la Biblia. Aquellos políticos que no utilizan la Biblia para dirigir tanto su vida pública como su vida privada no merecen su cargo» (Beverly LaHaye, presidenta del colectivo Mujeres preocupadas por Estados Unidos).

PRÁCTICAS LAICAS

214. EL VELO

A pesar de que Mahoma, fundador del islam, fue célebre por promover la igualdad de la mujer en distintos terrenos, no fue tan generoso en lo referente al sometimiento marital y a la moderación exigibles a toda mujer. Mahoma implantó el velo en la sociedad árabe, y cubrió a sus propias mujeres para mantenerlas a salvo de las miradas furtivas de la multitud de seguidores que congregaba. La práctica se propagó rápidamente y en algunas regiones llegó hasta el punto de obligar a las mujeres a cubrirse de pies a cabeza siempre que salieran de casa.

215. MUJERES MORMONAS

El mormonismo, fundado a principios del siglo XIX en Nueva York, es una religión que se autoproclama la única forma verdadera de cristianismo. Datos históricos y recientes indican que el papel de la mujer dentro de esta secta conservadora ha sido siempre el de sometida. Las mujeres mormonas no sólo están excluidas de la jerarquía eclesiástica, sino que se espera que acepten el dominio masculino en las cuestiones familiares. Mientras estuvieron bajo el liderazgo de Joseph Smith, fundador de la Iglesia, los mormones practicaron una poligamia privada, que facultaba al hombre para ejercer su autoridad marital sobre varias mujeres. Sin embargo, la antipatía «gentil» por esta costumbre condujo al asesinato de Smith en 1844; si bien hacia 1852 una quinta parte de los mormones seguían practicándola. En 1876 Ana Elisa Webb Young condenó la poligamia en *La esposa número 19 o Historia de una vida en cautiverio*. El gobierno de Estados Unidos interpuso medidas legales e incluso presiones militares contra los mormones hasta 1890, fecha en que la Iglesia condenó oficialmente la poligamia. Pese a la amenaza de ser castigados legal y religiosamente, numerosos creyentes prosiguieron relacionándose simultáneamente con varias mujeres. Por último, Sonia Johnson fue excomulgada en 1979 por su defensa de la enmienda a favor de la igualdad de derechos; en 1981 publicó *De ama de casa a hereje*.

216. FUNDAMENTALISMO ISLÁMICO MODERNO

Hoy en día, algunos países islámicos sancionan con severos castigos a las mujeres que violan las normas religiosas de comportamiento. En 1983, el Consejo Revolucionario iraní aprobó una ley que obligaba a las mujeres a llevar el chador (una prenda que cubre la cara excepto los ojos) en público. El rigor con que se impone el cumplimiento de los preceptos religiosos sigue persiguiendo a las mujeres que visten o se comportan indecorosamente en las calles. En Arabia Saudí, por ejemplo, se prohíbe a las mujeres que conduzcan automóviles, puesto que algunas interpretaciones de la ley islámica aseguran que se trata de una conducta deshonrosa. En 1990, cuando algunas mujeres se alinearon en contra de la prohibición, sólo consiguieron que el gobierno endureciera, todavía más, la ley.

217. EL RESURGIMIENTO DE LAS DIOSAS

El movimiento moderno en defensa de las mujeres ha llamado la atención no sólo sobre la vida económica y social de las mujeres, sino también sobre su vida espiritual. La confianza en los conocimientos feministas y en los postulados de pensamiento del *New Age* ha desembocado en un resurgimiento del culto y la adoración a las diosas. Muchas mujeres han acudido a los sistemas de pensamiento de algunas diosas en busca de identidad espiritual. Estos sistemas suelen basarse en el respeto por el entorno natural y en el reconocimiento del lugar que ocupa el ser humano en el cosmos. A menudo, los cultos modernos a las diosas rechazan la institucionalización de las grandes religiones, si bien para consternación de la Iglesia católica, muchas mujeres han intentado incorporar a las diosas en este sistema de creencias.

MUJERES PELIGROSAS

218. CONFESIONES VERDADERAS

Durante la batalla diaria contra toda suerte de tribulaciones y tentaciones, las mujeres han encontrado siempre en la religión uno de sus mayores refugios. En la Edad Media las mujeres católicas que buscaban consuelo en monjes y sacerdotes con frecuencia acababan compartiendo con ellos algo más que sus pensamientos. Por aquel entonces los clérigos se ganaban fácilmente la confianza de sus feligresas y su fervor religioso traspasaba, sin demasiadas dificultades, la frontera de la intimidad física. La literatura de la época describe varios casos de monjes y sacerdotes que se entregaban a su trabajo en cuerpo y alma.

219. «MALLEUS MALEFICARUM»

Desde el siglo XI al XVII, la Europa cristiana vivió obsesionada con la brujería, especialmente después de la Reforma. Entonces la Iglesia lideró la persecución de toda práctica herética, aplicando el término bruja para incriminar a un grupo heterogéneo de personas que, por diferentes circunstancias, no encajaban en otras categorías, como, por ejemplo, en la de judíos. Durante la persecución, tres cuartas partes de los enjuiciados resultaron ser mujeres, lo que refleja la creencia de la Iglesia de que la perversión era un rasgo inherente a toda mujer. Se las acusó de sembrar el mal en sus pueblos a través de la magia negra y de estar involucradas en toda suerte de excesos sexuales y depravaciones. En 1486 dos monjes alemanes escribieron el *Malleus Maleficarum* (*El martillo de las brujas*), utilizado en adelante como una guía para consumar la caza de brujas. El texto en cuestión describía los procedimientos más adecuados para identificar, probar y quemar en la hoguera a las brujas, sugiriendo el uso de la tortura como instrumento de inquisición. Con la ayuda del libro, a finales del siglo XVII los inquisidores habían encausado alrededor de cien mil mujeres por brujería, y ejecutado a unas seis mil.

220. LAS MARCAS DE UNA BRUJA

Ante los casos de supuesta brujería, los inquisidores se servían de un complicado conjunto de directrices para determinar la culpabilidad o la inocencia de las acusadas. Algunas de las pautas reflejaban la profunda misoginia que imperaba entre los cazadores de brujas. Por ejemplo, se creía que las brujas podían ser reconocidas por varias señales físicas, de modo que durante los juicios se desnudaba a las sospechosas para explorarlas íntimamente y se buscaban las «señales del diablo» con las que Satán habría podido marcar el cuerpo de la presunta bruja al seducirla. Como quiera que se consideraba que las marcas producían insensibilidad al dolor, la exploración consistía en aguijonear el cuerpo de la sospechosa con la ayuda de unos punzones parecidos a dagas. Otro aspecto de la investigación consistía en reconocer a fondo los pechos de las brujas, utilizados para amamantar a los diablillos. Así, cualquier mancha que pudiera parecer un tercer pezón significaba una prueba irrefutable de culpabilidad. Otros síntomas que evidenciaban la culpabilidad de las acusadas eran su supuesta incapacidad para llorar, y que no se hundían si se las echaba al agua.

221. LOS JUICIOS CONTRA LAS BRUJAS EN NUEVA INGLATERRA

La enfermiza persecución que fue la caza de brujas se inició alrededor de 1640, se propagó a través de todo el territorio colonial de Nueva Inglaterra a lo largo del siglo XVII y culminó entre 1692 y 1693 con los juicios de Salem, Massachusetts. En medio de un clima de histeria colectiva social, los pueblos dirigieron todas sus fobias hacia los chivos expiatorios a los que se convino en llamar brujas. Estos chivos expiatorios fueron acusados de todas y cada una de las desgracias que podían ocurrir en una ciudad colonial: desde disputas y enfermedades hasta incendios y adulterios. De las cerca de doscientas cincuenta personas formalmente sentenciadas como brujas (sólo en Salem eran ciento quince), un desproporcionado número de ellas (el 80 por ciento) fueron mujeres. El perfil de la bruja era el de una mujer entre los cuarenta y los sesenta años; aunque, en algunos casos, jóvenes que no superaban los veinticinco también tuvieron que afrontar el proceso. Por lo general, eran mujeres de clase baja, madres de pocos o ningún hijo y ya habían sido encausadas anteriormente por otros delitos. Lo más significativo del caso es que la mayoría de las mujeres acusadas no reunían las supuestas cualidades de una dama; eran enérgicas, independientes y tenaces. Además, una proporción de ellas igualmente significativa ejercía de comadronas o de curanderas. Por otra parte, mientras que

alrededor de treinta mujeres fueron ejecutadas cuando cundió el pánico, sólo se hizo lo propio con cuatro o cinco hombres, la mayoría esposos de presuntas brujas.

LA VIDA SAGRADA

222. TAOÍSMO

Las mujeres que practican el taoísmo pueden desempeñar tres papeles distintos. En primer lugar, están las creyentes laicas, quienes se esfuerzan por vivir conforme a los principios taoístas de la devoción, el altruismo y la armonía familiar. En segundo lugar, las monjas y las oficialas eclesiásticas dirigen los rituales religiosos y estudian e imparten su fe. Por último, las santas y las diosas guían y ayudan a los mortales y actúan como modelos de comportamiento.

223. LAS MADRES DEL DESIERTO

Entre las primeras de la extensa y pintoresca serie de ermitañas cristianas se contaban las Madres del Desierto, quienes durante un tiempo moraron en los desiertos de las regiones del Mediterráneo. En el siglo IV, una abadesa llamada Sara vivió en el desierto durante cuarenta años, mientras que en el siglo V, según estima el historiador Paladio, alrededor de tres mil ermitañas se hallaban repartidas por el desierto de Egipto. Entre estas ermitañas se incluye una penitente de nombre María Egipcíaca, quien se retiró al desierto tras abandonar el oficio más antiguo del mundo, para cumplir allí su penitencia.

224. LAS PRIMERAS IGLESIAS

El Nuevo Testamento y otros relatos contemporáneos subrayan el decisivo papel de la mujer en la consolidación del cristianismo. En vida de Jesús, muchas más mujeres que hombres aceptaron sus enseñanzas; algunos de sus seguidores más fieles e influyentes fueron mujeres, como María Magdalena. Jesús no dudaba en relacionarse directamente con mujeres, y sus sermones apenas esgrimían pequeñas distinciones entre los deberes y las recompensas de los hombres y las mujeres devotos. De hecho, las mujeres ocupan un lugar prominente en muchos de los episodios que configuran los Evangelios. A la muerte de Jesús, las mujeres desempeñaron un papel similar al de los hombres en la Iglesia, organizando a los fieles y difundiendo el cristianismo. No fue hasta que la Iglesia empezó a asumir una estructura más formal e institucionalizada cuando la mujer quedó relegada a la sombra.

225. VÍRGENES VESTALES

Desde tiempos inmemoriales en muchas culturas, la pureza sexual de la mujer se asociaba directamente con el bienestar de las sociedades: una sociedad de mujeres libertinas podía arruinar a una nación. Así pues, las vírgenes sirvieron al propósito esencial de preservar la sociedad. Así sucedía en Roma, donde una orden de seis vírgenes alimentaba la llama simbólica que ardía en el templo de Vesta, la diosa del hogar. Procedentes de familias acomodadas, las vírgenes vestales asumían sus deberes a la temprana edad de diez años y se consagraban a ellos en los siguientes treinta, tiempo durante el cual podían ser enterradas vivas si violaban el juramento de castidad. Gozaban de múltiples privilegios sociales en compensación por su servicio al Estado, y estaban liberadas de muchas de las imposiciones económicas y sociales que pesaban sobre las mujeres romanas. El culto a las vestales perduró durante cerca de mil años, desapareciendo finalmente en el año 394.

226. SIDDHA

Las doctoras conocidas como *siddha* fueron reconocidas, desde sus comienzos, por sus logros en el budismo tántrico, una forma de budismo basada en la meditación y otros rituales. A finales del siglo VIII, la *siddha* Yeshai Tsongyal, conocida como la Gran Reina de la Felicidad, logró compilar en un libro la sabiduría tántrica.

227. VOTOS QUEBRADOS

En la Alta Edad Media, el número de monjas de clausura aumentó rápidamente en Europa, como consecuencia de la práctica del patriciado, que ingresaba a las hijas «sobrantes» en conventos católicos. En la mayoría de las familias, cuando el número de hijas era superior a dos, resultaba difícil reunir una dote suficiente para procurarles maridos de buena familia. En tales casos, las hijas eran enviadas a conventos, para que pasaran allí el resto de sus días. Como quiera que las futuras monjas llegaban a los conventos con un emolumento, un generoso donativo necesario para financiar sus vidas, la popularidad de las ofrendas propició que algunos de los conventos se enriquecieran extremadamente. Cuando en el siglo XIII empezó a descender el número de monjas de clausura, las arcas desbordadas de los conventos proporcionaron a sus monjas un lujoso nivel de vida. Algunas monjas abandonaron incluso sus más vagas aspiraciones religiosas; aquellas que habían sido obligadas a tomar los votos se entregaron a la vida que se les ofrecía más allá de los muros del convento y abrieron las puertas de visitantes laicos (incluyendo a hombres), a modo de divertimento. Los anonadados miembros de la comunidad tacharon los conventos de burdeles y llegaron incluso a registrarse numerosos casos de fornicaciones y de nacimiento de hijos ilegítimos que involucraban a monjas y que acabaron en los tribunales. La institución que concentró mayores escándalos fue el convento benedictino de San Ángelo de Contorta, en Venecia, que hubo de ser clausurado por el papa en 1474 en vista del nivel de degradación que encerraban sus muros.

228. EL FIN DE LAS BEGUINAS

Muchas mujeres devotas de los albores del Renacimiento consideraban que las instituciones eclesiásticas tradicionales, como los conventos, eran incompatibles con sus aspiraciones religiosas. Aquellas que deseaban consagrar su vida a Dios debían retirarse del mundo. Al margen de las directrices de la Iglesia y de la implicación masculina, en la Alemania del siglo XIII comenzaron a formarse las comunidades de mujeres célibes conocidas como beguinas. Las beguinas asumieron la castidad y la pobreza como forma de vida para emular a Dios. Vestían ropas humildes y vivían en comunidades, sobreviviendo gracias a su propio trabajo. Entre el año 1280 y el 1320, las beguinas se multiplicaron, a pesar de que la Iglesia católica tradicional las tenía por una suerte de movimiento herético. En Colonia (Alemania) y sus alrededores 169 comunidades beguinas dieron cobijo a unas mil quinientas de las veinte mil habitantes de la ciudad. El número de beguinas cayó en picado a partir de 1318, cuando la Iglesia las condenó oficialmente. Sin embargo, algunas de las autoproclamadas mujeres benditas continuaron prácticas similares de manera individual, incluso después de que las beguinas se hubieran extinguido.

229. PARADOJAS ORTODOXAS DEL ESTE

Liderada por el patriarca de Constantinopla, la Iglesia ortodoxa oriental o Iglesia ortodoxa griega está dividida en una serie de patriarcados geográficos. El canon de esta Iglesia patriarcal es al menos tan conservador como el de las enseñanzas de la Iglesia católica en lo que concierne al papel de la mujer, con una singular excepción. Antes del advenimiento del moderno movimiento feminista, el patriarca de Moscú y de Rusia, cabeza de la Iglesia ortodoxa rusa, permitió a la mujer el ejercicio del sacerdocio.

LA UNIÓN HACE LA FUERZA

230. LA PRIMERA ABOLICIÓN

En 1832 las mujeres afroamericanas de Salem, Massachusetts, Estados Unidos, formaron la primera asociación contra la esclavitud femenina.

231. LA WCTU

En la década de 1870 el movimiento conservador norteamericano se vio fortalecido por un resurgimiento religioso que barrió el país y que dio lugar al nacimiento de la Unión Cristiana de Mujeres Conservadoras (WCTU) en 1873, excluyendo la militancia masculina, con el fin de mejorar las condiciones de vida de la mujer. La organización difundió sus objetivos y se involucró de pleno en la lucha contra el alcohol en países tan diversos como Australia, Japón o Gran Bretaña. Su despliegue se prolongó hasta la aprobación de la decimoctava enmienda de la Constitución norteamericana en 1919, año en que se inició la llamada época de la prohibición.

232. LA YWCA

La Asociación de Jóvenes Cristianas (YWCA) fue fundada en Gran Bretaña en 1877 con el propósito original de salvar las almas de las jóvenes. Sin embargo, la asociación creció vertiginosamente en muy poco tiempo e introdujo nuevos programas para ayudar a las mujeres de forma más concreta. Entre los servicios que la YWCA ofrecía a las mujeres se incluían habitación y sustento en cualquiera de sus sucursales de todo el mundo; la afiliación a asociaciones en fábricas, almacenes; la asistencia a clases que iban desde la alfabetización a la pedagogía, o la mejora de sus condiciones físicas en las instalaciones deportivas que la YWCA ponía a su alcance. Todavía hoy, la YWCA continúa siendo una organización fundamental.

233. HADASSAH

Henrietta Szold, nacida en Baltimore (Estados Unidos), fundó en 1912 la Hadassah, nombre con el que se conoce a la Asociación de Mujeres Sionistas Norteamericanas. Bajo la dirección de Szold, la asociación impulsó la educación de los judíos norteamericanos, además de promover la construcción de escuelas, hospitales y demás ayuda humanitaria para los judíos de Palestina. En 1920, mientras se inauguraban 1.500 sucursales de la asociación en Estados

Unidos, Szold se trasladó a Palestina con el fin de supervisar las actividades que allí desarrollaba la Hadassah. En Israel, la Hadassah controla la Organización Médica Hadassah, el Colegio Hadassah de Tecnología y el Instituto Hadassah de Asesoramiento, mientras que en Estados Unidos, las actividades de la asociación se centran en la asistencia médica a mujeres, la educación y el desarrollo del movimiento sionista juvenil.

MUJERES COMPROMETIDAS

234. CLARA BARTON (1821-1912)

La fundadora de la Cruz Roja descubrió su vocación durante la guerra civil, cuando trabajó como voluntaria al cuidado de soldados heridos. Concluida la guerra puso en marcha una operación de búsqueda de soldados a los que se había dado por desaparecidos; al poco tiempo desvió su atención hacia Europa, donde, entre 1869 y 1873, invirtió su esfuerzo en abrir hospitales durante la guerra francoprusiana. En 1881 fue elegida presidenta de la recién formada Sociedad Norteamericana de la Cruz Roja, cargo en el que se mantuvo hasta 1904. En 1884 acudió a la Convención de Paz Internacional de Ginebra en calidad de delegada y garantizó el reconocimiento universal de la Cruz Roja como un organismo neutral, consagrado a abastecer y socorrer a los países damnificados por algún desastre, ya fuera en tiempos de paz o de guerra. Entre las intervenciones más relevantes realizadas por la Cruz Roja bajo su mandato, deben incluirse las de la guerra hispanoamericana; la intervención en la inundación de Johnstown, Pennsylvania, en 1889; y la desplegada durante la guerra de los bóers en Suráfrica.

235. SUSETTE LA FLESCHE TIBBLES

Activista indígena norteamericana, Susette La Flesche Tibbles (cuyo nombre indio era Inshta Theumba u «Ojos Brillantes») trabajó en nombre de su pueblo en las postrimerías del siglo XIX, cuando el gobierno de Estados Unidos completaba la expulsión de los indios de las tierras que ambicionaban los colonos blancos. Flesche logró persuadir a los funcionarios de que aprobasen reformas que garantizasen la asignación de terrenos y de derechos civiles a los indios.

236. BERTA VON SUTTNER

Ganadora del premio Nobel de la Paz en 1905, esta novelista y activista austríaca fue una de las líderes indiscutibles del movimiento global por la paz que se desarrolló en su época. En 1891 fundó la Sociedad Austríaca de Amigos de la Paz, para la que editó el diario pacifista *Die Waffen Nieder!* Se dice de ella que persuadió a Alfred Nobel para que instaurara los premios que llevarían su nombre.

237. JANE ADDAMS (1860-1935)

Esta asistenta social inauguró las primeras casas de beneficencia en Estados Unidos, lo que le valió el premio Nobel de la Paz en 1931. Nacida y educada en Illinois, en 1889 fundó el primer establecimiento de ayuda social, Hull House, en Chicago, junto con Ellen Gates Starr. La casa ofrecía todo tipo de asistencia a los habitantes de los barrios más deprimidos de Chicago, tanto programas de educación como atención sanitaria. Addams vivió y trabajó allí toda su vida, si bien sus actividades tuvieron una repercusión internacional. Fue una de las impulsoras de la fundación del Partido para el Progreso Nacional en 1912, del Partido de Mujeres por la Paz en 1915 y de la Unión Norteamericana para las Libertades Civiles (ACLU) en 1920. Como presidenta de la Liga Internacional de Mujeres por la Paz y la Libertad, participó en distintas convenciones de mujeres que la llevaron por toda Europa y Estados Unidos. Además escribió

varios libros de enorme aceptación, entre los que destacan: *Demo-cracia y ética social* (1902), *Nuevos ideales para la paz* (1907), *Veinte años en Hull House* (1910) y *Paz y pan en tiempos de guerra* (1922).

238. UNA SOLDADO CRISTIANA

Evangeline Cory Booth (1865-1950), hija del fundador del Ejérci-to de Salvación, William Booth, lideró la organización caritativa durante uno de sus períodos de mayor actividad. Nacida en Lon-dres, trabajó en el Ejército de Salvación en Inglaterra y Canadá, an-tes de trasladarse a Estados Unidos para continuar prestando allí sus servicios. Mientras ocupó el cargo de comandante, entre 1904 y 1934, supervisó el envío de ayuda material y psicológica a los sol-dados aliados que combatían en la primera guerra mundial, lo que le reportó la condecoración del gobierno de Estados Unidos. Des-de 1934 hasta su retiro en 1939, Booth sirvió como general inter-nacional en el Ejército de Salvación Mundial.

239. EMILY GREENE BALCH (1867-1961)

Inició sus estudios de economía conmovida por la miseria en que vivían los pobres de su país. Pronto se consagró a la defensa de la paz en el mundo, mientras impartía clases en el Wellesley College. Asistió a la Conferencia Internacional de la Mujer celebrada en La Haya durante la primera guerra mundial; posteriormente, viajó por Europa acompañada por algunas de sus delegadas más cercanas, y apeló a los líderes políticos europeos para que pusieran fin a la gue-rra. Cuando Estados Unidos entró en la guerra, sus ideales pacifis-tas fueron vistos con recelo y fue expulsada del Wellesley. Pese a ello, no se rindió y colaboró en la fundación de la Liga Interna-cional de Mujeres por la Paz y la Libertad. No obstante, la escala-da del fascismo y el estallido de la segunda guerra mundial motiva-ron que prefiriera (al menos temporalmente) la libertad a la paz, y la llevaron a participar en la encarnizada guerra como abogada de los japoneses-americanos discriminados y de los refugiados judíos que llegaban a Estados Unidos procedentes de Europa. Su valioso trabajo durante la segunda guerra mundial le valió el premio Nobel de la Paz en 1956.

240. ELEANOR ROOSEVELT (1841-1962)

Sobrina de un presidente y mujer de otro, Eleanor Roosevelt consagró su vida a la lucha por las causas humanitarias y los ideales liberales. Habiendo enviudado y siendo ya una mujer respetada y reconocida en todo el mundo, colaboró como delegada en el nacimiento de las Naciones Unidas. Presidenta de la Comisión de Derechos Humanos de la ONU, luchó durante dos años para convencer a las naciones miembros de que colaboraran en la elaboración de una política por los derechos humanos más comprometida. Roosevelt salvó la oposición de los países que pretendían mantener ciertas prerrogativas para sí mismos y, finalmente, el 10 de diciembre de 1948 se adoptó la Declaración Universal de los Derechos Humanos. La declaración, expresión fundamental de los objetivos de Naciones Unidas, ha ayudado a definir y precisar los principios y prioridades de la organización.

241. LA BUENA DOCTORA

En 1978 la doctora australiana Helen Caldicott (1938) fundó la asociación de Médicos por las Responsabilidades Sociales, que, con sede en Estados Unidos, trabaja para detener tanto la proliferación nuclear como los ensayos de armas nucleares en espacios abiertos.

TERCERA PARTE

EDUCACIÓN
Y MUNDO ACADÉMICO

ONCE OPINIONES SOBRE
EL INTELECTO DE LA MUJER

242

«Si nos encontramos con que la naturaleza del hombre difiere de la de la mujer con relación a ciertas artes y a ciertos oficios, inferiremos que tales oficios y artes no deben ser comunes a los dos sexos. Pero si entre ellos no hay otra diferencia que la de que el varón engendra y la mujer pare, no por esto consideraremos como cosa demostrada que la mujer difiere del hombre en el tipo de educación que debe recibir» (Platón, *La república*).

243

«El sexo bello tiene tanta inteligencia como el masculino, pero la suya es una *inteligencia bella*; la nuestra, en cambio, ha de ser una *inteligencia profunda* ... Por mucho que la mujer pueda llegar a abordarlas con solvencia, la indagación concienzuda o la reflexión ardua disuelven las singulares virtudes de su sexo; y si bien la rareza de que pudieran albergar tales aptitudes las convertiría en objetos dignos de fría admiración, son cualidades que debilitan lo turbador de los encantos que emplean para desplegar su poderosa influencia en el sexo opuesto ... Su filosofía no es la de razonar, sino la de sentir ... No necesitarán conocer nada más del cosmos que lo necesario para convertir el crepúsculo nocturno de un bello atardecer en el reflejo de sí mismas» (Immanuel Kant, *Lo bello y lo sublime*, 1764).

244

«Permítanme que pregunte: ¿qué resulta tan deficiente en la mente femenina?, ¿y por qué el juicio de un varón de dos años es más sensato del que pueda tener una niña de la misma edad? Y sin embargo ¡cuánta es ya la manipulación desde tan tierna infancia! Has-

ta qué punto se exalta a uno y se desprecia a la otra ... Al uno se le instruye en educar sus ilusiones y la otra en seguida es relegada al confinamiento y a las limitaciones» (Judith Sargent Stevens, *Massachusetts Magazine*, 1790).

245

«Del mismo modo podrían llevar a cabo negocios de distintas clases, si fueran educadas de una forma más ordenada, que debería salvarlas de la prostitución, común y legal. Entonces las mujeres ya no se casarían para conseguir ayuda financiera ... y su intento de conseguir su propio sustento de una forma más loable no las hundiría al nivel de las pobres criaturas abandonadas que viven de la prostitución. ¿Acaso las sombrereras y las mujeres que hacen mantos no son consideradas de clase parecida? Los pocos empleos a los que pueden acceder las mujeres, lejos de ser liberales, son más bien serviles; y cuando una educación superior les permite hacerse cargo de la educación de niños como institutrices, no son tratadas como los tutores de los hijos» (Mary Wollstonecraft, *Vindicación de los derechos de la mujer,* 1792).

246

«No me cabe duda alguna de que las mujeres puedan ser educadas, sin embargo sus mentes no están preparadas para las ciencias elevadas, la filosofía o determinadas ramas del arte. Se trata de aspectos del conocimiento que requieren una capacidad universal. Las mujeres pueden tener inspiraciones acertadas, gusto y elegancia; pero carecen de esa capacidad ideal ... La educación de la mujer se dirige hacia quién sabe dónde, envuelta en esa hueca pretensión de alcanzar alguna cumbre de pensamiento, que al final resulta más cercana a la bajeza de lo cotidiano que a la consecución del conocimiento. El hombre alcanza su posición tan sólo gracias al pensamiento y a una dedicación mucho más especializada» (Georg Hegel, *Principios de la filosofía del derecho*, 1821).

247

«Basta con echar un vistazo al aspecto de una mujer para entender que no está destinada ni al desarrollo de las posibilidades del intelecto ni al de los trabajos puramente físicos. De hecho, la mujer salda su deuda con la vida no por lo que hace, sino por lo que sufre; padeciendo los dolores del parto, cuidando de los hijos, y sometiéndose al hombre … En el caso de las mujeres todo responde a una simple razón de género (de dimensiones realmente escuálidas). Ése es el motivo por el que las mujeres permanecen toda su vida estancadas en un estado de puerilidad, incapaces de ver nunca más allá de sus narices, entregadas a un presente efímero, confundiendo la apariencia con la realidad y prefiriendo las trivialidades a los asuntos de primera importancia. En suma, puede ser descrita como un ser de inteligencia reducida, pues mientras goza de una intuición que le permite comprender lo inmediato, su campo de visión es obtuso, de modo que se le escapa lo lejano. De ahí que todo cuanto no es inmediato, o sea, lo ausente, lo pasado y lo que queda por venir, obre más débilmente sobre la mujer que sobre el hombre» (Arthur Schopenhauer, «De las mujeres», 1851).

248

«Las mujeres pueden permitirse enseñar por la mitad, o incluso menos, del salario que pediría un hombre, porque la profesora sólo tiene que mantenerse a ella misma; no espera ansiosamente el deber de mantener a una familia, porque entonces se casaría, ni tiene la ambición de amasar una fortuna» (Catherine Beecher, discurso ante el Congreso de Estados Unidos, 1860).

249

«La principal diferencia entre las capacidades intelectuales de los dos sexos estriba en que los hombres consiguen mayor eminencia que las mujeres en cualquier asunto que emprendan —tanto si requieren profundidad intelectual, razonamiento o imaginación como si requieren simplemente el uso de los sentidos y de las manos. Si se elaboraran dos listas con los hombres y mujeres más eminentes en poesía, pintura, escultura, música (incluyendo tanto compositores como intérpretes), historia, ciencia y filosofía, con media docena de nombres bajo cada epígrafe, las dos listas no tendrían comparación. También podríamos inferir, según la ley de desviación de la media, que si los hombres son capaces de una clara preeminencia sobre las mujeres en tantas materias, la media de la capacidad intelectual en el hombre debe superar la de las mujeres» (Charles Darwin, *El origen del hombre,* 1871).

250

«Exceptuando los resultados conseguidos en las áreas de aritmética, matemática, mecánica y lógica, los resultados obtenidos por las mujeres en los test de inteligencia son significativa y repetidamente superiores a los alcanzados por los hombres. Por ello, si nos basamos en la evidencia hacia la que apuntan los avances científicos, muy pronto no quedará reducto alguno desde donde justificar el caduco mito de que la inteligencia femenina es inferior a la masculina» (Ashley Montagu, *La superioridad natural de la mujer,* 1952).

251

«Se viene diciendo desde tiempos inmemoriales que la educación ha mantenido a la mujer norteamericana alejada de sus deberes como ama de casa. Pero si la educación, aquella vía por la que fluye el crecimiento de la humanidad y que destila todos los logros creados y descubiertos por la mente humana, proporcionando al individuo la oportunidad de construirse su futuro; si esa misma educación ha hecho sentirse frustradas, asfixiadas y culpables como amas de casa a las mujeres norteamericanas, no cabe duda de que la lectura que debe extraerse de todo ello es que "las mujeres ya han superado su condición de amas de casa"» (Betty Friedman, *La mística femenina,* 1963).

252

«Pero, existe una diferencia desde el nacimiento: la mente masculina piensa según determinadas actitudes, la femenina piensa según otras algo diferentes ... Pero la clave en términos de la mente —puesto que no tiene nada que ver con lo físico— es el ajedrez. Nunca ha habido una gran jugadora de ajedrez. Y si…, bueno, si alguna vez llega a haber alguna, entonces aceptaré parte del feminismo, pero hasta entonces…» (Pat Robertson, 1994).

DIECIOCHO MENTES CÉLEBRES

253. ASPASIA DE MILETO (c. 470-410 a.C.)

Quizá la primera «salonista» de la historia, Aspasia se movió entre la elite cultural de la antigua Grecia, influyendo en célebres pensadores como Sócrates y Platón. Nacida en Asia Menor, fue más conocida por ser la esposa del estadista ateniense Pericles. Cuando Pericles se divorció de su primera mujer, Aspasia se convirtió en su esposa y transformó su hogar en un centro de la vida intelectual griega. Platón accedió al círculo de niño, tras la muerte de su padre y el matrimonio de su madre con Pirilampes, un colega de Pericles. Según parece, la lucidez y la exquisita educación de Aspasia ejercieron una gran influencia sobre su esposo, quien asumió el gobierno de Atenas en el año 461 a.C. Pericles engrandeció Atenas a través de las reformas en política interior y a su vehemente política exterior; semejante prosperidad permitió el florecimiento del arte y la literatura. Durante el llamado «siglo de Pericles», la figura de Aspasia resultó tan ambigua, siempre entre bastidores, que muchos historiadores la acusan de promover la guerra del Peloponeso en el año 431 a.C.

254. PAN CHAO (c. 45-c. 115 d.C.)

Hija de un oficial de la dinastía Han, Pan Chao fue la dama de honor y la maestra de la emperatriz china Teng. Escribió varios poemas, hasta convertirse en una de las más laureadas y admiradas poetisas chinas. Entre sus numerosos ensayos destacó *Lecciones para la mujer* (106), en el que describe las cualidades que debe reunir la mujer ideal, y entre las que distingue la modestia y la abnegación. Pan Chao también fue historiadora de la corte del emperador Ho y colaboró con su padre y uno de sus hermanos en la elaboración de la *Han Shu, Historia de la antigua dinastía Han,* estableciendo un modelo de biografía dinástica para los siglos sucesivos.

255. ANNA COMNENO (1083-c. 1148)

Princesa bizantina célebre por ser la autora del libro *Alexiad,* historia de la dinastía de su padre, la Comneno, durante el Imperio Romano de Oriente. El libro, que debe su nombre al padre de Anna, el emperador Alejo I, significó una contribución capital a la historia medieval griega. Anna lo escribió en el año 1118, estando confinada en un convento, tras haber conspirado contra su hermano, el emperador Juan II.

256. MARGARITA DE ANGULEMA (1492-1549)

Esta reina, esposa de Enrique II de Navarra, destacó por su inestimable apoyo al progreso intelectual y cultural de Francia. Los escritores y humanistas convirtieron su corte en el foco de actividad intelectual más importante de Europa. Personajes como Juan Calvino, Desiderius Erasmus y François Rabelais fueron algunos de los que sucumbieron a su inagotable fantasía. En *El Heptamerón,* su colección de relatos, sacó a relucir algunas cuestiones polémicas acerca del lugar de la mujer en un mundo gobernado por hombres. Su colaboración fue decisiva para la fundación de dos importantes centros: en 1527 abrió un hospital infantil en París y en 1539 el Collège de France.

SABALA

859. MONTSERRAT CABALLÉ (n. 1933)

Una de las mayores figuras que haya dado la lírica, la soprano española Montserrat Caballé ha recorrido los escenarios internacionales más prestigiosos, cosechando innumerables éxitos. Estudió en el Conservatorio del Liceo de Barcelona y perfeccionó su educación en Italia. Desde que en 1962 debutara en el Gran Teatro del Liceo de Barcelona interpretando *Arabella,* de Richard Strauss, su repertorio abarca toda suerte de óperas: ha interpretado casi dos centenares de obras, aunque las mayores muestras de su virtuosismo las ha ofrecido interpretando *Norma,* de Bellini, *La Traviata,* de Verdi y *Salomé,* de Strauss.

257. ALGO MÁS QUE LA MADRE DE FRANCIS

La madre de Francis Bacon fue una intelectual de envergadura que se ganó el respeto por propio derecho de quienes la rodearon. Anne Cooke Bacon (1582-1610), afecta a la reina Isabel I, dejó un importante legado de traducciones del latín al inglés.

258. MOGUL MAVEN

Jahangir, cuarto emperador del Imperio mogol de la India, gobernó bajo la influencia de su esposa, Mihr–un–Nisa' (1571-1645). Conocida como Nur Jahan («Luz del Mundo») y como Nur Mahal («Luz de Palacio»), no sólo llevaba las riendas del poder, sino que fue conocida por ser una brillante conversadora. Llenó su corte de eruditos, artistas y escritores, estimulando con ello el desarrollo intelectual y cultural del Imperio.

259. SOR JUANA INÉS DE LA CRUZ (1646-1695)

En un tiempo y en un lugar en que la vida de las mujeres raramente traspasaba los límites de la familia y la Iglesia, emergió la figura de una monja que se convirtió en una influyente erudita y en la mejor poeta que dio la América Latina colonial. Básicamente, su formación era autodidacta; de hecho, Juana Inés de Asbaje, que así se llamaba, aprendió a leer en la biblioteca de su abuelo cuando contaba tres años. Suspiraba por estudiar, de modo que planeó disfrazarse de chico para consumar su sueño. A los nueve años, siendo ya una prolífica poeta, alcanzó su deseo y se fue a vivir (vestida de chica) con los suyos. Se dice que le bastaron veinte lecciones para aprender a leer y escribir en latín. Se convirtió en la dama de honor de la esposa del virrey de Nueva España, deslumbrando a propios y extraños al poco tiempo de estar en la corte. A los diecisiete años participó en una exhibición pública de su genio, contestando correctamente a las preguntas de cuarenta profesores universitarios sobre temas como las matemáticas y la historia. Dos años después se ordenó monja en el convento de San Jerónimo, donde, bajo el nombre de sor Juana Inés de la Cruz, pudo dedicarse a cultivar su erudición. Pasó veinte años estudiando teología, literatura, historia, música y ciencia, y reunió una biblioteca de más de cuatro mil volúmenes al tiempo que mantenía relaciones epistolares con otros eminentes eruditos. La sobrecogedora belleza de su poesía alegórica, sus cánticos y sus juegos, motivaron que los literatos mexicanos la denominaran la Décima Musa. Uno de sus ensayos teológicos más profundos la sumió en la angustia y le proporcionó celebridad. Publicado con su verdadero nombre, fue airadamente censurado por las autoridades católicas, quienes creyeron que violaba los límites a los que podía llegar una mujer. Sor Juana rebatió la acusación en su escrito *Respuesta a sor Filotea*, un alegato, extremadamente bien articulado, a favor del derecho de toda mujer a la libertad intelectual. Su relato le valió la enemistad de la Iglesia, hasta el punto de que fue obligada a firmar con sangre una confesión de sus errores. A pesar de que siguió siendo monja, su carrera de erudita concluyó entonces.

260. HARRIET MARTINEAU (1802-1876)

Una de las mentes británicas más lúcidas del siglo XIX, Martineau no sólo fue una notabilísima escritora, sino que destacó por su compromiso social hasta convertirse en una de las primeras personalidades de su país en clamar abiertamente a favor de la libertad religiosa y en contra de la esclavitud. Pionera indiscutible en la indagación de algunos terrenos vírgenes como eran hasta entonces la economía política y la sociología, siempre investigó con el propósito de limar discriminaciones y equilibrar las desigualdades sociales. Su libro *Rebelión* (1826) convulsionó al conservadurismo victoriano todavía imperante en su país: en éste defendió el liberalismo y las doctrinas económicas de Malthus y Mill. Realizó una labor igualmente loable en la ·difusión de la filosofía de Comte. Su erudición y su sapiencia eran tales, que se convirtió en una de las consejeras más consultadas de su tiempo, pues tenía respuesta para todo: economía, industria, educación... Desahogó su sobriedad en novelas y hasta en libros de relatos infantiles. Murió dejando una *Autobiografía* póstuma, que sería publicada en

1877. Entre sus títulos imprescindibles destacan: *Historia de Inglaterra durante los treinta años de paz, 1816-1846* y *Aclaraciones sobre la economía política* (1850).

261. MARY WOLLSTONECRAFT (1759-1797)

Autora del primer libro feminista escrito en inglés, Mary Wollstonecraft hilvanó su pensamiento partiendo de las nociones de la Ilustración sobre la igualdad de derechos de todas las personas. Originariamente profesora e institutriz en Inglaterra e Irlanda, publicó su primera novela, *Mary, una ficción*, en 1788. Después empezó a trabajar como traductora en Londres, donde trabó amistad con Thomas Paine, William Blake y otras preclaras mentes de la Ilustración inglesa. Durante este período, y bajo la influencia de la revolucionaria «Declaración de los Derechos del Hombre» francesa, escribió su obra maestra: *Vindicación de los derechos de la mujer*. El libro arremetía contra las convenciones sociales que oprimían a la mujer, como la desigualdad de la educación, y defendía el matrimonio como una sociedad de intelectos equivalentes. Wollstonecraft vivió siempre de acuerdo con sus arraigados ideales feministas e, impulsada por éstos, se trasladó a París durante la Revolución francesa y allí escribió el panfleto *Defensa de los derechos del hombre*. En 1794 dio a luz a una hija, Fanny, sin someterse a la imposición del matrimonio. El padre de la niña, Gilbert Imlay, abandonó a Wollstonecraft y ésta intento suicidarse. Murió en Inglaterra en 1797, al dar a luz a una hija de su segundo esposo, el filósofo y político británico William Godwin. Bajo el nombre de Mary Shelley, aquella niña se convertiría en la autora de *Frankenstein*.

262. SARAH MARGARET FULLER (1810-1850)

Una de las mentes más lúcidas de su época, Fuller escribió *La mujer en el siglo XIX,* una agudísima reflexión sobre el lugar de la mujer en la sociedad. De niña fue instruida por su padre en el griego y el latín y a una edad igualmente temprana fue absorbida por el trascendentalismo, movimiento que alentaba el cultivo del intelecto femenino. Impartió clases en las escuelas Bronson Alcott de Boston y Providence entre 1836 y 1839, conforme a los principios de la doctrina trascendentalista. Deseosa de afrontar mayores desafíos intelectuales, en 1839 organizó una serie de seminarios semanales conocidos como «conversaciones» para mujeres. Fuller hizo caso omiso a la prohibición de pagar a las oradoras que hablaran en público y pronto atrajo a las mujeres más destacadas de Boston a sus charlas, que versaban sobre ciencia o arte y sobre ética o mitología. Entre 1840 y 1842 ocupó el cargo de editora del periódico *The Dial*, adscrito al movimiento trascendentalista, andadura que inició de la mano de Ralph Waldo Emmerson. Tras su paso por allí, se trasladó al *New York Tribune,* entonces dirigido por Horace Greeley, donde alcanzó renombre nacional como crítica literaria. Fue entonces cuando escribió *Las Mujeres en el siglo XIX*, obra de 1845 que pervive hoy como una referencia imprescindible del pensamiento feminista. En 1847 Fuller se convirtió en la primera mujer norteamericana en trabajar como corresponsal en el extranjero, lo que la llevó a viajar por Europa y a conocer a inteligencias de la talla de George Sand, William Wordsworth, Frédéric Chopin y Elizabeth Barrett Browning. La situación política en Italia, país en el que había fijado su residencia, la obligó a regresar a Estados Unidos en 1850. Murió durante el viaje, al naufragar el barco en que viajaba en Fire Island, cerca de Nueva York.

263. MARY RITTER BEARD (1876-1958)

Autora de *Sobre la comprensión de la mujer* (1931) y de *La mujer como motor en la historia* (1946), esta historiadora norteamericana estudió a la mujer y su lugar en la historia mucho antes de que lo femenino se convirtiera en disciplina del estudio histórico. Entre los temas que Beard analizó se contaban el de la apropiación (la disposición tradicional del hombre sobre todos los derechos legales y de propiedad de su esposa) y el matriarcado como fenómeno tan propio de la prehistoria como de las sociedades posteriores. Antes de escribir sobre la historia de la mujer, Ritter ya dejó su huella en la misma como sufragista y como activista sindical. Beard contribuyó al desarrollo de otras áreas de la investigación histórica, escribiendo junto a su marido (Charles Beard) una serie de ensayos que se tienen por clásicos: *La historia de Estados Unidos* (1921), *La aparición de la civilización norteamericana* (1927) y *El espíritu americano* (1942).

264. MARÍA MOLINER (1900-1981)

María Moliner fue la autora de la mayor contribución a la lexicografía española de este siglo con su *Diccionario de uso del español* (1966). Moliner se formó en la Institución Libre de Enseñanza, y antes de completar su obra magna, ejerció de bibliotecaria y fue miembro del cuerpo facultativo de Archivos, Bibliotecas y Museos. Su diccionario se ha convertido en una obra de consulta ineludible. Su concepción elástica de la lengua como cuerpo vivo que hay que moldear y la agudeza de sus definiciones, lo han convertido en el diccionario más prestigioso de la lengua española.

265. HANNAH ARENDT (1906-1975)

La filósofa que acuñó la expresión de «la banalidad del mal» elaboró su doctrina basándose en sus propias experiencias. Cuando los nazis se hicieron con el control de Alemania en 1933, Arendt huyó a París con poco más que su doctorado en filosofía por la Universidad de Heidelberg. Allí trabajó como asistenta social hasta que el avance de las fuerzas nazis en Francia la obligó a huir de nuevo en 1940, esta vez a Estados Unidos. En Nueva York trabajó en la industria editorial y se adhirió a diversas organizaciones judías. Sensibilizada políticamente con los horrores de la guerra, publicó *Los orígenes del totalitarismo* en 1951, el mismo año en que consiguió la ciudadanía norteamericana. El libro constituye una personal y notablemente original reflexión sobre el poder, el antisemitismo y el imperialismo, lo que le valió tantos parabienes como acusaciones. En 1958 Arendt publicó *La condición humana,* donde desarrolló su particular aunque convincente estilo filosófico. Al año siguiente se convirtió en la primera mujer en obtener una cátedra universitaria, en la Universidad de Princeton; más tarde impartiría clases en Columbia, en la Universidad de Chicago y en la Nueva Escuela de Investigación Social. Arendt no cesó de escribir hasta su muerte, dejando un imborrable legado, con trabajos como: *Eichmann en Jerusalén* (1963) y *Sobre la violencia* (1969).

266. MARÍA ZAMBRANO (1907-1991)

Filósofa española, discípula de Ortega y Gasset, se licenció en Filosofía y Letras. En 1939 se exilió, iniciando un periplo en paisajes y realidades tan distintas como la mexicana, la cubana, la puertorriqueña (en estos tres países se dedicó a la docencia universitaria), la francesa o la suiza. De hecho, la perspectiva adquirida en el exilio le sirvió para desarrollar un sistema de pensamiento que bascula entre la filosofía, la reflexión sobre la cultura nacional desde el exilio y una muy personal crítica estética cercana a los temas de la generación del 27. A nivel filosófico su figura de referencia en España fue Ortega y Gasset, en cuyo pensamiento ahondó provechosamente. Dejó un legado excepcional, en el que analizó los vínculos entre cristianismo y filosofía, y filosofía y poesía. Destacan obras como *Filosofía y poesía* (1939), *El hombre y lo divino* (1955), *El sueño creador* y *España, sueño y verdad* (1965), *Claros del bosque* (1978) o *Delirio y destino* (1989). En 1981 Zambrano fue galardonada con el premio Príncipe de Asturias de Comunicación Social y en 1989 con el premio Cervantes.

267. SIMONE DE BEAUVOIR (1908-1986)

Hija de una familia francesa de talante conservador, Beauvoir desafió las convenciones de la sociedad burguesa. Nunca llegó a contraer matrimonio con su amante y compañero, el filósofo Jean-Paul Sartre, con quien compartió una relación poligámica. Fue una destacada integrante del movimiento existencialista, que rechazaba las nociones tradicionales de la moralidad y el comportamiento humano. Quizá su mayor logro fue la formulación de una teoría sobre la exclusión de la mujer, teoría que se convirtió en una de las piedras angulares del feminismo. Su obra maestra, *El segundo sexo* (1949), resulta hoy igual de comprometida y polémica que en el año de su publicación. Beauvoir escribió también varias memorias y novelas en las que dejó constancia de su actitud progresista.

268. SUSAN SONTAG (n. 1933)

Una de las abanderadas del pensamiento norteamericano del siglo xx, Sontag ha trabajado deslizándose sobre el filo de las últimas tendencias intelectuales. Afinó sus dotes de perspicaz observadora en algunas de las más prestigiosas universidades del mundo y se hizo con un nombre en la esfera literaria con la publicación en 1964 de «Camp», un ensayo publicado por la revista *Partisan Review*. El artículo traspasó los círculos académicos e impactó al gran público, por el modo en que dio otra vuelta de tuerca al concepto de *camp*, «el amor por lo antinatural, lo artificial y lo exagerado». Sontag se convirtió en una eminencia de la sociedad de los sesenta, publicando la serie de ensayos: *Contra la interpretación* (1966) y *Formas de una voluntad radical* (1969), además de dos novelas: *El benefactor* (1963) y *Estuche de muerte* (1967). En los años setenta transformó su pluma en una suerte de cámara que le sirvió para retratar diversos temas en su ensayo *Sobre la fotografía* (1977) y publicó también la colección de relatos cortos *Yo, etcétera* (1978). Su batalla contra el cáncer la llevó a escribir un ensayo de gran fuerza en 1978, titulado *La enfermedad como metáfora*. Desde entonces, Sontag no ha cesado de dar conferencias y escribir, creando una obra singular en la colección de ensayos *Bajo el signo de Saturno* (1980), la novela *El amante del volcán* (1992) y otros trabajos. Sontag se comprometió activamente con el pueblo bosnio, montando y estrenando *Esperando a Godot*, de Beckett, en Sarajevo.

269. KATE MILLET (n. 1934)

Una de las máximas figuras del feminismo radical, sus teorías fueron publicadas por vez primera en su libro *Política sexual* (1970), causando auténtica sensación. Millet vinculaba la psicología freudiana, a la que tachó de misógina, con la literatura masculina de la misma índole para trazar una parábola en la que atribuía a la dominación masculina las calamidades habidas en la humanidad. Millet clamó por la abolición de la familia y de otras instituciones sociales que, a su juicio, oprimían a la mujer.

270. CAMILLE PAGLIA (n. 1947)

En libros como *Personas sexuales* (1990) *y Sexo, arte y cultura norteamericana* (1992), esta catedrática ha arremetido contra la tendencia de finales del siglo XX de lo políticamente correcto. Entre sus temas recurrentes se incluyen las técnicas de educación moderna, las cruzadas antipornográficas y el feminismo convencional. Pese a que Paglia se definió como feminista, ha sido repudiada por las feministas de la vieja escuela, mientras que las conservadoras han adoptado gran parte de sus teorías. Sus controvertidas opiniones y su cáustica personalidad han favorecido su popularidad e irritado a sus detractores.

SEIS PROPUESTAS ACERCA DE LA EDUCACIÓN DE LA MUJER

271. SÓLO PARA ADULTAS

En 1250 Felipe de Navarra publicó un ensayo sobre la elegancia y la moralidad en el que advertía de los peligros de la alfabetización de las mujeres. Las mujeres no deberían aprender a leer, porque podrían caer rendidas a las alabanzas de las cartas de amor.

272. MATERIA SAGRADA

La Reforma protestante del siglo XVI impulsó la alfabetización de las mujeres para posibilitarles la lectura de la Biblia. En otros aspectos, la concepción del papel de la mujer fue tan opresiva como la de la Iglesia católica coetánea.

273. INFERIORIDAD INTELECTUAL

En 1622 una mujer francesa de nombre Marie de Gournay publicó el ensayo *Sobre la igualdad entre hombres y mujeres*, en el que aseguraba que la mente de la mujer no era «por naturaleza» inferior a la del hombre, tal y como sostenían las teorías aparecidas hasta entonces.

274. UNA PROPUESTA FIRME A LAS MUJERES PARA EL PROGRESO DE SU VERDAD Y DE SUS NOBLES INTERESES

Este audaz ensayo, publicado en 1701 por la escritora inglesa Mary Astell, causó poco menos que una revolución. La propuesta, que abogaba por una educación total y sistemática para la mujer, tuvo una repercusión popular sobresaliente, pese a que no llegaría a ser adoptada. Anteriormente, Astell había publicado el libro *En defensa del sexo femenino* (1696) y había reivindicado la implantación en Inglaterra de un programa de enseñanza superior para las mujeres.

275. UNA INSTRUCCIÓN PELIGROSA

El novelista francés Choderlos de Laclos, autor de *Las amistades peligrosas* (1782), publicó en 1785 un folleto titulado *De la educación de las mujeres*, en el que explicaba que la mujer debía ser instruida en la elegancia y el refinamiento, antes que en materia académica, puesto que, en tal caso, se echaría a perder su temperamento.

276. DECLARACIÓN DE LOS DERECHOS DE LA MUJER

En 1967 la ONU aprobó por unanimidad una declaración en la que reclamaba el progreso y la protección de los derechos de la mujer. El artículo 9 establece, entre otras cosas, que: «Deben de tomarse todas las medidas necesarias para asegurar la igualdad de los derechos de las mujeres; niñas o adultas, casadas o no, en todos los grados de su formación, al mismo nivel que los hombres». Pese a sus buenos propósitos, el documento no era vinculante.

CINCO PRÁCTICAS PEDAGÓGICAS

277. ALTA EDAD MEDIA

Desde el siglo VI, cuando aparecieron las primeras abadías, hasta el siglo XII, cuando se fundaron las primeras universidades, las nobles europeas disfrutaron de una educación prácticamente similar a la de sus hermanos. Fueron instruidas, casi siempre por religiosas, en los principios de la lectura, en los buenos modales y en la administración feudal. Según se creía, el dominio de tales materias las preparaba para afrontar la vida aristocrática que les esperaba; mientras que las mujeres de clase baja no recibían ningún tipo de educación.

278. BAJA EDAD MEDIA

El privilegio de la educación terminó para la mayoría de las nobles europeas cuando surgieron las universidades, de las que fueron excluidas (excepto en España e Italia). Por aquel entonces, los manuales sobre educación advertían del peligro de educar a las hijas, excepto en los casos de las futuras monjas. La educación de los seres de intelecto supuestamente inferior al de los hombres se consideraba superflua, e incluso peligrosa. Por ello, la mayoría de las mujeres de la Baja Edad Media y principios de la Moderna no recibieron, propiamente, una educación. Si la recibían era generalmente en casa, a través de sus padres; o, en el caso de las más pudientes, a través de un tutor particular o en las casas de las grandes damas. Aun así, algunas mujeres de la nobleza buscaron refugio en los conventos, donde las monjas y sus estudiantes podían estudiar libremente, presuntamente al servicio de Dios, el latín y otras lenguas, la filosofía, las artes y las ciencias.

279. ESCUELAS PARA DAMAS

Durante el siglo XVIII las niñas europeas y norteamericanas que recibieron algún tipo de educación, lo hicieron a través de sus padres, de profesores particulares o de mujeres que impartían lecciones en sus propias casas. Por lo general, las denominadas escuelas de damas sólo impartían una formación de educación primaria.

280. LA INTEGRACIÓN, I

En 1793 se inauguró en Nueva York una escuela concebida para acoger exclusivamente a niños pobres. Su fundadora fue Katy Ferguson, una esclava que había comprado su libertad. La escuela, que fue bautizada con el nombre de su fundadora, reclutó para sus primeras clases a veintiocho estudiantes negros y a veinte blancos, todos ellos procedentes de las distintas casas de beneficencia repartidas por la ciudad.

281. LA INTEGRACIÓN, II

En 1848 la hija del abolicionista Frederick Douglass fue admitida en un seminario femenino celebrado en Rochester, Nueva York. Sin embargo, la directora del seminario prohibió a la muchacha afroamericana la asistencia a sus clases. Incluso después de celebrada una votación en la que todos los estudiantes, a excepción de uno, votaron a favor de la admisión de Douglass en la clase; la directora, una abolicionista declarada, se negó a aceptarla.

INSTITUCIONES NOTABLES

282. LAS MUJERES EN OXFORD

La Universidad de Oxford admitió por primera vez a mujeres en sus exámenes de selección en 1870, ocho años antes de que la institución inaugurara sus dos primeras escuelas de mujeres. También en 1878, la Universidad fundó la primera asociación para la educación de mujeres y, en 1901, absorbió la Escuela de Santa Hilda, fundada en 1885 por Dorothy Beale para la formación de profesoras. Pese a tales progresos, las primeras licenciaturas de mujeres en Oxford no se concedieron hasta 1920.

283. LAS MUJERES EN CAMBRIDGE

Dos educadoras inglesas, dedicadas a la lucha por incrementar los derechos de la mujer en la educación, crearon un hueco para las mujeres en la Universidad de Cambridge. Emiliy Davies (1830-1921), miembro del consejo escolar de Londres y autora de varios tratados, como *La educación superior de la mujer* (1866), fundó una escuela de mujeres cerca de Cambridge en 1873. La escuela, llamada Girton College, pasaría a formar parte de la universidad a finales de aquel mismo año. Anne Jemima Clough (1820-1892), quien, como cabeza visible del movimiento a favor de la educación de la mujer, había persuadido a otras dos universidades para que admitieran a mujeres, fundó en 1875 la Newnham Hall, una escuela para profesoras que, en 1880, tras ser absorbida por la Universidad de Cambridge, fue rebautizada con el nombre de Newnham College. Al año siguiente la universidad permitió que las mujeres realizaran el examen de tercer curso por vez primera, si bien el derecho a la licenciatura completa no se les conferiría hasta 1948. El Cavendish College, una escuela de estudios de posgrado de la universidad, no permitió el acceso de las mujeres a estudios de doctorado hasta 1965.

284. LAS MUJERES EN HARVARD

Las mujeres no tuvieron acceso a Harvard hasta 1893, fecha en que el Radcliffe College estableció un convenio formal con la universidad. El instituto Radcliffe se había levantado de las cenizas de la escuela Harvard Annex, fundada en 1879 e integrada en 1882 en la asociación de educación secundaria para mujeres. Los profesores de Harvard impartían todas las clases de la Harvard Annex, aunque la universidad se resistió a aceptar la afiliación de la escuela hasta que ésta se convirtió en el Radcliffe College. La Facultad de Medicina de Harvard no admitió estudiantes de Radcliffe hasta 1917 y la Facultad de Derecho no lo hizo hasta 1950. Pese a ello, el instituto Radcliffe siguió enarbolando contra viento y marea su consigna a favor de la educación superior para la mujer y, hacia 1976, poseía ya la mayor biblioteca de historia de la mujer existente en Estados Unidos.

UNA MEDIDA ESCOLAR

285. ANALFABETISMO FEMENINO

A lo largo de la historia, y en todas las culturas, la mujer ha sido objeto de discriminación en el terreno de la educación. Si bien en los países industrializados, muchas de estas barreras han sido derribadas, el progreso ha sido lento para las mujeres nacidas en los países en vías de desarrollo. Un informe publicado en 1990 por la ONU reflejaba que el porcentaje de analfabetismo entre las mujeres del mundo no occidental superaba entre un 15 y un 30 por ciento al de los hombres. En África y en Asia, tres cuartas partes de la población femenina mayor de veinticinco años no sabe leer, mientras que entre los quince y los veinticuatro, el analfabetismo desciende hasta un nivel del 40 por ciento. En Mali, el índice de analfabetismo entre mujeres mayores de veinticinco años se eleva al 97,9 por ciento, mientras que en Afganistán es del 97,6 por ciento.

MAESTRAS DE ALTURA

286. LADY MARGARET BEAUFORT (1433-1509)

Noble inglesa, madre y referente imprescindible para entender la política de su hijo el rey Enrique VII, primero de los Tudor, es más recordada como mecenas de la educación. Tras estudiar medicina y teología, escribió y difundió sus enseñanzas en las cortes de Eduardo IV y Ricardo III. Financió personalmente el trabajo de los dos primeros impresores ingleses, William Caxton y Wynkyn de Worde, además de revestir de prestigio las cátedras universitarias de Oxford y Cambridge. Su generosidad dio lugar a la fundación de dos nuevos colegios en Cambridge, el Christ's College (1505) y el St. John's College (1508). La cátedra de lady Margaret es la más antigua de Cambridge.

287. UNA PROFESORA RADICAL

A principios del siglo XVI, una monja inglesa llamada Mary Ward reparó en la necesidad de incorporar colegios de mujeres en la larga cadena de escuelas jesuitas. Actuó en consecuencia, y fundó el Instituto de María, pero antes de lograr resultado alguno, las altas instancias católicas clausuraron su escuela, abolieron su orden y la condenaron a prisión.

288. LAS URSULINAS

Conocidas oficialmente como la Orden de Santa Úrsula, las ursulinas fueron las primeras profesoras del catolicismo. En 1535 la monja italiana santa Angela Merici de Brescia (*c.* 1470-1540, canonizada en 1807), fundó la Compañía de Santa Úrsula, la más conocida de las congregaciones. Las monjas ursulinas tomaban los votos, pero vivían en comunidad consagradas a la educación de las niñas. A medida que el apoyo de la Iglesia a esta práctica poco convencional fue disminuyendo, las ursulinas comenzaron a fundar conventos, en Milán (1572) y en Aviñón (1596), para continuar sus enseñanzas, hasta que la Iglesia requirió una clausura absoluta en el año 1612. A pesar de ello, las monjas prosiguieron con su magisterio y la orden se expandió a América del Norte y a otros rincones del planeta. Las escuelas ursulinas de Quebec (Canadá), fundada en 1639, y de Nueva Orleans, fundada en 1727, se cuentan entre las primeras escuelas de mujeres del mundo.

289. MADRE MARÍA DE LA ENCARNACIÓN (1599-1672)

Nacida bajo el nombre Marie Guyart en Tours (Francia), la madre María fue una de las personalidades más importantes del principio de la historia de Canadá. En 1639 desembarcó en Quebec procedente de Francia y fundó la escuela ursulina de la ciudad, en la que instruyó a las jóvenes, y trabajó con los pueblos nativos del lugar. Estudiante de lenguas autóctonas, tradujo el catecismo católico al iroqués y escribió dos diccionarios, uno de francés-algonquino y otro de francés-iroqués. El resto de sus escritos, que incluyen lecturas religiosas, oraciones, autobiografías y miles de cartas, evocan con intensidad los primeros pasos de la historia de la colonia y todavía hoy se conservan como las principales fuentes de conocimiento para los historiadores de Canadá del siglo XVII.

290. EMMA WILLARD (1787-1870)

Esta maestra norteamericana fue la primera en ofrecer a sus alumnas la oportunidad de estudiar algunas asignaturas hasta entonces consideradas fuera del alcance de la inteligencia femenina. Profesora en Connecticut desde 1803, fundó la Academia Femenina de Middlebury en 1807 con el objetivo de conseguir más dinero. Su prestigio como profesora de matemáticas, historia y otras asignaturas «de chicos» le permitió abrir una segunda escuela de chicas, también en Middlebury, en 1814. Pese a su esfuerzo, Willard era consciente de que las mujeres no conseguirían la ansiada igualdad en la educación a menos que pudieran acceder a la misma financiación pública asignada para las escuelas de chicos. Tras fracasar en su intento por convencer a las autoridades de Connecticut de que adoptaran su propuesta, Willard se trasladó a Nueva York, que parecía ser una ciudad potencialmente fructífera. En 1818 le hizo llegar al gobernador DeWitt Clinton un «Discurso para el público: En particular a los legisladores de Nueva York, proponiéndoles un plan de mejora de la educación femenina». Al año siguiente, antes incluso de recibir la ayuda pública, abrió una escuela de chicas radicalmente innovadora en Waterford. Allí impartió cursos escolares esperando la financiación pública. En 1821 se le concedieron cuatro mil dólares para una escuela de la ciudad de Troy. Tras reubicar su colegio de Waterford, Willard auspició el Seminario Femenino de Troy, donde las chicas podían estudiar matemáticas, historia y ciencias a nivel avanzado. La institución, que dirigió personalmente hasta 1838, se llama hoy Colegio Emma Willard. La influencia de Willard perduró más allá de su muerte y ha sido fundamental para la educación; así, Mary Lyon fundó el célebre Mount Holyoke College, siguiendo su ejemplo.

291. CATHERINE BEECHER (1800-1878)

Hermana de la novelista Harriet Beecher Stowe, fue una de las mujeres que más se comprometió con la educación femenina en el siglo pasado. Y no lo hizo tanto desde las perspectivas feministas clásicas, como enfatizando la importancia de las mujeres como conciencia de la sociedad. Creía que si las mujeres recibían una formación adecuada, participarían en la educación pública y privada, fortaleciendo la moral y la unidad nacional. Fundadora del seminario femenino de Hartford, en Connecticut, Beecher viajó y leyó en abundancia, y alentó a las mujeres jóvenes a que se convirtieran en profesoras. El rápido asentamiento de nuevas poblaciones en el Oeste jugó a su favor, puesto que provocó un repentino aumento en la demanda de profesores. En 1840 Beecher promovió una campaña a favor del profesorado femenino, defendiendo no sólo las aptitudes morales de las mujeres para la enseñanza, sino también que éstas podían trabajar cobrando la mitad del salario exigido por un profesor. Fundó varias escuelas para la preparación y formación de profesoras que capacitaron a centenares de mujeres: muchas de ellas encontraron trabajo en el Oeste. Puede que Beecher no lograra avanzar en varios aspectos políticos del feminismo, pero gracias a ella se institucionalizó una nueva profesión para la mujer.

292. ELLEN KEY (1849-1926)

Con su libro *El siglo del niño* (1900) esta feminista sueca desencadenó una famosa controversia e incidió profundamente en la concepción de la pedagogía de muchísimos países. Key abogó a favor de una educación al servicio del porvenir y de los problemas individuales del niño, y en contra de las demandas sociales y religiosas. El pensamiento liberal de Key también abarcó los derechos de la mujer, el pacifismo y la relación entre los sexos.

293. MARIA MONTESSORI (1870-1952)

Esta educadora italiana, primera mujer en recibir un doctorado en Medicina en Italia, se interesó por la educación a raíz de su experiencia como doctora. Después de estudiar psiquiatría y pedagogía, llevó a la práctica alguno de los principios de su método en la escuela para niños discapacitados que ella misma había creado. En 1907 inauguró la primera escuela Montessori de educación convencional, en las barriadas de Roma. Su método consistía en estimular la iniciativa y el desarrollo físico de los niños, permitiéndoles que siguieran los dictados de sus pulsiones en un ambiente controlado. Los profesores, equipados con juegos y materiales especiales, ayudaban a los niños mostrándoles unas pautas básicas de comportamiento para luego dejarles actuar en libertad. Las evidentes muestras de que los métodos de Montessori estimulan cada vez más temprano y mejor la capacidad de lectura, llamó la atención de los pedagogos, y algunos aspectos de su método se aplican actualmente en las escuelas de todo el mundo.

294. MARY MCLEOD BETHUNE (1875-1955)

Decimoséptima hija de una antigua familia de esclavos, Bethune trabajó toda su vida por la mejora de las condiciones de vida de los afroamericanos. Tenía muy claro que la educación debía ser la clave de su objetivo, así que en 1894 empezó a trabajar como profesora en escuelas de Georgia y Florida. En 1904, con un par de dólares, cinco estudiantes y una casa de alquiler en Daytona Beach, fundó el Instituto Regular e Industrial para chicas negras de Daytona. Gracias a las aportaciones económicas de Procter & Gamble y de John D. Rockefeller, Bethune levantó una escuela que en 1923 contaba ya con trescientos alumnos y unos 80 m² de terreno. En 1929 la escuela se fusionó con el instituto masculino Cookman, convirtiéndose en el Bethune-Cookman College en 1936. Además de supervisar las actividades del centro, Bethune se comprometió paralelamente en decenas de causas y organizaciones. Combatió los linchamientos, y el racismo en materia de seguros y de atención médica; además de fundar la Asociación Nacional por el Progreso de la Gente de Color y la Liga Nacional Urbana, presididas por ella misma o delegando funciones en otros colectivos, como la Asociación Nacional de Mujeres de Color. Se encargó de varios asuntos referentes a las minorías durante las presidencias de Hoover, Roosevelt y Truman. También organizó el Consejo Federal sobre Asuntos de Negros, al que se conoció como el Gabinete Negro, un grupo de funcionarios administrativos que operó desde el gobierno de Roosevelt, para incrementar las posibilidades de trabajo y la promoción de los derechos civiles de los negros.

TRES MAESTRAS Y PENSADORAS ESPAÑOLAS

295. VICTORIA CAMPS (n. 1941)

La trayectoria de Victoria Camps aúna filosofía y política, un trayecto poco común en la cultura contemporánea española. Estudió Filosofía en la Universidad de Barcelona, y en la actualidad es catedrática de Ética en la Universidad Autónoma de la misma ciudad. Sus vindicaciones han denunciado siempre la exclusión de la mujer de la vida política. Con esta voluntad de compromiso, obtuvo el cargo de senadora socialista por Barcelona en 1993; su experiencia fue efímera y en 1996 abandonó su escaño, aunque la evolución de su pensamiento político ha seguido manifestándose en diversos libros. Su obra alcanzó el máximo reconocimiento en 1990, cuando le fue concedio el premio Espasa Mañana de Ensayo por *Virtudes públicas*. Otros libros que abundan en su pensamiento son: *La imaginación ética* (1983) o *Ética, retórica y política* (1988).

296. CELIA AMORÓS (n. 1944)

Una de las mayores pensadoras feministas españolas, Celia Amorós es filósofa y teórica feminista, e imparte su cátedra de Filosofía en la Universidad Complutense de Madrid. Ha dado un nuevo aliento a los postulados feministas que en su momento defendió Lidia Falcón, y su trayectoria debe alinearse junto a la de pensadoras como Amelia Valcárcel, Ana de Miguel o Raquel Osborne, que, como ella, han abanderado sobresalientemente el llamado «feminismo de la igualdad». Sin embargo, su compromiso ha ido más lejos que el de sus coetáneas en el plano institucional: hasta 1993 detentó la dirección del Instituto de Investigaciones Feministas. Al igual que Valcárcel, Amorós ha auspiciado, dirigido y coordinado toda suerte de seminarios y encuentros de debates filósoficos, y ha difundido sus opiniones en numerosas revistas (en las que también ha ejercido de asesora). En sus libros ha dejado constancia tanto de sus

teorías feministas, como de sus investigaciones filosóficas; destacan: *Sören Kierkegaard o la subjetividad del caballero* (1987) y *Tiempo de feminismo* (1997).

297. AMELIA VALCÁRCEL (n. 1950)

Pensadora española de singular trayectoria, Valcárcel ha conjugado sus reflexiones filosóficas con su teoría feminista. Se la considera como la máxima abanderada del «feminismo de la igualdad». Obtuvo su doctorado en Filosofía por la Universidad de Valencia y en la actualidad trabaja como profesora de Filosofía Moral y Política en la Universidad de Oviedo. Su implicación ha trascendido el marco de la docencia: ha destacado también por sus artículos sobre la relación entre filosofía moral y política. Igualmente, ha impulsado numerosos seminarios, conferencias, encuentros y congresos, que se han erigido en centros de debate sobre la problemática filosófica contemporánea. Su amplio bagaje cultural la ha llevado a ser asesora de varias revistas y colecciones editoriales. Es colaboradora habitual del Consejo Superior de Investigaciones Científicas. En su obra destacan títulos como *Hegel y la ética, sobre la superación de la «mera moral»,* con la que fue finalista del premio Nacional de Ensayo en 1988, y *Sexo y filosofía* (1991).

IDEAS BRILLANTES
Y DE OTRA ÍNDOLE

298. EL SEXO DÉBIL

Los prejuicios sobre el papel y la fragilidad de la mujer limitaron su pleno acceso a la educación en el siglo XIX (e incluso en el XX). Considerada el sexo débil, el lugar de la mujer estaba en casa. Se creía que la educación profunda y el empleo obstaculizaban el desarrollo natural de la mujer, debilitaban su vitalidad y le causaban graves trastornos mentales. Muchos científicos avalaron la legitimidad de semejantes afirmaciones, incluso a finales del siglo pasado.

Uno de ellos, catedrático de la Facultad de Medicina de Harvard, escribió en 1873 que la educación superior podía ser causante de «neuralgia, disfunciones uterinas, histeria y otras alteraciones del sistema nervioso» en las jóvenes, incapacitándolas para el matrimonio y la maternidad.

299. INTELECTUALOIDES

En el siglo XVIII aparecieron en Inglaterra los *bluestockings* ('calcetines azules'), unos clubes literarios integrados por mujeres. Los clubes tomaron su nombre de la firma de modas del eminente Benjamin Stillingfleet, quien se opuso a la costumbre masculina imperante de llevar calcetines blancos, e impuso los azules. Las mujeres participaron hasta tal punto en estos clubes sociales, que el término *bluestocking* pronto aludió a cualquier mujer con inquietudes literarias o académicas. La palabra terminó convirtiéndose en una expresión despectiva para designar a toda mujer que se jactaba de intelectual.

300. LA FRUTA PROHIBIDA

En la década de 1890, Elizabeth Cady Stanton manifestó su indignación por la histórica exclusión femenina de la enseñanza. Según comentaba irónicamente Cady Stanton, Eva mordió la manzana del jardín del Edén para apagar «aquella insaciable sed de conocimiento que los placeres banales como deshojar margaritas y hablar con Adán no podían satisfacer».

301. SEXISMO

La lucha moderna de la mujer por sus derechos ha sido una lucha contra el sexismo, contra los prejuicios masculinos relativos al lugar que la mujer ocupa en el mundo. La idea de la inferioridad de las mujeres, de que deberían ser excluidas de ciertos ámbitos y de que han sido creadas para unas determinadas responsabilidades es la que alimenta el imparable flujo de la discriminación sexual. El sexismo, cuyo arraigo cultural es tan profundo que hasta parece innato, ha aflorado en todas las culturas y ha salpicado de prejuicios todas las épocas. Su omnipresencia ha privilegiado formidablemente a los hombres y les ha concedido oportunidades que han ido delimitando, por defecto, lo que debía serle asignado a cada género.

302. FEMINISMO

Teoría que defiende que la mujer debe disfrutar de los mismos derechos, privilegios, oportunidades y respeto que el hombre. Las pensadoras feministas han formulado múltiples interpretaciones a partir de esta noción básica, entre las que destaca el feminismo liberal, el más extendido. Las feministas liberales, también llamadas feministas convencionales, entienden el feminismo como una llamada a la reforma social, destinada a conseguir la igualdad de derechos para las mujeres. En cambio, las feministas radicales sostienen que la estructura social cimentada en la familia asfixia, por su propia naturaleza, a la mujer y afirman que la revolución social es la única vía para alcanzar los derechos de la mujer. Por su parte, las feministas marxistas y socialistas creen que el punto de partida de toda igualdad de géneros es el socialismo, mientras que las lesbianas feministas aseveran que las únicas mujeres aptas para el feminismo son las homosexuales. Por último, las feministas ácratas defienden que «la sociedad machista ha tocado a su fin y está arrastrando en su agonía al medio ambiente ... el matrimonio destroza nuestras vidas, relaciones y organizaciones».

303. PATRIARCADO

Las feministas de toda facción denuncian unánimemente al patriarcado, la dominación política, económica, social y jurídica sistemática a la que el hombre ha sometido a la mujer. Sostienen que su eliminación no sólo beneficiaría a las mujeres, sino a toda la humanidad. Por su parte, los antifeministas parten de la dominación universal del hombre para demostrar la supremacía masculina, que, a su vez, justifica el patriarcado.

304. TEORÍA DEL MATRIARCADO

Teoría que sostiene que las primeras sociedades aparecidas en el Próximo Oriente y la cuenca del Mediterráneo estaban dominadas por mujeres. Muchos historiadores y estudiosos masculinos de finales del siglo pasado e inicios del actual, como Friedrich Engels, sitúan el origen de la civilización humana y matriarcal en el siglo IV a.C, basándose en pruebas arqueológicas y antropológicas del culto a las diosas y otras prácticas similares. Según una de las teorías, el patriarcado reemplazó a la prehistórica cultura matriarcal después de un gran desastre natural o de algún otro suceso catastrófico que destruyó las primeras civilizaciones. Ello explicaría también la práctica inexistencia de pruebas en las que fundamentar el hipotético matriarcado.

305. LA SUPREMACÍA FEMENINA

Una minoría de teóricas feministas de finales del siglo XX sostiene que los rasgos biológicos y culturales de las mujeres confirman su inherente superioridad sobre los hombres. Así, mientras el esencialismo atribuye dicha superioridad a la constitución biológica de la mujer, el feminismo cultural defiende que la mujer ha alcanzado su supremacía por obra y virtud de su identidad cultural. Algunas feministas han convertido estas teorías en un imperativo que alienta a las mujeres a escindirse de la cultura masculina y a establecer una sociedad exclusivamente femenina. Otras han desarrollado la teoría del ecofeminismo, que atribuye la destrucción del medio ambiente a la dominación ejercida por el hombre a lo largo de la historia de la civilización.

306. LA MUJER EUNUCO

En 1979 la escritora y crítica australiana Germaine Greer (n. 1939) publicó este libro, en el que exhortaba a las mujeres a repudiar la monogamia y el matrimonio como formas de subordinación al hombre. Greer postulaba, para indignación de muchas feministas, que antes que toda reforma social o de cualquier revolución, la acción individual debe constituir el único camino para lograr la igualdad de la mujer.

307. LENGUAJE Y SEXO

Dado que el lenguaje es una fuente de reconocimiento de actitudes e interacciones humanas, algunas feministas modernas han hecho un llamamiento a la depuración de sus connotaciones sexuales. La mayoría de las lenguas establecen el género masculino como universal y el femenino como específico, rasgo que subraya el profundo arraigo de la discriminación de la mujer. En vista de ello, el lenguaje asexuado propone sustituir por términos neutros todas las palabras de género masculino empleadas para designaciones generales.

ALGUNOS HECHOS DE INTERÉS

308. RUSIA

A pesar de que en 1845 todavía estaban vigentes las leyes que limitaban el acceso de la mujer, «una criatura inferior», a la educación superior, en Rusia se abrieron varios institutos para chicas en 1858. Sin embargo, en 1862 el gobierno acusó a las estudiantes de promover disturbios universitarios y ordenó su expulsión de las aulas. Las mujeres rusas no desfallecieron y continuaron abriéndose camino en el ámbito educativo, si bien se les prohibió poner en práctica sus conocimientos en ninguna actividad profesional, incluida la enseñanza. Aquellas que cruzaron las fronteras en busca de oportunidades educativas justas, entraron a formar parte de las listas negras de la policía rusa, que las consideró potencialmente subversivas. Por fortuna, en 1895 el zar Nicolás II amplió las oportunidades educativas de la mujer, mediante la creación de una escuela médica y la aprobación de un precepto que ordenaba a las universidades aumentar el número de alumnas.

309. AUSTRALIA

A finales del siglo xix Australia permitió que las chicas tuvieran acceso a prácticamente la misma educación que los chicos. Como reflejo de esta relativa ecuanimidad, la Universidad de Melbourne fue la primera universidad australiana que abrió sus puertas a las mujeres en 1881. Pronto, otras muchas instituciones seguirían sus pasos.

ESTUDIANTES FAMOSAS

310. HELEN KELLER (1880-1968)

A pesar de que una grave enfermedad la dejó muda, sorda y ciega a los diecinueve meses, Keller renunció a llevar una vida estéril. A los diez años aprendió a comunicarse a través del lenguaje de signos y, por extensión, a leer, escribir, «oír» y «hablar», gracias a su maestra, Anne Sullivan. En 1904 se licenció con un *cum laude* en el Radcliffe College, dos años después de haber publicado su primer libro, *Historia de mi vida*. Keller escribiría, en adelante, muchos más libros, convirtiéndose en una famosa conferenciante y en una luchadora humanitaria, que apoyó las causas a favor de los ciegos y financió la creación de la Unión Norteamericana por las Libertades Civiles.

311. ESPOSAS ERUDITAS

Soong Ch'ing-ling, esposa del revolucionario chino Sun Yat-sen, se licenció en el Wesleyan College, Georgia, Estados Unidos, en 1913. Unos años más tarde, su hermana Mei-ling, esposa de Chiang Kai-shek, se licenció en el Wellesley College, en Massachusetts.

UNA ÚLTIMA REFLEXIÓN

312

«La opinión pública parece exonerar al hombre de toda obligación respecto a una mujer conocida por poseer una mente superior: uno puede ser desagradable, vicioso u ofensivo con ella sin despertar la cólera social. ¿*No es ella una mujer extraordinaria?* Nada más que alegar. Se la abandona a su propia suerte, a la lucha en vano y en solitario por remontar su dolor. A menudo, las mujeres de inteligencia extraordinaria carecen del interés que despierta una mujer en el género opuesto y del poder que garantiza un hombre. La mujer dirige su singular existencia, al igual que los parias indios, rodeada de todas las clases a las que jamás podrá pertenecer, las mismas clases que la repudian obligándola a vivir por su cuenta: la relegan al papel de objeto curioso, quién sabe si por envidia, y por ello no merece nada más que compasión» (Madame de Staël, *De la literatura*, 1802).

CUARTA PARTE

CIENCIA, MEDICINA Y TECNOLOGÍA

MENTES INQUIETAS

313. MUJERES PITAGÓRICAS

Los descubrimientos y la ciencia griega empezaron con la comunidad pitagórica, un grupo político-religioso dedicado al estudio de la cosmología, las matemáticas, la física, la medicina y la filosofía. Los pitagóricos se establecieron en Crotona, en el sur de Italia, alrededor del s. VI a.C. Tanto hombres como mujeres pertenecían a la comunidad y daban clases en su escuela. Theano, estudiante, profesora y mujer de Pitágoras, escribió varios tratados sobre el concepto pitagórico de la «sección áurea». Otras pitagóricas de relieve fueron Phyntys, Melissa o Tymcha.

314. MARÍA LA JUDÍA

María la Judía trabajó como alquimista en Alejandría durante el siglo I a.C. Sus teorías e inventos sirvieron como base práctica para la química moderna. María demostró cómo hacer tuberías de plomo con láminas de metal e inventó un prototipo del autoclave, aparato para destilar líquidos; también le debemos la creación de un aparato de reflujo para producir aleaciones llamado *kerotakis*; y el baño maría, o doble hervor, usado en laboratorios (y cocinas) durante más de dos mil años.

315. HIPATIA DE ALEJANDRÍA (c. 370-415)

Hipatia fue una famosa matemática, una sobresaliente profesora y una mujer de enorme influencia política en la Alejandría helénica. Su fama era tal que, incluso en una ciudad de cerca de un millón de personas, bastaba con remitir las cartas a la atención de «La Musa» para que las recibiera. Niña prodigio e hija del matemático y astrónomo Teón, Hipatia escribió vastamente sobre filosofía, mecánica y matemáticas, y avanzó significativamente en la teoría algebraica. El público acudía a escuchar sus lecturas comentadas, de

Platón y Aristóteles. Al igual que otros intelectuales, Hipatia iba ataviada con un manto, pero, a diferencia de la mayoría de las mujeres alejandrinas, no se casó. Sus opiniones acerca del respeto hacia la mujer chocaron con la doctrina antifeminista de la primera Iglesia cristiana. Además, sus opiniones científicas se cernieron como una amenaza sobre los líderes religiosos que afirmaban que la tierra era plana. Finalmente, el arzobispo Cirilo ordenó tender una emboscada a su carruaje mientras se dirigía a impartir su disertación semanal. La multitud la abordó brutalmente, separó su carne de sus huesos con conchas de ostra y lanzó sus despojos al fuego. Muchos entendidos consideran la muerte de Hipatia como el fin de la ciencia antigua y el principio de la irremisible caída en picado del mundo occidental hacia las tinieblas de la Edad Media.

316. LA REINA SONDUK

Desde el año 632 hasta el 647, Corea fue gobernada por una mujer con unas extraordinarias aptitudes para la ciencia. Con sólo siete años, Sonduk formuló una teoría que explicaba por qué las peonias no tenían aroma. Su padre quedó atónito cuando los científicos corroboraron la hipótesis de su pequeña hija. Mantuvo su interés por las ciencias naturales toda la vida y durante su reinado mandó construir el que sería el primer observatorio de toda Asia, conocido como la Torre de la Luna y las Estrellas.

317. EL MODELO MUSULMÁN

En la colección de relatos *Las mil y una noches*, Scherezade habla de Tawaddud, una joven esclava árabe de excepcional inteligencia. Tawaddud contesta una larga serie de preguntas planteadas por expertos en medicina, matemáticas, leyes, religión y filosofía, deslumbrando a todos con su sabiduría. Tawaddud simboliza a las numerosas científicas musulmanas que, durante la Edad Media, escribieron en el anonimato o vieron que sus obras se atribuían erróneamente a hombres. Pero, a pesar de su significación, la historia de Tawaddud ha sido omitida a menudo en *Las mil y una noches*; según sir Richard Burton, la razón es que resulta «extremadamente aburrida para la mayoría de lectores».

318. HILDEGARDA DE BINGEN (s. XII)

Esta abadesa alemana medieval, conocida como «la Sibila del Rin», fue la primera científica cuyos escritos han permanecido indemnes al paso del tiempo. Después de una infancia enfermiza, aseguró haber padecido varias iluminaciones a lo largo de su vida; pero según los investigadores modernos, aquellas visiones pudieron deberse a manifestaciones de migraña, epilepsia o algún otro tipo de trastorno nervioso. Mística y científica, escribió diversas obras teológicas, una enciclopedia de historia natural y varios volúmenes sobre medicina. Hildegarda abogaba por una higiene cuidadosa, una dieta equilibrada y el ejercicio regular, y recomendaba hervir el agua antes de ser ingerida.

319. HERRADA DE LANDSBERG (s. XII)

La única copia manuscrita original del tratado de Herrada de Landsberg, *Hortus Deliciarum* (El jardín de las delicias), fue destruida en 1870, pero se conservan algunas partes copiadas. Fue una de las últimas grandes abadesas medievales y realizó algunos estudios generales sobre historia, geografía, astronomía, filosofía e historia natural. Entre sus logros más destacados figuran la creación de una tabla *computus* para calcular el calendario de festividades religiosas y seculares, explicaciones sobre los climas y vientos del mundo, y recetarios de medicinas y hierbas.

ESTUDIOS INAPROPIADOS

320. AGNODICE

La ley griega prohibía a las mujeres practicar la medicina, pero Agnodice desafió la tradición en el siglo IV a.C. Disfrazada de hombre, estudió con el célebre anatomista Herófilo, y ejerció con éxito la medicina en Atenas. Tanta fama alcanzó que sus colegas de profesión, corroídos por la envidia, acusaron a aquel presunto doctor de corromper a las mujeres aristócratas. Víctima de tales acusaciones, Agnodice se deshizo de su disfraz y fue rápidamente arrestada. Pero la reacción popular no se hizo esperar y sus pacientes, todas ellas mujeres nobles, amenazaron con suicidarse si era ejecutada. Agnodice fue puesta en libertad y se le permitió practicar la medicina. A partir de entonces, otras mujeres pudieron también dedicarse a la medicina, siempre que trataran exclusivamente a mujeres.

321. ODIO Y AVERSIÓN

Ya en el siglo III las herbolarias, curanderas y comadronas eran condenadas por practicar abortos. Y es que durante toda la Edad Media, los hombres fueron quienes, desde la cúspide de la jerarquía, controlaron la medicina; mientras, las comadronas y, sobre todo, las curanderas tradicionales prosiguieron con su ejercicio dando consejos similares y, sin embargo, cobrando mucho menos. La lucha por conseguir pacientes alcanzó sus más altas cotas entre los siglos XIII y XV. En vista de ello, galenos y universidades intentaron incrementar su poder alimentando antiguas habladurías y añadieron a su aberrante repertorio los nuevos epítetos de «brujas», «charlatanas» y «herejes», para referirse a sus competidoras femeninas abortistas.

322. MARGARET LUCAS CAVENDISH (1623-1673)

Según eruditos como Thomas Hobbes o René Descartes, los salones de «Madge la Loca» ayudaron a popularizar las emergentes disciplinas de la ciencia moderna, especialmente entre las mujeres. Sus propios trabajos científicos, escritos con una prosa excéntrica, fueron tachados de plagio porque «ninguna mujer podía entender tantas palabras». Sin embargo, Cavendish persistió en sus estudios científicos y, el 30 de mayo de 1667, se convirtió en la primera mujer que asistió a una conferencia de la Real Sociedad Científica de Londres. Con motivo de esta apertura simbólica de las puertas de la ciencia a la mujer, el memorialista Samuel Pepys afirmó sobre Cavendish: «Ha sido bienvenida, pero su vestido era tan pasado de moda y su comportamiento tan extravagante, que no me ha gustado en absoluto».

323. LOS HOMBRES SABIOS (NO)

En 1672 la obra de Molière *Las mujeres sabias* zahirió los hábitos y costumbres burguesas, incluyendo los propios de las mujeres pseudointelectuales. Otros escritores recogieron el testigo de Molière, pero evidenciaron carecer de su aguzado ingenio y de su especial aptitud para la sátira social. Edmond y Jules de Goncourt, por ejemplo, escribieron: «Ninguna ciencia les repugna, las ciencias más viriles parecen ejercer una tentación y una fascinación … La anatomía es la preferencia femenina por excelencia. Algunas mujeres a la última moda incluso sueñan con tener, en uno de los rincones de su jardín, un pequeño camarín que contenga una caja de cristal llena de cadáveres». A su vez, Edmonde-Pierre Chanvot de Beauchêne dijo: «La ciencia rara vez vuelve a los hombres afables; a las mujeres, nunca».

324. MARIA AGNESI (1718-1799)

A los nueve años, la niña prodigio italiana Maria Agnesi era capaz de mantener una hora de conversación en latín, defendiendo el derecho de las mujeres a estudiar las ciencias. Tras la publicación de los dos volúmenes de su trabajo sobre cálculo, la Academia Francesa le mandó una carta de felicitación, disculpándose por no poder ofrecerle el ingreso en la institución por su condición de mujer. Agnesi sentenció que «la naturaleza ha dotado a la mente femenina con la capacidad para asimilar conocimientos y privando a la mujer de la oportunidad para adquirir esos conocimientos, los hombres actúan contra los intereses del bienestar público».

325. NO NOS MOVERÁN

Durante el siglo XIX, muchas sociedades científicas y clubes de historia natural se enfrentaron a la llamada «cuestión femenina». En 1838 la Asociación Británica para el Avance de las Ciencias intentó excluir a las mujeres de sus encuentros, especialmente de las conferencias sobre historia natural, «debido a la naturaleza de algunos de los artículos pertenecientes a la sección de zoología». La mayoría de las mujeres ignoraron tales prohibiciones, rechazando sentarse en galerías separadas; y, eventualmente, debido a su número y pericia, fueron admitidas en sociedades científicas.

LAS MUJERES DE LA REVOLUCIÓN CIENTÍFICA

326. PERRENELLE LETHAS FLAMMEL

En la Francia del siglo XIV, la alquimista Perrenelle Lethas Flammel y su tercer marido afirmaron haber convertido mercurio en oro puro y haber descubierto un elixir para prolongar la vida. Según ciertos rumores, tres siglos después la pareja fue vista en la Ópera de París.

327. ALEXANDRA GILIANI

En el siglo XIV, mientras los profesores de anatomía de Bolonia daban sus conferencias teóricas a los estudiantes de medicina, Alexandra Giliani, una ayudante quirúrgica de diecinueve años diseccionaba los cadáveres ante los alumnos como complemento visual. Giliani desarrolló un método para extraer sangre de los cadáveres y volver a llenar arterias y venas con fluidos coloreados para facilitar el estudio del sistema circulatorio.

328. UNA MENTE MINERA

En 1640 la baronesa Martine de Beausoleil apremió al rey de Francia para que hiciera uso de los ricos yacimientos minerales del país. Sus escritos se centraban en la geología, pero incluían también estudios de química, mecánica, matemáticas e hidráulica.

329. LADY ANNE CONWAY (1631-1679)

A pesar de la indudable significación que tuvo en los albores de la Revolución científica, la figura de lady Anne Conway ha sido relegada al olvido. Nacida en la aristocracia inglesa, estudió geometría euclidiana y aprendió de forma autodidacta matemáticas y astronomía. Con el paso de tiempo atrajo a los mejores científicos a las reuniones que organizaba en su distinguido hogar y se ganó su respeto. Invirtió toda su energía en descubrir la naturaleza de la materia, a pesar de que vivió abatida por sus crónicas y dolorosas enfermedades. Elaboró una teoría «vitalista» sobre la naturaleza, que postulaba que materia y espíritu constituyen una sustancia simple de «fuerza vital» llamadas mónadas. Obligada por la moral aristocrática de la época, hubo de publicar su trabajo bajo el nombre de su editor; por ese motivo, su nombre ha permanecido en el anonimato hasta hace pocos años.

330. HERMANAS E HIJAS CIENTÍFICAS

Las hermanas Isabel de Bohemia (1618-1680) y Sofía de Hannover (1630-1714) fueron relevantes para la ciencia alemana no sólo por sus relaciones con Descartes y Leibniz, sino también a causa del trabajo de sus descendientes. Alumna de Leibniz, Isabel mantuvo con su amigo Descartes una continuada correspondencia; el debate que mantuvieron acerca de la relación entre materia y espíritu inspiró el tratado sobre *Las pasiones del alma* del filósofo francés. Igualmente, Sofía de Hannover mantuvo con Leibniz una estrecha relación de amistad e influyó en sus opiniones políticas e intelectuales. La hija de Sofía, Sofía Charlotte (1668-1705) se casó con Federico I de Prusia e impulsó, en 1700, el establecimiento de la Academia de Berlín, una prestigiosa sociedad científica. Una de las discípulas de Sofía Charlotte, la reina Carolina de Brandeburgo-Ansbach (1683-1737), puso algo de cordura en la acalorada disputa que mantuvo Leibniz con un discípulo de Newton. Carolina fue decisiva en la difusión popular de las inoculaciones de viruela que se llevaron a cabo, a pesar de la oposición de médicos y clérigos.

331. MARIA MERIAN (1647-?)

Después de diecisiete años de matrimonio, Maria Merian abandonó a su marido, recuperó su apellido de soltera y se fue a vivir a una comunidad protestante radical en Holanda. Merian era ya entonces una experta ilustradora botánica y pudo disfrutar de la extraordinaria colección de insectos de América del Sur que pertenecía a la comunidad. Más tarde viajó a Surinam con su hija Dorothea para dibujar y reunir insectos y plantas; este estudio fue la base de sus *Metamorphosis*, libro que publicó en 1705. Este texto entomológico fue fundamental durante años y resultó decisivo para el desarrollo de los métodos de clasificación biológica.

332. MADRE E HIJA

Las astrónomas Maria (1670-1720) y Christine Kirch (1696-1782) fueron madre e hija. Maria descubrió un cometa en 1702 que debió haber sido bautizado con su nombre; pero, en vista de que aquello no sucedió, Maria es ahora más conocida por sus escritos sobre las conjunciones del Sol con Saturno y Venus, por sus estudios sobre la aurora boreal y por la predicción de una conjunción de Júpiter y Saturno que tuvo lugar en 1712. Además, instruyó a su hijo Christfried y a su hija Christine para que fueran sus ayudantes; no obstante, cuando Christfried se convirtió en el director del Observatorio de Berlín, los papeles se invirtieron y madre e hija quedaron relegadas al puesto de ayudantes de Christfried.

333. UNA CIENCIA FEMENINA

Durante el siglo XVIII la sociedad europea animó a las mujeres jóvenes a que estudiaran botánica y otras «ciencias blandas», creyendo que tales «modestos entretenimientos» mantendrían a las mujeres pasivas y virtuosas. Por aquel entonces se consideraba inapropiada cualquier incursión de la mujer en la experimentación científica, puesto que se creía que excedía las escasas facultades de su intelecto. A pesar de todo, muchas mujeres hicieron contribuciones significativas al estudio de la botánica. Anne Worsley Russell, investigadora y artista botánica, creó importantes catálogos de plantas; y la *Introducción a la botánica* de Priscilla Bell Wakefield fue un *best-seller* en 1841. Margaretta Riley escribió una monografía sobre los helechos británicos, aunque el éxito derivado del excelente trabajo recayó en su marido. Beatrix Potter, más conocida como autora e ilustradora de libros infantiles como *Peter Rabbit*, se convirtió en una experta estudiosa de las setas.

334. ÉMILIE DE BRETEUIL, MARQUESA DE CHÂTELET (1706-1749)

No era más que una niña cuando su padre dijo de ella: «Es una extraña criatura destinada a convertirse en la más hogareña de las mujeres. Si no fuera por la mala opinión que me merecen algunos obispos, la prepararía para la vida religiosa y la metería en un convento». En vez de eso, este genio matemático se disfrazó de hombre durante la década de 1730 y frecuentó los cafés de París participando en toda suerte de debates sobre ciencia y filosofía. Su traducción de los *Principia* de Newton, que acompañó de sus propias anotaciones, introdujo el método científico newtoniano en los círculos intelectuales franceses. En los posteriores artículos que presentó a la Academia Francesa de la Ciencia, también anticipó los trabajos de Anne Conway y Leibniz; pero su amante, Voltaire, usurpó casi todos sus méritos.

335. PRONÓSTICOS CELESTIALES

El 25 de diciembre de 1758, los astrónomos franceses aguardaban la vuelta del cometa Halley preparados gracias al tenaz trabajo de una astrónoma francesa: Nicole-Reine Lepaute (1723-1788). Su colaborador matemático, Alexis Clairaut, dijo: «Sin ella nunca hubiera imaginado el enorme trabajo que supone calcular la distancia del cometa a Júpiter y Saturno, por separado, para cada grado sucesivo durante ciento cincuenta años». Años más tarde él sería quien gozaría del éxito y a Lepaute sólo le quedó el dudoso reconocimiento de que un cráter de la Luna fuera bautizado con su nombre.

336. CAROLINE HERSCHEL (1750-1848)

Esta científica abandonó su carrera como cantante para convertirse en ayudante de los trabajos sobre astronomía de su hermano William. Una de sus tareas era machacar y cribar estiércol de caballo para poder hacer los moldes de los enormes espejos del telescopio que habían construido ella y su hermano. William descubrió el planeta Urano y juntos hallaron y catalogaron miles de nuevas estrellas y nebulosas. Más tarde, usando sus propios telescopios, Caroline fue la primera mujer en descubrir cometas hasta entonces desconocidos.

337. MARIE LAVOISIER (1758-1836)

Casada a los catorce años con un químico de veintiocho, Lavoisier le ayudó a desarrollar la ley de conservación de la masa en química. Fue también una versada artista, que estudió al lado de Jaques-Louis David e ilustró los trabajos que su marido publicó. Tanto su marido como su padre fueron guillotinados durante la Revolución francesa y ella fue encarcelada durante un tiempo.

338. JANE MARCET (1769-1858)

A principios del siglo xIx apenas existían libros que explicaran la ciencia en términos elementales; de hecho, esto no ocurriría hasta 1809, año en que Jane Marcet publicó *Conversaciones sobre química, dirigidas más específicamente al sexo femenino*. Marcet usó los diálogos entre una profesora ficticia, Mrs. Bryan, y dos estudiantes –Emily (laboriosa y seria) y Caroline (de carácter explosivo)– para crear el vivaz texto que se convirtió en un *best-seller* en Inglaterra, Francia y Estados Unidos. El célebre químico y físico Michael Faraday, que en su juventud trabajó como aprendiz de encuadernador, se introdujo en el mundo de la química encuadernando el libro de Marcet.

339. MARIE-SOPHIE GERMAIN (1776-1831)

En 1816 Napoleón ordenó que la Academia francesa galardonara con una medalla de oro de 3.000 francos una explicación sobre las vibraciones de las superficies elásticas. Ésta había sido remitida anónimamente por Marie-Sophie Germain. A ella le corresponde el honor de haber fundado la física matemática y, a pesar de que careció de formación académica en matemáticas, se convirtió en la primera mujer invitada a dar conferencias en el Instituto de Francia.

340. MARY SOMERVILLE (1780-1872)

Astrónoma escocesa, científica y feminista, Mary Somerville fue la primera firmante de la solicitud de John Stuart Mill a favor del sufragio femenino. Empezó sus trabajos científicos tardíamente, y los simultaneó con el mantenimiento de su familia y con el cumplimiento de sus compromisos sociales. En su autobiografía comenta: «Un hombre siempre puede disponer de su tiempo con el pretexto de los negocios, a una mujer no se le permite esa excusa». En 1843 la publicación de *La conexión de las ciencias físicas* le hizo ganar una pensión gubernamental anual de trescientas libras. Otro libro suyo, *Geografía física*, publicado en 1848, se convirtió en un texto básico hasta finales de siglo. Su último libro, *Sobre ciencia molecular y microscópica*, fue publicado cuando Somerville tenía ochenta y ocho años. Cuando murió, *The London Post* la denominó «la reina de la Ciencia del siglo XIX».

CIENCIA MASCULINA

341. CURIOSA TEORÍA

Aristóteles consideraba que la mujer era un hombre imperfecto. Estaba convencido de que el semen era la semilla del alma y que el feto masculino se convertía en humano cuarenta días después de su concepción, mientras que el feto femenino lo hacía más tarde, a los noventa días. Su teoría alimentó la idea de que la mujer era una criatura débil y de inteligencia menor cuya personalidad estaba llena de rasgos negativos. Durante siglos, los prejuicios aristotélicos sobre la mujer han dominado las actitudes científicas occidentales.

342. NACIMIENTO ANTINATURAL

Los fórceps, unos artefactos que la corte francesa se esmeró en mantener en secreto, fueron inventados por los médicos para acelerar el parto y reemplazar a las comadronas. Su uso provocó desgarramientos de útero, daños al recién nacido y muertes de madres e hijos.

343. DOLORES DEL PARTO

«En el siglo XVII empezó una plaga de fiebre puerperal que duró dos siglos y que estuvo directamente relacionada con el incremento de la práctica obstétrica por parte de los hombres. En la región francesa de la Lombardía, durante un año ni una sola mujer sobrevivió al parto» (Adrienne Rich).

344. CONSTITUCIÓN DELICADA

Durante el siglo XIX se extendió la concepción de la mujer como un ser enfermizo. Toda suerte de palidez tuberculosa era considerada normal. Las menstruaciones dolorosas a menudo eran atribuidas a «congestiones uterinas», resultado de un gran número de «debilidades» femeninas entre las que se incluyó la prolongada lectura de novelas románticas.

345. DIAGNÓSTICO EQUIVOCADO

Los médicos del siglo XIX exploraron a las mujeres atrincherados en el prejuicio de que éstas eran seres física y mentalmente inferiores. En una conferencia introductoria de la Facultad de Medicina de Filadelfia se declaraba que «los órganos reproductivos de las mujeres ejercen una influencia controladora sobre todo su sistema y les acarrean muchas y dolorosas enfermedades. Son la fuente de sus características, el centro de sus simpatías y la base para sus enfermedades. Todo lo que es característico de una mujer nace de su organización sexual».

346. TODO ESTÁ EN LA CABEZA

A lo largo del siglo XIX, la histeria (del griego *hysteria*, matriz) se convirtió en un diagnóstico aplicado a una gran variedad de trastornos que sufrían las mujeres. A pesar de ser una enfermedad mental, se relacionaba directamente con las supuestas debilidades del sexo femenino. Los remedios incluían baños fríos, evitar el café, el té, el alcohol y el rapé, además de los largos viajes oceánicos. Entre tal oleada de pintorescas prescripciones, sobresalió la de un médico que recomendó a los amigos de una de sus pacientes «ser indulgentes con sus caprichos y antojos y ser amables con sus problemas, ya que debían tener en cuenta que sus fantasías eran realidades para ella». El «Lydia Pinkham», un preparado que, a menudo, se destinó al tratamiento de la histeria, contenía un 18 por ciento de alcohol. Otros compuestos no sólo eran más alcohólicos, sino que además contenían opio.

347. MITOLOGÍA SEXUAL

En 1905 Sigmund Freud escribió que la frigidez es un problema psicológico propio de mujeres «sexualmente inmaduras», tratable mediante el psicoanálisis. Y añadió que las mujeres eran capaces de dos tipos de orgasmo; el clitoridiano (una respuesta adolescente) y el vaginal (una respuesta superior) que sólo es posible a través de la penetración del pene en la vagina.

MATEMÁTICAS MODERNAS

348. ADA AUGUSTA LOVELACE (1815-1852)

Lady Lovelace, la única hija legítima de lord Byron, pidió a la Royal Society de Londres que acabara con sus normas de exclusión de las mujeres y que le permitieran usar la biblioteca a primera hora de la mañana. Prometió absoluta discreción. La sociedad rechazó su propuesta, de modo que a su marido no le quedó otra alternativa que hacerse socio de la sociedad y copiar la información en la que estaba interesada su esposa. Tras tan rudimentaria estrategia, Lovelace tradujo y mejoró un informe sobre la calculadora del matemático italiano Charles Babbage, un precursor de la tecnología informática moderna. Comparó las operaciones de la máquina con las de los telares al reproducir los patrones con la lámina perforada: «Teje patrones algebraicos tal como el telar teje flores y hojas». Desgraciadamente, lady Lovelace y Babbage perdieron una fortuna con su «infalible» sistema en las carreras de caballos.

349. SONYA KOVALESKY (1850-1891)

«Una profesora de matemáticas es algo pernicioso y desagradable, incluso, podría decirse, una aberración.» Semejantes palabras salieron de la boca del dramaturgo y novelista August Strindberg. Hablaba de Sonya Kovalesky, una licenciada *cum laude* en Matemáticas que llegó a la Universidad de Estocolmo después de que no se le permitiera enseñar en una universidad rusa. Kovalesky no sólo obtuvo una cátedra, sino que también publicó un famoso teorema sobre ecuaciones diferenciales. En 1888 se le concedió el premio Bordin de la Academia Francesa, causando tal admiración entre los jueces, que éstos incrementaron el premio en dos mil francos. La Academia Imperial Rusa de las Ciencias se decidió finalmente a cambiar sus normas y la admitió.

350. NINA BARI (1901-1961)

Moscú cambió rápidamente en los años que siguieron a la Revolución rusa, y parte de ese cambio —al menos en el campo de las matemáticas— fue debido a Nina Bari. En 1918 se convirtió en la primera mujer a la que se le permitió el ingreso en la Universidad Estatal de Moscú. Pronto se unió a un ilusionado grupo de estudiantes conocidos como «Lusitania» por su devoción a su mentor, Nikolai Luzin. Bari se convirtió en una destacada matemática, especializada en la teoría de las series trigonométricas y los problemas asociados a la expansión de una función. Dio conferencias por toda Europa y fue profesora en la Universidad Estatal de Moscú.

GEOGRAFÍA, QUÍMICA, EXPLORACIÓN ESPACIAL

351. ROCA SÓLIDA

Florence Bascom (1862-1945) se convirtió en la primera mujer en recibir un doctorado de la Universidad Johns Hopkins y en pertenecer a la Sociedad Geológica de Norteamérica. Licenciada en Geología en 1893, fundó el departamento de Geología del Bryn Mawr College. También fue la primera mujer que trabajó para la Inspección Geológica estadounidense.

352. MARIE CURIE (1867-1934)

El 10 de diciembre de 1903, Marie Curie se convirtió en la primera mujer en recibir el premio Nobel, distinción que le fue concedida junto a su marido Pierre. Su descubrimiento del radio y el polonio le permitió acuñar el término radiactividad para explicar las radiaciones alfa, beta y gamma de los elementos. En 1911, cinco años después de la muerte de su esposo, sus investigaciones sobre el aislamiento del radio la convirtieron en la primera persona que recibió un segundo premio Nobel. Curie también inventó la unidad móvil de rayos X. Estas «pequeñas Curies» eran simples coches Renault equipados con máquinas de rayos X, que fueron llevadas a los campos de batalla durante la primera guerra mundial. A pesar de que Curie nunca había conducido antes de la guerra, se atrevió a ponerse al volante de uno de esos coches. Aunque experta en el potencial curativo de la radiación, murió a causa de los efectos de los años de exposición a los elementos radiactivos.

353. TODO QUEDA EN FAMILIA

Irène Juliot-Curie, hija de Marie Curie, ganó un tercer Nobel para su familia en 1935, un logro sin precedentes. Juliot-Curie y su marido Frédéric compartieron el premio de Química por la síntesis de los radioisótopos. A raíz de aquella distinción Frédéric fue admitido en la Academia francesa, honor que no mereció Juliot-Curie. Al igual que su madre, invirtió su vida en el trabajo, y murió envenenada por las radiaciones.

354. DOROTHY CROWFOOT HODGKIN (1910-1994)

Esta química inglesa fue la primera en usar el análisis informático para resolver un rompecabezas biológico, aplicando la cristalografía de los rayos X para estudiar la estructura molecular de la vitamina B_{12}, la penicilina y la insulina. En 1960 la Royal Society la nombró profesora investigadora, recibió el premio Nobel de Química en 1964, y al año siguiente se convirtió en la segunda mujer, después de Florence Nightingale, en recibir la Orden del Mérito Británica.

355. CALIDAD DE ESTRELLA

«¡Ride, Sally Ride!», aullaron los altavoces en 1983, cuando Sally Ride se convirtió en la primera mujer estadounidense que viajaba al espacio. Ride formó parte de la tripulación del *Challenger* que pasó seis días en órbita alrededor de la Tierra. Tan sólo el 10 por ciento de los astronautas estadounidenses han sido mujeres.

356. MAE JEMISON (n. 1956)

Cuando Mae Jemison fue elegida en 1987 como la primera mujer astronauta afroamericana su currículum era excepcional: se había licenciado en Stanford con doble especialidad en Ingeniería Química y en Estudios Africanos y Afroamericanos. Jemison tenía también un título médico, había trabajado con refugiados camboyanos y había servido como oficial médica del Cuerpo de Paz en África. Siendo astronauta, en 1992, pasó ocho días en el espacio como miembro de la tripulación del *Endeavour*.

CIENCIAS MODERNAS

357. ELIZABETH AGASSIZ (1822-1907)

Una de las fundadoras y la primera presidenta del Radcliffe College, Elizabeth Agassiz era una naturalista reconocida. Autora y coautora de libros como *Primera lección de historia natural* o *Viaje a Brasil*, también escribió artículos para el *Atlantic Monthly*. De joven dirigió varias expediciones científicas, incluyendo un viaje en vapor a través del Estrecho de Magallanes para estudiar la reproducción de las aves marinas y otro a las Islas Galápagos para observar la fauna y la flora.

358. ELEANOR ORMEROD (1828-1901)

En el siglo XIX la biología se dividió en numerosas disciplinas, entre otras la entomología industrial. La primera mujer que trabajó como entomólogo profesional fue Eleanor Ormerod. Gracias a las precisas observaciones que desarrolló en la hacienda inglesa de su padre, pudo convertirse en una eminencia en el estudio de las plagas de insectos. A menudo acudió a juzgados a testificar en calidad de experta en casos de contaminación de cargamentos de frutas en los barcos; obviamente, sin cobrar. Además, Ormerod ideó distintos sistemas para el control de los parásitos, tales como la poda, la ignición y las aplicaciones de compuestos químicos, aceites o queroseno.

SABALA

844. CELIA CRUZ (n. 1919)

La gran embajadora de la salsa de este siglo, la cubana Celia Cruz, ha destacado dentro y fuera de los escenarios por su extraordinaria fuerza y valentía.

Se inició en la música siendo muy joven, y en 1950, tras haber deslumbrado al público en los principales escenarios de Cuba, asumió el liderazgo de una de las orquestas cubanas de mayor reputación y calidad, La Sonora Matancera, con la que inició una exitosa gira por Estados Unidos.

Su carisma, su voz y su falta de prejuicios para expresar su ideología política la convirtieron simultáneamente en un personaje incómodo para el régimen castrista y en un símbolo de la libertad. En 1961 se estableció en Nueva York, ciudad desde la que ha partido una y otra vez para hacer vibrar a medio planeta, en especial a los latinoamericanos.

359. MARTHA MAXWELL
(1831-1881)

Martha Maxwell acompañó a su marido desde Pennsylvania hasta las minas de oro de Colorado en 1860. Lo suyo no era la exploración, pero una vez allí echó raíces en el nuevo territorio y se convirtió en una experta naturalista y taxidermista. Allí descubrió una subespecie de búho que habitaba en las Montañas Rocosas y que fue bautizada como «búho Sra. Maxwell» en su honor. A menudo viajó sola por el territorio, recolectando una variedad de especímenes entre los que se contaban doscientos veinticuatro pájaros y veintisiete mamíferos, incluyendo el hurón de pies negros que ya había sido tipificado por John James Audubon, pero que no había logrado ser visto por ningún otro científico.

En 1876 el estado de Colorado envió la colección de Marta Maxwell (y a Maxwell, vestida con el típico traje de caza de cuero de las mujeres de la frontera) a la Exposición del Centenario en Filadelfia. Se convirtió en la auténtica estrella de la celebración, y advirtió a sus admiradores de que «la capacidad y la habilidad, mucho más que el nacimiento, el color o el sexo, deberían ser las cualidades que determinan cómo son las personas y a qué deben dedicar su vida».

360. FLORENCE SABIN (1871-1953)

Vivió uno de los momentos culminantes de su vida, según relata ella misma, la noche en que se quedó en vela observando la forma de los vasos sanguíneos de un embrión de gallina y vio su pequeño corazón latiendo por primera vez.

Respetada anatomista y embrióloga del Instituto Rockefeller, empezó una nueva carrera en 1938 cuando regresó a Colorado, su tierra natal, con intención de retirarse. El gobernador de aquel estado, John Vivian, había sido informado de que Sabin era «una encantadora viejecita con el pelo recogido en un moño … que había pasado toda su vida en un laboratorio … y que no causaría ningún problema». Nada más lejos de la realidad: Sabin fue elegida para un subcomité de salud pública, y desde aquel foro abogó, con bastante éxito, por la reforma de los planes de sanidad.

Fue la primera mujer en ser miembro de la Academia Nacional de Ciencia.

361. MARY LEAKEY

Esta arqueóloga e ilustradora científica inglesa ha disfrutado de gran prestigio profesional. En 1948, cuando caminaba en las proximidades del lago Victoria, descubrió el esqueleto de un primate primitivo. En 1959, y ya provista de cámaras fotográficas, descubrió el cráneo de un *Australopithecus,* un homínido de 1,75 millones de años, en las gargantas de Olduvai. Más tarde encontró mandíbulas y dientes con características humanas en criaturas que tenían más de 3,75 millones de años. Finalmente, en 1976, unas millas al sur de las gargantas de Olduvai, localizó los restos fósiles de los antepasados del hombre y aseguró que caminaban erguidos desde hacía 3,6 millones de años.

362. RACHEL CARSON (1907-1964)

Formada como bióloga marina, Rachel Carson empezó su segunda carrera, la de escritora, a los treinta y cuatro años, mientras trabajaba para el Departamento de Pesca de Estados Unidos. Allí, mientras trabajaba como la primera mujer empleada por la agencia, escribió su primer libro, *Bajo el viento marino.* A éste siguió el segundo, *El mar que nos rodea,* que afianzó su reputación literaria. Sin embargo, la obra con la que pasaría a la posteridad surgió después de que una amiga se preguntara el porqué de las masivas muertes de pájaros que se produjeron en un santuario de vida salvaje después de ser rociado con DDT. Carson empezó entonces una investigación de cuatro años que desembocó en su premiado libro, *Primavera silenciosa.* A pesar de que fue ridiculizada por la industria química, *Primavera silenciosa* conmocionó la aletargada conciencia mundial sobre los problemas ambientales en general, y sobre el uso de pesticidas en particular. Tras su elección para la Academia Norteamericana de Artes y Letras, Carson fue descrita como «una científica que sigue la tradición literaria de Galileo y Buffon, [que] usó sus conocimientos científicos y sus convicciones morales para profundizar en nuestra conciencia de la naturaleza viva y para alertarnos de la aciaga posibilidad de que nuestras conquistas tecnológicas puedan destruir las fuentes de nuestra existencia».

363. BARBARA McCLINTOCK

En 1950 sus colegas biólogos calificaron la teoría de los genes saltarines de Barbara McClintock (genes que pueden cambiar su posición en los cromosomas vegetales) de delirante. Sin embargo, unos años después, en 1983, tuvieron que retractarse cuando McClintock recibió el premio Nobel de Fisiología y Medicina por su trabajo.

364. JANE GOODALL (n. 1934)

Cuando Louis Leakey inició la investigación de los primates en África, pensó que una observadora femenina podría ser más paciente que un hombre, de modo que en 1957 contrató a Jane Goodall. Goodall pasó catorce meses cerca del lago Tanganyika siguiendo la pista de los chimpancés y ganándose su confianza para poder estudiarlos. En 1971 publicó *In the Shadow of Man*, donde describía la compleja vida social de los chimpancés. Su investigación demostró que éstos podían convertir objetos en herramientas, que no eran estrictamente vegetarianos y que les gustaba jugar y comunicarse entre sí a través del lenguaje corporal, las expresiones faciales y el sonido.

365. DIAN FOSSEY (?-1985)

Otra de las mujeres reclutadas por Louis Leakey para el estudio de los primates fue Dian Fossey, cuya fama se debe no tanto a esa colaboración como al libro que escribió en 1983, *Gorilas en la niebla*, la aventura que vivió una exploradora de treinta y tres años en la selva africana con el más grande de los grandes simios. Fossey era directora del Centro de Investigación Karisoke en Ruanda, donde sería asesinada en 1985, probablemente por cazadores furtivos, a causa de su acérrima defensa de la fauna y el hábitat africano.

366. MUJERES GANADORAS DEL PREMIO NOBEL DE FISIOLOGÍA Y MEDICINA

1908: Elie Méchnikov (URSS, con Paul Ehrlich de Alemania), por una investigación sobre la inmunidad.

1947: Gery T. Cori (Estados Unidos, con Carl F. Cori), por sus trabajos acerca del metabolismo de los hidratos de carbono.

1977: Rosalyn S. Yalow (Estados Unidos, con Roger C. L. Guillemin, Estados Unidos; y Andrew V. Schally, Estados Unidos), por su trabajo sobre las hormonas en la química del cuerpo.

1986: Rita Levi-Montalcini (Estados Unidos/Italia, con Stanley Cohen, Estados Unidos), por sus estudios sobre las sustancias que influyen en el crecimiento de las células.

1988: Gertrude B. Elion (Estados Unidos, con George H. Hitchings, Estados Unidos; y sir James Black, Gran Bretaña), por desarrollar los principios del tratamiento con medicamentos.

LA CIENCIA DEL COMPORTAMIENTO HUMANO

367. ANNA O. (1859-1936)

Fue la primera mujer que se sometió al psicoanálisis, en los inicios de la controvertida disciplina fundada por el psiquiatra austríaco Sigmund Freud.

Anna O. fue además una de las más fervientes defensoras del feminismo en su país, Austria, y ha dejado su huella en la historia como fundadora y presidenta de la Federación de Derechos de las Mujeres Judías. Se llamaba Berta Pappenheim y su vida dio un dramático giro a raíz de la muerte de su padre, que la sumió en un estado de postración en forma de crisis de histeria. J. Breuer, colaborador de Freud, se reveló como un discípulo brillante, cuando en 1880, su terapia de conversación mostró los primeros resultados terapéuticos en la paciente. En cierto modo, a Anna O. también le corresponde parte del mérito en el nacimiento de una nueva ciencia: fue ella misma, en sus intervalos de lucidez, quien alentó a Breuer a que penetrara en su universo, a través del llamado procedimiento de la «cura por la palabra».

Los alentadores resultados de la terapia fueron la primera semilla para la difusión y aplicación del psicoanálisis.

368. KAREN HORNEY (1885-1952)

Aunque estudió en Alemania, la psicoanalista Karen Horney ejerció en Estados Unidos, donde cuestionó los puntos de vista de Freud sobre la psicología femenina, tales como la noción de la envidia del pene. Sin embargo, su franqueza motivó su expulsión de la poderosa Sociedad Psicoanalítica de Nueva York. Aquella exclusión le sirvió de acicate para continuar con sus investigaciones, y en 1941 fundó la Asociación para el Avance del Psicoanálisis. Con el tiempo, en uno de sus libros, escribiría: «Afortunadamente, el análisis no es la única forma de resolver los conflictos internos. La vida misma es todavía una terapia muy efectiva».

369. RUTH BENEDICT (1887-1948)

A los veinte años Ruth Benedict escribió en su diario, «¡Anhelo tanto expresar de algún modo la intensa inspiración que me dan las vidas de las mujeres fuertes! Ellas han hecho de sus vidas una gran aventura, demostrando que de la perplejidad del alma pueden alzarse resueltos propósitos».

Benedict estudió antropología con el reputado especialista Franz Boas en la Universidad de Columbia, y en 1936 le sustituyó como jefe de Departamento. Sus investigaciones sobre las culturas nativas americanas la convirtieron en una de las antropólogas más destacadas del mundo; así no es de extrañar que su ensayo *Patrones de cul-*

tura esté considerado un clásico imprescindible en el campo de la psicología cultural. En un mismo plano de relevancia debe inscribirse también su libro, *El crisantemo y la espada, pautas de la cultura japonesa*. Fue tal su repercusión que el ejército de Estados Unidos distribuyó extractos de su tercer libro, un tratado antirracista, entre sus soldados durante la segunda guerra mundial.

370. ANNA FREUD (1895-1982)

Anna, la hija menor de Sigmund Freud, se convirtió en una destacada experta en el desarrollo y el psicoanálisis de niños. Entre sus más notables actividades destaca la creación, en Inglaterra, de hogares para los niños huérfanos de la segunda guerra mundial; además, publicó informes sobre ellos y sobre los niños que sobrevivieron a las atrocidades del Holocausto.

371. MARGARET MEAD (1901-1978)

«Si queremos conseguir una cultura más rica en valores contrastados, debemos tener en cuenta la suma de todas las potencialidades humanas y conseguir así un tejido social menos arbitrario, en el que cada talento humano encuentre un sitio en el que encajar.» Así se expresó Margaret Mead en su primer libro, *Adolescencia, sexo y cultura en Samoa* (1928), en el que expresó que las características masculinas y las femeninas no están basadas tanto en diferencias biológicas como en condicionamientos culturales. Al no haber escuchado nunca a las mujeres de las sociedades primitivas quejarse de los dolores de parto, Mead exigió que no la anestesiaran en el nacimiento de su propio hijo. Con el tiempo, sus observaciones antropológicas cambiaron la creencia tradicional de que la adolescencia ha de ser una transición conflictiva, y observó que en las sociedades matrilineales las mujeres y los niños disfrutaban de mayor autoestima y libertad.

MUJERES EN LA MEDICINA

372. ANTIGUAS CURANDERAS

Una inscripción descubierta en el Templo de Sais, cerca de Menfis, en Egipto, dice así: «He venido de la escuela de medicina de Heliópolis y he estudiado en la escuela de mujeres de Sais donde las madres divinas me han enseñado cómo curar enfermedades». En el Antiguo Egipto, a menudo, la palabra para designar a un médico también se refería a las sacerdotisas. Ello se explica porque las mujeres que trabajaban como médicas y cirujanas atribuían sus habilidades a la diosa Isis. Así, algunas curanderas se especializaron en ginecología, e incluso practicaron cesáreas y extirparon pechos afectados de cáncer.

373. LA OTRA CLEOPATRA

Los antiguos romanos deben gran parte de sus conocimientos en medicina a los griegos. A pesar de que, por lo general y bajo la ley romana, las mujeres tenían un estatus inferior, fueron respetadas como médicas, y estaban facultadas para tratar a hombres, mujeres y niños. Cleopatra, una médica del siglo II, escribió *Geneticis,* un libro de referencia sobre ginecología y obstetricia. Después de la era romana, el acceso de las mujeres a la medicina se fue reduciendo paulatinamente, y sus prácticas se limitaron, primero, a las enfermedades de las mujeres y, después, a la partería y a los remedios herborísticos.

374. DE LAS MUJERES Y LAS PLANTAS

Durante la Edad Media, época en que se extendió entre las curanderas la aplicación de plantas curativas, muchas mujeres aprendieron medicina natural con sus madres. Con frecuencia, las curanderas y herboristas fueron acusadas de brujería; en cambio, sospechosa y raramente no pasaba lo mismo con curas y doctores. Pese a todo, los remedios tradicionales de las mujeres sobrevivieron, muchas veces gracias al testimonio de los relatos de las ancianas. Efectivamente, muchos de estos remedios tradicionales eran farmacológicamente útiles; por ejemplo, las curanderas tradicionales de Europa del Este ponían pan enmohecido sobre las heridas para prevenir las infecciones, una versión campesina de lo que sería la terapia con antibióticos.

375. TROTULA Y LAS DAMAS DE SALERNO

En el siglo xi, un reputado colectivo de médicas al que se conoció como las Damas de Salerno, trabajaron en la Facultad de Medicina de la Universidad de esa ciudad del sur de Italia. Trotula, la más conocida, fue autora de varios libros sobre medicina general, incluyendo *Passionibus Mulierum Curandorum (Las enfermedades de las mujeres)*, un texto fundamental durante siglos. Describió enfermedades infantiles, curas para las erupciones cutáneas (incluyendo la sífilis), causas de infertilidad, métodos para el control de la natalidad y una gran variedad de afecciones generales como el dolor de muelas, las lombrices intestinales o la obesidad.

376. LOUYSE BOURGEOIS (1563-1636)

Durante un tiempo Louyse Bourgeois fue la comadrona más famosa de Francia. Ayudó a traer al mundo a siete de los hijos de la reina (incluyendo al futuro Luis XIII), e incluso reanimó a alguno que nació aparentemente muerto. Sus técnicas incluían pasar vino caliente de su boca a la del bebé, frotando el cuerpo del niño para estimular su respiración, o bañarlo en una mezcla caliente de agua y vino. Bourgeois cobraba mil ducados por nacimiento real de un varón, y seiscientos por el de una niña. El rey Enrique IV le prometió una pensión, pero tras la muerte del monarca, nunca le fue pagada. Su libro más famoso, *Observaciones*, publicado en 1610, se basaba en su experiencia en unos dos mil nacimientos. Bourgeois describió las etapas del embarazo, la anatomía pélvica, la importancia de la dieta en las mujeres embarazadas, tareas tan complejas como la separación de la placenta y nuevos métodos de alumbramiento.

377. LADY MARY WORTHLEY MONTAGU (1689-1762)

Lady Mary Wortley Montagu describió, durante una visita a Turquía en 1717, el proceso de inmunización de la viruela tal como lo practicaban las mujeres turcas: «Viene una mujer vieja con una cáscara de nuez llena del mejor género de viruela y te pregunta qué venas son las que quieres que te abran. Introduce en la vena tanto veneno como pueda aguantarse en la punta de la aguja y luego venda la pequeña herida con unas cáscaras vacías. Cada año miles de mujeres pasan por esta operación y no se sabe de ninguna que haya muerto por ello. Intentaré hacerlo con mi hijo pequeño». De vuelta a Inglaterra, Montagu convenció a Carolina, princesa de Gales, para que inoculara a sus hijas. Gracias a este contacto real y a la aptitud especial de lady Montagu para difundir sus descubrimientos, el número de muertes causadas por la viruela descendió considerablemente. Un historiador dijo de ella: «Lady Montagu no era médico, pero probablemente hizo más por la especie humana, médicamente hablando, que muchos médicos de la época».

378. ELIZABETH BLACKWELL (1712-1770)

En el siglo XVIII, cuando la mayoría de la población tenía que hacer las veces de médico, los libros que identificaban y describían los usos de las plantas, tuvieron una gran demanda. En 1737 Elizabeth Blackwell publicó *Un herbolario curioso*, una obra en dos volúmenes con dibujos, grabados y recetas médicas. Tuvo tal éxito que permitió a la escritora liberar a su marido de las deudas que le asediaban. Una de las plantas que descubrió fue bautizada como *Blackwellia*, en su honor.

379. COMADRONAS MODERNAS

Empezando por Louyse Bourgeois, un gran número de comadronas contribuyeron fundamentalmente al desarrollo de la obstetricia. Así, en 1677 Marguerite du Tertre de la Marche escribió una obra que describía los experimentos con el fluido amniótico y el suero sanguíneo; Marie Louise Lachapelle, jefa de comadronas del Hôtel Dieu, escribió *La práctica de la obstetricia*, en el que publicó los consejos que extrajo del análisis estadístico de unos cincuenta mil casos. Marie Anne Victorine Boivin (1773-1847) inventó el espéculo vaginal y un estetoscopio para detectar los latidos del corazón del feto.

En Alemania, Justine Dittrichin Siegemundin (1650-1705) escribió sobre partos difíciles; y en Holanda, Aletta Jacobs (1854-1929) realizó el primer estudio sistemático sobre la contracepción.

380. FLORENCE NIGHTINGALE (1820-1910)

La fundadora de la enfermería moderna se llevó a una treintena de enfermeras, a las que había instruido personalmente, a prestar ayuda durante la guerra de Crimea. A pesar de que, en un primer momento, los médicos rechazaron su ayuda, al cabo de pocos meses aquellas enfermeras y sus métodos sanitarios habían logrado reducir el porcentaje de muertes en el hospital del 42 por ciento al 2 por ciento. Nightingale era conocida entre los pacientes no sólo por sus cuidadosas atenciones, sino también porque, de noche, andaba por entre las trincheras con la ayuda de una lámpara, dando aliento a los soldados, acompañada de un búho domesticado que llevaba en el bolsillo de su vestido.

Nightingale no se entendió nunca con las médicas, y fundó por su cuenta una escuela de enfermería en Londres, donde las estudiantes recibían formación gratuita durante un año.

381. ELIZABETH BLACKWELL (1821-1910)

«Estoy sola», escribió Elizabeth Blackwell, la primera mujer en licenciarse en una Facultad de Medicina estadounidense. «Un muro de antagonismo social y profesional se alza ante la mujer médica y crea una situación de dolorosa y singular soledad, dejándola sin apoyo, respeto o consejo profesional.»

Blackwell fue rechazada por veintinueve universidades, y recibió un trato humillante por parte de profesores y estudiantes de medicina, tanto en la Universidad de Ginebra, como en las escuelas de Medicina de Londres y Europa. Cuando empezó a ejercer, vivió en sus carnes, no sólo el desprecio callejero (no podía salir a la calle sin recibir algún insulto) sino el vacío del hospital y de los centros de Nueva York. Lejos de desfallecer, Blackwell abrió su propio hospital y más tarde una escuela de Medicina. El Hospital de Nueva York para Mujeres y Niños se convirtió en el primer centro en el que las estudiantes pudieron practicar con médicas y adquirir la experiencia clínica que necesitaban. Más adelante su Escuela Médica de Mujeres, inaugurada en 1868 en Nueva York, mejoró la formación de las futuras médicas.

COSAS DE MUJERES

382. EL INFORME KINSEY

Según los datos del libro *La conducta sexual en la mujer*, que escribió Alfred C. Kinsey en 1953, un 50 por ciento de las mujeres encuestadas habían tenido relaciones sexuales antes del matrimonio (un tercio de ellas con dos o más hombres), el 25 por ciento habían tenido relaciones extramatrimoniales y el 22 por ciento de las casadas habían tenido por lo menos un aborto. Kinsey manifestó: «No hay ninguna evidencia de que la vagina sea la única fuente de placer, ni siquiera la fuente principal del placer erótico, en la mujer».

383. EL DESASTRE DES

En 1971, la FDA (Food and Drug Administration) distribuyó sus primeras advertencias sobre la droga DES (Diethylstilbestrol), empleada para evitar abortos. Los estudios revelaron que las primogénitas de mujeres que habían consumido DES durante su embarazo, tenían un elevado riesgo de desarrollar una extraña forma de cáncer vaginal y, a menudo, de quedar estériles.

384. EL ESCUDO DALKON

En 1974, un anticonceptivo llamado Escudo Dalkon fue retirado del mercado en vista de que su uso fue asociado a un gran número de infecciones pélvicas, abortos, defectos en el feto e infertilidad (por no mencionar su 10 por ciento de posibilidades de error). A. H. Robins, fabricante del dispositivo intrauterino, dilapidó todo su patrimonio en 1986, en un desesperado intento por defenderse de los pleitos a los que se enfrentó. A pesar de todo, el escándalo público del Escudo Dalkon ayudó a que la FDA asumiera la autoridad que le correspondía para regular los instrumentos médicos.

385. NACIDA FAMOSA

El 25 de julio de 1978 nació en el Hospital Oldham de Londres Louise Brown, la primera «niña probeta».

386. DESÓRDENES ALIMENTARIOS

Las mujeres ocupan un porcentaje arrollador entre las personas afectadas de trastornos alimentarios. La anorexia nerviosa afecta sobre todo a adolescentes y jóvenes, generalmente de clase media y alta. A pesar del tratamiento, el 10 o 15 por ciento de los casos son mortales.

Igualmente, un 90 por ciento de los bulímicos son mujeres de toda edad y procedencia social. Aunque casi nunca es mortal, la bulimia puede dañar seriamente la salud de una mujer, aniquilando los nutrientes vitales de su cuerpo.

387. IMPLANTES DE SILICONA

Algunas prostitutas japonesas se aumentaron los pechos con implantes de fluido de silicona industrial, un derivado de la industria de transformación de la refrigeración, con el propósito de resultar más atractivas a los militares norteamericanos destacados en Japón, tras la segunda guerra mundial. No pasó mucho tiempo para que bailarinas exóticas del otro lado del Pacífico hicieran lo propio, a pesar de que a veces la silicona se deslizaba por otras partes del cuerpo, pudiendo causar gangrena, neumonía, ceguera o incluso la muerte.

En 1992 la FDA decretó una moratoria sobre los implantes de silicona en los senos, a los que se consideraba causantes de varias enfermedades en los tejidos, del lupus, artritis, hepatitis, del síndrome de la fatiga crónica y de varias formas de cáncer. Dow Corning, productor del 80 por ciento de todo el gel de silicona usado en los implantes en los senos, se declaró en quiebra el 15 de mayo de 1995, interrumpiendo las indemnizaciones que debía pagar a las mujeres que le habían demandado.

388. SPM/TDP

En la reunión de 1993 de la Asociación Psiquiátrica Norteamericana se discutió si debía clasificarse el trastorno disfórico premenstrual (TDP), una forma severa del SPM (Síndrome Premenstrual) como un trastorno depresivo. Mientras algunos médicos afirmaban que el reconocimiento del TDP como una depresión incapacitante mejoraría el tratamiento, la Organización Nacional de las Mujeres declaró que el diagnóstico serviría para incrementar la discriminación de la mujer en el campo de los seguros, el empleo y los casos de custodia.

389. MUJERES Y SIDA

Durante una relación heterosexual es más probable que el sida se transmita del hombre a la mujer que de la mujer al hombre. Las afectadas por el VIH pueden transmitir el virus a sus hijos mientras están embarazadas. Menos del 25 por ciento de los niños nacidos de mujeres portadoras del virus están infectados, pero en torno al año 2000, se estima que al menos ochenta mil niños en Estados Unidos serán huérfanos debido al sida. Algunas ciudades, como Nueva York, obligan a todos los recién nacidos a pasar una prueba anónima de sida. Recientemente se ha especulado sobre la posibilidad de exigirla también a todas las embarazadas, algo a lo que se oponen los grupos que luchan por los derechos de la mujer.

MUJERES EN LA ERA DE LA EXPLORACIÓN

390. SACAGAWEA

Esta nativa americana de sesenta años, que viajaba acompañada de un pequeño bebé, salvó en varias ocasiones la vida y la misión en la expedición al Oeste de Lewis y Clark. Clark escribió que «su presencia reconcilia [sic] a todos los indios con nuestras intenciones amistosas. Una mujer en un grupo de hombres es un baluarte de paz».

Antigua prisionera y mujer shoshoni del comerciante de pieles Charbonneau, Sacagawea podía traducir varias lenguas tribales. Su conocimiento del territorio fue básico para el éxito de la primera gran expedición al Oeste. Sacagawea se encargó de salir en busca de comida a diario, de recoger hierbas cicatrizantes y de cuidar a los enfermos, además de guiar a los caballos. En cierta ocasión, cuando una canoa llevada por Charbonneau volcó en unos rápidos, Sacagawea puso a salvo muchas piezas irreemplazables del equipo. Lewis escribió en su diario: «La mujer india, a la que atribuyo tanta fortaleza como resolución, pese a que no había nadie más a bordo en el momento del accidente, recogió y preservó la mayoría de los artículos ligeros que estaban a punto de caerse por la borda».

En contra de lo que dice la leyenda, Sacagawea murió alrededor de 1812, a causa de unas fiebres. Su hijo fue educado por Clark y después volvió a la frontera, donde fue conocido como «el mejor hombre a pie en las llanuras o en las Montañas Rocosas».

391. MARY KINGSLEY (1862-1900)

La expedición de Mary Henrietta Kingsley al África Occidental atravesó aquel legendario y peligroso territorio, al que se conocía como «la tumba del hombre blanco». Sin embargo, Kingsley parecía preparada para el desafío: era capaz de conducir su canoa y sabía vivir de la tierra. A pesar de ello, siempre vistió con largas faldas negras, puesto que, como ella misma aseguró, «una nunca se pasearía por África de un modo en el que le avergonzaría ser vista en Piccadilly».

Kingsley recogía escarabajos, reptiles y peces para el Museo Británico. Rudyard Kipling comentó de ella: «Siendo humana como era, debió sentir miedo de algo. Pero uno nunca podrá descubrir de qué».

Murió de fiebre tifoidea mientras cuidaba de los soldados heridos en la guerra de los bóers, en Suráfrica.

392. ELLEN CHURCHILL SEMPLE (1863-1932)

Ellen Churchill Semple recorrió a caballo los montes Kentucky con el objetivo de estudiar la geografía *in situ*, y de encontrar vida en áreas remotas para demostrar sus teorías sobre la influencia del aislamiento geográfico en las poblaciones humanas. En su primer libro explicó por qué la expansión americana era el resultado de una serie de factores geográficos.

En 1921 se convirtió en la primera mujer en ser elegida presidenta de la Asociación de Geógrafos Norteamericanos. Su trabajo en Oxford, Wellesley, Columbia y otras universidades supuso toda una inyección de respeto y honorabilidad para la geografía a los ojos de la comunidad académica.

393. OCTAVIE COUDREAU (c. 1870-c. 1910)

Octavie Coudreau exploró la Guayana francesa y el norte de Brasil a principios del siglo xx. Su marido murió durante un viaje por un afluente del Amazonas, pero ella terminó el trayecto y publicó un libro sobre la expedición, *Viaje al Trombetas*. Más adelante, dos estados brasileños la contratarían para que continuara la exploración del territorio.

394. MARY JOBE AKELEY (1886-1966)

Mary Jobe Akeley exploró el noroeste de Canadá, convirtiéndose en la primera persona en trazar un mapa de los glaciares del monte Sir Alexander y en encontrar las cascadas del río Fraser. El monte Jobe, en las Rocosas, debe su nombre a su labor.

Akeley estaba casada con el explorador Carl Akeley, de quien enviudó durante un viaje que ambos realizaban por el África occidental. Lejos de dar marcha atrás, Akeley se hizo cargo de la expedición, cuyo objetivo era reunir gorilas de montaña para el Museo Norteamericano de Historia Natural.

395. ALEXANDRA DAVID-NEEL (1868-1969)

La primera vez que se escapó de casa, Alexandra tenía tres años y vivía con su familia en uno de los barrios más elegantes de París. Volvió a intentarlo en otras ocasiones, pero su gran aventura comenzó en 1911, cuando, recién cumplidos los cuarenta y tres años, abandonó a su esposo y las comodidades de una vida burguesa para embarcarse en un viaje a Asia, que la llevaría al Himalaya y a la ciudad prohibida de Lhasa. Fue allí donde conoció a los grandes maestros que la iniciaron en la teoría y la práctica de la filosofía budista y donde encontró a un joven acompañante que se convertiría en su hijo adoptivo.

Dominante y excéntrica, aunque siempre generosa con los suyos, Alexandra se mantuvo fiel al destino marcado por la sabiduría oriental. Viajó por Oriente hasta pasados los ochenta años, cuando se retiró al enclave de Digne, su refugio en los Alpes. De inagotable vitalidad y lucidez (fue capaz de renovarse el pasaporte a punto de cumplir los cien años), murió, ocupada y feliz, a los ciento uno.

LAS MADRES DEL INVENTO

396. PRODUCCIÓN DE SEDA

La emperatriz Si-Ling-chi de China (*c.* 2640 a. C.) descubrió cómo extraer los delicados hilos de los capullos del gusano de seda. Desde entonces dirigió el desarrollo del cultivo masivo de seda y de las industrias textiles en China.

397. MAÍZ Y SOMBREROS DE PALMA

Colonizadora cuáquera, Sibella Righton Masters inventó un método para limpiar y airear el maíz, que la convirtió en la primera norteamericana en recibir una patente inglesa (aunque fue registrada a nombre de su esposo). También inventó un molino para moler maíz y un aparato que tejía las hojas de palma y las convertía en sombreros para mujeres.

398. QUESO CAMEMBERT

El mérito de la invención del queso camembert se debe a Marie Fontaine Harel. Aunque hay diversas versiones sobre quién fue y dónde vivió exactamente, existe una lápida en el pueblo de Camembert, Francia, que dice: «Marie Harel, 1791-1845: *Inventó el Camembert*».

La industria que dejó en marcha produce hoy medio millón de quesos al día.

399. BOLSAS DE PAPEL

Margaret Knight, de Springfield, Massachusetts, fue llamada la «mujer Edison» porque logró acreditar más de veintisiete inventos. En 1872 inventó una máquina que doblaba y pegaba hojas de papel para formar bolsas de papel cuadradas. Knight cambió la mayoría de sus derechos de patentes por dinero, lo que repercutió formidablemente en los beneficios de sus trabajadores, y también, de inventores posteriores.

Asimismo inventó un aparato de detención de emergencia para la industria textil; al parecer, lo hizo porque, a los doce años, había visto una lanzadera aflojada salir volando de un telar y atravesar a un hombre.

Cuando se le preguntó cómo una mujer sin formación mecánica podía inventar cosas, contestó: «Se trata sólo de seguir nuestra naturaleza. De niña nunca me preocupé por mimar muñecas de porcelana sin sentido, lo único que quería era una navaja, una barrena y un pedazo de madera … No estoy sorprendida de lo que he hecho. Lo único que lamento es no haber tenido las mismas oportunidades que un chico y no haber podido ejercer mi oficio normalmente».

400. SIERRA CIRCULAR

La enérgica Tabitha Babbit inventó la sierra circular. Al parecer, tuvo la idea al observar el funcionamiento de una rueca.

401. TECNOLOGÍA LÁCTEA

Entre 1905 y 1921 fueron concedidas más de treinta y cinco patentes para productos lácteos a mujeres norteamericanas. Entre ellas se contaban: la mantequera, botes para nata, baldes para la leche, los termos para la leche, un desnatador, un separador de la nata, un ordeñador, un protector de ubres y un aparato para sujetar el rabo de la vaca.

402. TÉCNICAS AGRÍCOLAS

Yekaretina Novgorodova (*c.* 1930): Desarrolló diversas técnicas para cultivar hortalizas en Siberia, incluyendo invernaderos, estantes para la maduración y sistemas de riego.

Hsing Yen-tzu (*c.* 1940): Trabajó con un equipo de mujeres en Hopei desarrollando un método para plantar trigo en terrenos casi congelados.

Miranda Smith (*c.* 1943): Ideó proyectos para jardines cubiertos y otros proyectos agrícolas urbanos en Estados Unidos y en Canadá.

Elizabeth Bokyo (*c.* 1945) y Wendy Campbell-Purdie (*c.* 1947): Trabajaron en Israel y Argelia, y avanzaron en las técnicas de cultivo en el desierto.

403. EL INGENIO AMERICANO

Patrones de papel para ropa: Una idea de la modista del siglo XIX Ellen Demorest que permitió a las mujeres de clase media reproducir las prendas de moda en casa.

Papel líquido: Fue desarrollado por Betty Graham, una secretaria y artista de Texas, en los años sesenta.

Planeador: Concebido y probado por Gertrude Rogallo y su marido, Francis, en 1948. Los Rogallo y sus hijos lo probaron en un túnel de aire casero montado en su ático.

Tablero de escribir iluminado: Becky Shroeder, de doce años, se convirtió en uno de los más jóvenes norteamericanos en obtener una patente cuando en 1980 creó un aparato que le permitía terminar sus deberes después de apagar la luz de la habitación.

QUINTA PARTE

ECONOMÍA, TRABAJO Y NEGOCIOS

GRANDES PROVEEDORAS

404. PROVISIONES PREHISTÓRICAS

Si bien la clásica imagen de la lucha por la supervivencia en las sociedades antiguas es la de un puñado de cavernícolas persiguiendo a lanudos mamuts, lo cierto es que si alguien evitó que el *Homo sapiens* muriera de hambre, ésas fueron las mujeres, que pasaban el día recogiendo frutos, nueces, semillas, judías y granos que constituían la parte más importante de la dieta familiar. Pero dado que los huesos y las armas de piedra resisten mejor el paso del tiempo que las plantas, ollas y cestas, la caza prehistórica ha sido más extensamente estudiada. A pesar de ello, antropólogos y arqueólogos han analizado dientes fosilizados de seres humanos prehistóricos y han descubierto que eran principalmente vegetarianos, demostrando que la ardua recolección de las mujeres resultó ser una fuente de alimento más productiva que la caza.

405. CAZADORES DEL ÁRTICO

Según la *Historia de las gentes*, publicada por Olaus Magnus en 1565, los lapones del norte de Escandinavia «corrían velozmente tras las bestias, con arcos y flechas, recorriendo valles y montañas nevadas, sobre unas tablas inclinadas, anchas y resbaladizas. Las mujeres disparaban sus flechas con sus cabellos ondeando … las mujeres cazaban … con tanta agilidad que probablemente lo hicieran mejor que los hombres».

406. EL SOSTÉN DE LA FAMILIA

La palabra anglosajona que designa al señor, *hlaf-ward*, significa «guardián del pan». La palabra para señora, *hlaf-dige*, significa «la que da el pan», refiriéndose a los tiempos en que las mujeres supervisaban los almacenes de comida comunales y dividían el grueso de la cosecha entre los miembros del clan.

407. SUPERVIVIENTES

A principios de la década de 1960, la población rural de Irán todavía vivía en una economía de cazadores-recolectores. Tal como sucedió en sociedades pretéritas así organizadas, las mujeres proporcionaban el grueso de la comida. Salían en grupo, y llegaban a pasar días enteros en busca de nutrientes, ya fueran plantas silvestres, bellotas, hortalizas, raíces, frutas o bayas.

408. GRANJERAS

Durante el siglo XX, gran parte del trabajo agrícola del mundo ha sido desarrollado por mujeres. A pesar de ello, tanto en los países industrializados como en los países en vías de desarrollo, a las mujeres se les suele pagar menos que a los hombres por el mismo trabajo (de hecho, a muchas no se les paga en absoluto). En 1977, en Libia, las mujeres respresentaban el 13 por ciento de los trabajadores agrícolas, y el 90 por ciento de ellas eran trabajadoras familiares no retribuidas. En 1979, el 28 por ciento de los granjeros daneses eran mujeres, siendo el 81 por ciento de ellas jornaleras familiares que tampoco recibían un salario por su trabajo.

DESARROLLO DE LA ECONOMÍA

409. ESTABLECIÉNDOSE

La civilización agrícola nació a finales del Pleistoceno (alrededor del año 8000 a.C.), cuando las mujeres del Oriente Próximo inventaron palos para cultivar, arados y azadones. Los primeros cultivos fueron de trigo, cebada, mijo y otros cereales. Más tarde, las mujeres ampliaron la variedad del cultivo criando animales domésticos de los que aprovecharon su leche, su carne y su piel.

El trabajo de la granja resultó ser una fuente de alimento más fiable que la caza y la recolección, y permitió abandonar las formas de vida nómada. Al asentarse en un lugar, la formación de comunidades resultó más fácil y se crearon pequeños pueblos.

410. FEUDALISMO

Durante la Edad Media, campesinos y nobles vivían en grandes propiedades en las que los campesinos trabajaban para los nobles. Cuando los nobles tenían que luchar para defender sus dominios, eran las mujeres quienes tomaban las riendas; durante aquellos períodos, las mujeres supervisaban al personal y a los jornaleros, llevaban las finanzas, controlaban las cosechas y compraban y vendían los bienes. Si las fortalezas eran ciudades, entonces las nobles se convertían en sus alcaldesas.

411. MERCANTILISMO

La moderna economía mercantil, basada en el comercio y el dinero más que en el intercambio o el trueque, emergió durante el siglo XIII, cuando aparecieron en Europa toda suerte de ferias y mercados. Allí las campesinas vendían huevos, leche, mantequilla, pollos, lana y hortalizas, además de otros productos del ganado y de los huertos que cultivaban. Sus actividades les permitieron ganar dinero en efectivo para sus familias, y contribuir a la expansión del mercantilismo.

412. TRABAJO DE ESCLAVAS

Entre las muy variadas tareas que realizaban las esclavas sureñas se contaban las de limpiar la casa, cocinar, educar a los niños blancos, sacar las malas hierbas, cortar la caña de azúcar, recoger el algodón y arar. Además se dedicaban al cuidado de sus familias, a podar jardines e incluso a cortar leña. La esclavitud, base del sistema económico del sur de Estados Unidos, se basó, pues, en la explotación del trabajo de la mujer.

413. MEJORAS EN EL HOGAR

Durante las décadas de 1970 y 1980, las mujeres asumieron a menudo la construcción de viviendas subvencionadas, en el Tercer Mundo, una vez los organismos internacionales y los gobiernos empezaron a crear programas de desarrollo. Algunas mujeres construyeron sus propias casas y pagaron la mayor parte del coste, incrementando su tradicional responsabilidad sobre las tareas domésticas. En Panamá, por ejemplo, un proyecto para la construcción de viviendas fue desarrollado en su totalidad por las mujeres.

LA MUJER COMO MERCANCÍA

414. TRAFICANTES DE MUJERES

A lo largo de la historia, las mujeres han sido compradas como novias y vendidas con su correspondiente dote. El matrimonio ha sido siempre más beneficioso para el hombre, quien ha gozado de la mayoría de los derechos en la institución, y ha disfrutado de toda suerte de derechos para divorciarse cuando lo deseara.

En la antigua tradición judía, la mujer llamaba a su marido «mi maestro», y en la antigua China, los hombres tenían la facultad de vender a sus mujeres e hijos.

En Roma se equiparó el estatus legal de las mujeres al de las niñas, y sus maridos podían incluso legarlas a otros hombres en su testamento.

415. SALIR ADELANTE CON LA PROFESIÓN MÁS ANTIGUA

Las mujeres que fueron esclavizadas en la Antigüedad eran a menudo las esposas de los vencidos en la guerra, y con frecuencia fueron obligadas a satisfacer las necesidades sexuales del enemigo.

Por ello, se valoró mucho su disposición sexual para modular su estatus.

Las esclavas celtas y germánicas podían dejar atrás el concubinato si lograban hacerse con los favores de su amo, mientras que las mujeres griegas y las romanas podían, eventualmente, obtener su libertad a cambio de las mismas gratificaciones sexuales.

416. PRESTAMISTAS

Según la ley ateniense, cuando una mujer se casaba era simplemente «prestada» a la familia del novio. Por lo tanto, su padre y sus hermanos todavía tenían autoridad sobre ella en caso de que algo le ocurriera al marido. Como propiedad de la familia, las mujeres apenas tuvieron control sobre su destino.

417. ESCLAVAS EN LOS ESTADOS DEL SUR

Las inclementes leyes antiguas de los estados del Sur dictaminaban que los hijos de una esclava nacían también esclavos, incluso en el caso de que sus padres fueran hombres libres (o blancos). Ello motivó que se les pudiera vender libremente, separándolos de sus madres; tres cuartos de lo mismo ocurría con sus respectivos maridos, quienes podían ser vendidos por separado, y, en ocasiones, hasta ser incluidos en las transacciones con el ganado, tal y como le ocurrió a la joven Sojourner Truth.

Por su parte, a las esclavas se las vendía a menudo como «buenas reproductoras» y se las emparejaba con el esclavo que escogiera su amo. Se les permitían breves licencias de maternidad de su trabajo en los campos, con tal de asegurar futuros y provechosos nacimientos; sin embargo, se les exigía que llevaran a sus bebés a trabajar con ellas para no ocasionar una excesiva pérdida económica al patrón.

418. MISS CLARA GORDON, MERCER STREET, N.° 119

«No podríamos recomendar lo suficiente esta casa, la propia matrona es una auténtica Venus: bonita, entretenida y sumamente seductora. Sus ayudantes de campo son realmente encantadoras e irresistibles, y todas son honestas y honorables. Miss G. es una gran belleza, y su mansión es frecuentada por comerciantes y dueños de plantaciones principalmente. Es sumamente hábil, diestra y prudente, y se preocupa de que sus visitantes se diviertan. Buenos vinos de las más singulares marcas son servidos constantemente; en resumen, no puede encontrarse en la ciudad mejor lugar de esparcimiento» (De una guía de burdeles de ciudades americanas de 1859).

419. FAMA Y FORTUNA

La frontera americana atrajo hombres y mujeres deseosos de hacer fortuna a costa, supuestamente, de la explotación minera; la realidad fue que muchas de las primeras mujeres en llegar ejercieron como prostitutas. «Me metí en este tipo de vida por razones económicas; por ninguna más», comentó una madama de Denver. «En aquellos tiempos era una de las pocas formas de ganar dinero para una mujer y yo lo hice.»

Durante la bonanza de las explotaciones mineras de 1860, la prostitución era recurso común entre las mujeres de los pueblos prósperos, donde excedían en número al resto de mujeres en una proporción de veinticinco a una. Una estadística de la población femenina de California en 1850 estimaba que una de cada cinco mujeres era prostituta. Algunas madamas obtenían grandes beneficios, como doña Gertrudis «la Tules» Barcelo, de Santa Fe (que ganó más de diez mil dólares en 1852), y Julia Smith, cuyo Julia's Palace recaudó mil dólares en una noche.

Cuando murió la madama de Kansas, Dixie Lee, su padre, pastor, se sorprendió al descubrir cuánto dinero había ganado su hija, y comentó iracundo que «los beneficios obtenidos del pecado son un maldito espectáculo, pero superan a los obtenidos de la virtud».

Mattie Silk, era la meretriz del barrio chino de Denver y de sus suburbios. Llegó a llevarse a sus chicas de vacaciones (sospechosas vacaciones de negocios) a las explotaciones mineras de Colorado y Klondike, en Alaska.

Por su parte, Ah Toy fue una esclava china que consiguió comprar su libertad y fundó un burdel en California. En más de una ocasión tuvo que costear la repatriación de los cadáveres de sus trabajadoras para que pudieran ser enterradas en China.

420. DEBERES DE ESPOSA

Las leyes rusas de comienzos del siglo XX equiparaban a las esposas con los menores y las ponían bajo el control de sus maridos. De tal modo, todas las ganancias, propiedades y hasta el patrimonio de una mujer casada pertenecían, en realidad, a su marido.

421. MALAS INVERSIONES

Entre los pobres de China, la India y América Latina, estaba instituida la práctica de dejar morir de hambre a las recién nacidas, convencidos de que las niñas constituyen un peso económico, mientras que los niños representan un potencial activo económico. Esta práctica continúa vigente hoy en día a pesar de que las leyes la prohíben.

422. EL COMERCIO ASIÁTICO DE ESCLAVAS SEXUALES

Tailandia, centro de la próspera industria del sexo, debe tal condición al gobierno de Estados Unidos: éste la «compró» para «descanso y recreo» de sus soldados, durante la guerra de Vietnam. A finales de los años noventa, se estimaba que el sexo reportaba cuatro billones de dólares al año al pequeño país.

En 1995 la Asociación por los Derechos Humanos de Asia informó de que miles de jóvenes asiáticas son introducidas en la

prostitución por traficantes y parientes, bajo la promesa de trabajo o matrimonio. Luego son vendidas a burdeles a cuatro dólares. En Tailandia, Filipinas, India y Sri Lanka muchas de las prostitutas (algunas de tan sólo ocho años) son secuestradas por representantes de los burdeles que las venden como esclavas. Otras son directamente ofrecidas a burdeles por sus padres y trabajan hasta que recuperan el dinero que el burdel ha prestado a sus progenitores (o hasta que contraen el sida).

ESTATUS ECONÓMICO

423. LAS FINANZAS DE LA FAMILIA

Solón, un legislador ateniense del siglo VI a.C., decretó que las mujeres debían hacer todo lo posible por preservar los bienes del marido en la familia. Dado que les estaba vedado el derecho a la propiedad, sólo podían conseguirlo en caso de alumbrar un heredero. Y así, con la noble intención de preservar la estirpe, fueron incluso animadas a quedarse embarazadas de alguno de los parientes de su marido, en caso de que éste no pudiera tener relaciones sexuales.

424. TÍBET

La sociedad tibetana permitía a las mujeres tener más de un marido. De tal forma, en un país con escasez de tierras cultivables, un grupo de hermanos podía casarse con la misma mujer, con el fin de que sus hijos heredaran todas las propiedades de la familia.

425. LEYES DE HERENCIA

En algunas tribus de la antigua América, las tierras pasaban de madres a hijas.

En la antigua Roma, las mujeres no podían heredar las propiedades de sus esposos, aunque las hijas podían recibir hasta la mitad de los bienes de sus padres.

En la Grecia del siglo IV, las mujeres no podían poseer tierras ni casas, aunque sí se les permitía tener esclavas.

426. EXCLUIDAS

En el año 18 a.C. el emperador romano Augusto decretó que las mujeres solteras y las que no tenían hijos podían heredar sólo cierta cantidad de propiedades; las solteras mayores de cincuenta y cinco años no podían aspirar ni a eso: no tenían derecho a nada.

427. EL IMPACTO DEL DIVORCIO

Aunque cada vez haya más mujeres trabajando fuera de casa, el divorcio les sigue significando una causa de retroceso económico. En 1991-1992, la oficina del censo de Estados Unidos constató que las familias mantenidas por una mujer tenían quince veces más posibilidades de ser pobres que las familias sostenidas por un hombre y una mujer. Y un censo de 1994 constató que el 38 por ciento de las mujeres divorciadas o separadas con niños, vivían en la miseria. La estadística revela que el nivel de vida de las madres que mantienen a sus hijos desciende un 33 por ciento tras su divorcio, mientras que el nivel de vida de los padres divorciados asciende un 13 por ciento. La suma de las deudas contraídas por todos éstos en pensiones no pagadas a sus hijos asciende a veinticuatro millones de dólares.

428. MADRES POBRES

En 1992 la oficina del censo de Estados Unidos reveló que mientras que el 47 por ciento de las familias mantenidas por una mujer vivían en la pobreza, sólo el 8,3 por ciento de las familias a cargo de un hombre y una mujer vivían en semejante precariedad. El gobierno de Estados Unidos define el mínimo vital de una familia de cuatro miembros cuando los ingresos son inferiores a 15.141 dóla-res. En 1996 el 31 por ciento de los bebés norteamericanos nacían de madres solteras. Mientras muchas jóvenes acaudaladas o mujeres mayores podían elegir tener o no un hijo, la mayoría de las madres solteras vivían en la pobreza o eran proletarias. Casi el 50 por cien-to de los niños nacidos en la época del bachillerato nacían fuera del matrimonio; y sólo el 6 por ciento de las licenciadas solteras tenían hijos. Las cifras señalan que casi un 50 por ciento de las madres sol-teras tienen unos ingresos anuales por debajo de los diez mil dólares.

429. MUJERES SIN HOGAR

En 1987 el Instituto Urbano estimó que había entre quinientos mil y seiscientos mil americanos «sin techo». En la década de 1990 la mayoría de la población deshauciada la integraban mujeres y niños. La organización Casas para los Sin Techo informó en 1996 que el 75 por ciento de las familias indigentes tenían hijos. Por su parte, Amnistía Internacional informó que las mujeres y los niños repre-sentaban más del 80 por ciento de los veinte millones de refugia-dos que había en 1995 en todo el mundo.

EL TRABAJO DE LA MUJER

430. HILANDERAS

Las mujeres se han dedicado a «sus labores» desde la noche de los tiempos; así pues, no es de extrañar que tales ocupaciones sean con-sideradas como «trabajo de mujer». Tareas como hilar, tejer o coser eran asignadas a las mujeres porque podían realizarlas mientras vi-gilaban a los niños. De hecho, el vínculo entre las mujeres y los tra-bajos textiles queda patente en el lenguaje: la palabra *gynacea*, «los lugares de las mujeres», designa una serie de espacios que existieron repartidos por todo el Imperio Romano, en los que se tejían, hila-ban o se teñían prendas de vestir.

Igualmente, la llamada «rama de la rueca» (*distaff side*) fue un término que se aplicaba a los miembros femeninos de la familia en las culturas europeas. La indisociabilidad de la mujer de la confección textil también se pone de manifiesto en las leyendas de los indios navajo, en las que el hombre Araña enseñaba a las mujeres a hacer un telar y la mujer Araña enseñaba a utilizarlo.

431. CHICAS DE LA LIMPIEZA

A lo largo de la historia, una de las obligaciones de esposas e hijas ha sido la de asear la casa y la ropa de la familia. Tareas como enjabonar, hacer la colada, fregar los platos y sacudir alfombras ocuparon largas horas en la vida de las amas de casa de antaño. Las mujeres nobles y la realeza contrataban a otras mujeres para que lo hicieran por ellas, pero se esperaba que supervisaran sus actividades, mientras que en la época victoriana, sacudir alfombras era, según un periodista, «la peor tortura de la semana … realizada hasta que cada nervio del cuerpo daba punzadas en furiosa rebelión por la presión indebida a la que era sometido».

La máquina para barrer alfombras y la aspiradora eléctrica, inventos casi consecutivos, motivaron la feliz confesión de un ama de casa esclavizada: «No vacilaría en comprar una máquina que ahorra trabajo».

432. FABRICANTES DE SEDA

Después de que Si Ling-chi, una emperatriz china, desarrollara la técnica de producción de la seda en el III milenio a.C., las mujeres se afianzaron en la industria de la seda. Alrededor del año 200, las mujeres chinas criaban los gusanos de seda y los transformaban en tejidos. Más tarde, el trabajo de la seda como patrimonio de la mujer se extendió a Europa y Japón.

En la primera década del siglo XVI, la confección de la seda era un «comercio libre» en Europa, lo cual significaba que cualquiera podía realizarlo; de tal modo, las mujeres pudieron acogerse a él para esquivar la prohibición de participar en los negocios.

A principios del siglo XIX, el hilo de seda se convirtió en el producto japonés más exportado; era producido por mujeres jóvenes que trabajaban en fábricas de seda similares a las fábricas textiles europeas y norteamericanas.

433. COCINA CASERA

Durante siglos a las mujeres se les ha enseñado que preparar la comida es parte de sus funciones como buenas esposas y madres. Las mujeres han sido durante mucho tiempo responsables de cocer, hacer mantequilla o enlatar, así como de plantar y cosechar la mayoría de los alimentos. Uno de los primeros libros de cocina fue *El arte de cocinar hecho fácil y sencillo,* publicado en Inglaterra a comienzos del siglo XVIII.

En 1896 Fannie Farmer escribió un libro hoy famoso: *El libro de cocina de la Escuela de Cocina de Boston de Fannie Farmer.*

A pesar de que los hombres han dominado la cocina profesional moderna, una de las autoridades en la gastronomía del siglo XX es Julia Child, especializada en cocina francesa. Child escribió muchos libros de cocina, cofundó una escuela de cocina en París en 1951, y en 1963 empezó su popular programa de televisión sobre cocina *El chef francés.*

434. INSTITUTRICES

Las institutrices enseñaban y cuidaban a los niños de la clase alta durante la época victoriana, y, por lo general, vivían en la misma casa de la familia que las contrataba. La mayoría de las institutrices procedían de familias de clase media, y dentro de la jerarquía imperante en la casa se las consideraba superiores a las criadas, e inferiores a las damas. A principios del siglo XIX, cerca de veinticinco mil mujeres trabajaban como institutrices en Inglaterra.

En 1843 se fundó la institución Institutrices Caritativas que se propuso ayudar a estas trabajadoras a encontrar trabajo y prestarles ayudas económicas en el caso de que enfermaran o en el de que se jubilaran.

435. MAESTRAS

En el siglo XIX, muchas mujeres europeas con estudios se trasladaron al Oeste americano, donde trabajaron como maestras. Aquel territorio, que creció de manera fulminante, necesitaba desesperadamente profesores, pero, por lo general, los honorarios de los hombres eran difícilmente costeables. En cambio, las profesoras estuvieron, a menudo, al frente de colegios enteros, enseñando a niños de diversas edades y niveles de lectura, en escuelas de una sola aula.

Dado que impartían tanto enseñanzas morales como materias académicas, pronto las maestras simbolizaron el comportamiento fastidiosamente correcto.

436. TRABAJO A DESTAJO

No todo el trabajo textil se hacía en las fábricas. Con frecuencia, las mujeres con hijos pequeños y las inmigrantes cosían en sus casas y se les pagaba por pieza. A pesar de que se les pagaba mal, el trabajo a destajo permitía a las madres estar cerca de sus hijos, quienes, a menudo, las ayudaban.

Pronto, el trabajo a destajo absorbió también tanto a las profesoras como a mujeres de otros sectores profesionales quienes descubrieron en éste una forma de incrementar sus escasos salarios.

437. LA EXPLOTACIÓN

La creciente demanda de ropa confeccionada que provocó la aparición de los grandes almacenes durante el siglo XIX, creó la necesidad de abaratar los costes en la confección, que generalmente desempeñaron las mujeres. En Inglaterra, Francia y Estados Unidos, las fábricas explotaron a las obreras, a mediados del siglo XIX, contratando a jóvenes solteras que trabajaban en condiciones miserables por salarios ínfimos y a algunas mujeres casadas o viudas con hijos que mantener. Aquellas mujeres trabajaban mientras la luz lo permitía (así que lo hacían desde primera hora de la mañana hasta

que se ponía el sol) en condiciones generalmente miserables y, a menudo, peligrosas. En ese contexto, los fabricantes decidieron no hacer caso de las pocas regulaciones sanitarias prescritas, para reducir los costes y aumentar sus ganancias, sabedores de que los funcionarios públicos no hacían cumplir las leyes laborales ni castigaban a sus transgresores.

Hoy en día esas condiciones subsisten tanto en Estados Unidos como en otros países.

438. DEPENDIENTAS

En Inglaterra, las dependientas de tiendas al por menor trabajaban, a menudo, más de setenta y cinco horas a la semana, con un único descanso de cuarenta y cinco minutos al día.

En Estados Unidos, los grandes almacenes que florecieron a comienzos de siglo proporcionaron casas a sus trabajadoras, con el fin de controlar más de cerca su conducta. Al igual que a las profesoras, a las mecanógrafas y a otras muchas trabajadoras, se les exigía que fueran solteras como condición *sine qua non* para trabajar.

439. CAMARERAS

Desde 1880 hasta 1950, las chicas Harvey trabajaron como camareras en restaurantes a lo largo de la línea del suroeste del ferrocarril de Santa Fe. En una época en la que no había «damas al oeste de Dodge City ni mujeres al oeste de Albuquerque», las chicas Harvey vivían bajo las estrictas normas del empresario Fred Harvey. Harvey se consideraba a sí mismo y a las mujeres que le acompañaban (mayoritariamente anglosajonas) como «civilizadores». En 1905 el diario *Times* de Laevenworth, Kansas, informaba: «Las chicas que trabajan en un local de Fred Harvey nunca van mal vestidas, nunca fruncen el ceño, ni están cansadas o descuidadas. Te están esperando (cuellos limpios, delantales limpios, manos y cara lavadas, uñas cortadas), ahí están, brillantes, frescas, saludables y expectantes».

440. SERVICIO DOMÉSTICO

Esta categoría de empleo se define por remunerar a las mujeres que efectúan una serie de tareas en casas ajenas, que en la suya harían y hacen gratuitamente. A lo largo de la historia, el servicio doméstico ha sido una de las más importantes fuentes de empleo para las mujeres, especialmente para las inmigrantes y las de color. A comienzos del siglo XX, casi el 90 por ciento de las mujeres afroamericanas trabajaban como empleadas domésticas o agrícolas. Durante la primera guerra mundial se crearon nuevas oportunidades (en fábricas), pero después de la guerra se las relegó al trabajo doméstico y agrícola.

441. LA MUJER INDEPENDIENTE

A comienzos del siglo XX, se consideraba a las profesoras como prototipos de feministas. Así, la maestra soltera que se ganaba la vida por su cuenta se convirtió en el emblema de la mujer preparada para el mundo laboral. De hecho, muchas de las primeras feministas fueron maestras.

442. FUEGO EN LA COMPAÑÍA TRIANGLE SHIRTWAIST

Al anochecer del sábado 25 de marzo de 1911, un fuego repentino prendió en las oficinas de la compañía Triangle Shirtwaist en Nueva York. En diez minutos, ciento cuarenta de los seiscientos trabajadores (en su mayoría mujeres jóvenes entre trece y veintitrés años) yacían muertos entre las máquinas de coser, en los huecos del ascensor o en la acera. Conscientes de que las fábricas raramente eran inspeccionadas, la compañía Triangle y su propietario habían burlado continuamente las leyes locales contra incendios. Tomaron muy pocas o ninguna precaución de seguridad y llenaron la fábrica de maquinaria, bloqueando el acceso a las mangueras y las salidas de incendios. Las dos puertas principales y la puerta de incendios de cada piso estaban cerradas con llave para evitar posibles robos de las empleadas, dejando los ascensores como única salida. Sólo unas decenas de quienes los utilizaron pudieron llegar a la calle antes de que el fuego los dejara inservibles. Algunas trabajadoras golpeaban las puertas de emergencia mientras muchas otras saltaban hacia la muerte por los huecos del ascensor o por las ventanas. Cuando se juzgó a los dueños de la compañía por homicidio, el juez persuadió al jurado para que los absolvieran; cuando las familias de las víctimas demandaron al propietario sólo consiguieron setenta y cinco dólares de indemnización por cada muerte.

443. KATHERINE GIBBS

En 1911 Gibbs fundó la primera escuela para secretarias. Las chicas de Katie Gibbs aprendían derecho empresarial y artes liberales, así como materias de secretariado. La primera guerra mundial creó una elevada demanda de secretarias, y aquella escuela creció de tal forma, que pronto fue la más prestigiosa de cuantas impartían el secretariado en Estados Unidos.

444. ENFERMERAS

En 1909 los hospitales norteamericanos habían puesto en marcha más de mil cursos de enfermería, y enfermeras como Lillian Wald o Lavinia Dock habían sido pioneras en áreas como el trabajo social o la salud pública. En los años veinte casi dos mil escuelas norteamericanas ofrecían cursos de enfermería y las mujeres acudieron a ellas en masa. Sin embargo, cuando se reguló el acceso de la mujer al mundo de los negocios, a la medicina y al derecho, las inscripciones en las escuelas de enfermería descendieron vertiginosamente.

De los más de 2,25 millones de enfermeros registrados en Estados Unidos a finales del siglo XX, más del 95 por ciento son mujeres.

445. SECRETARIAS

La empresa del siglo XX se organizó como una gran familia, en la que las secretarias apoyaban a sus jefes como si de sus maridos se tratara. Al igual que las esposas, las secretarias conseguían mejorar su estatus gracias a los logros y el éxito de los hombres para los que trabajaban. Si su jefe era promocionado, la secretaria ascendía con él; si se le despedía, ella también perdía su trabajo.

446. AZAFATAS

Desde 1936, cuando las azafatas de aire trabajaron por primera vez en los aviones de la compañía estadounidense TWA, hasta 1970, cuando «Café, té o yo» era la frase de moda, se consideraba que el oficio de azafata era un empleo tan excitante como atractivo para las mujeres. Nada más lejos de la realidad: las horas se hacían eternas, el trabajo era durísimo y las mujeres debían soportar con frecuencia las bromas sexuales de pasajeros y pilotos. El movimiento feminista animó a estas trabajadoras infravaloradas a reivindicar mejores condiciones de trabajo. Así, se unieron para luchar contra las restricciones de edad y peso, que sólo permitían el acceso a jovencitas atractivas. Además, muchos hombres entraron a trabajar y el sustantivo neutro «asistente de vuelo» se convirtió en el nombre de su cargo, haciendo de los cielos un lugar un poco más agradable para las trabajadoras.

447. LA REDEFINICIÓN DE LOS PAPELES

A medida que el movimiento feminista fue incidiendo en el papel de la mujer en casa, también lo hizo en el trabajo. Las secretarias se sublevaron por tener que realizar tareas serviles y dejaron de hacer cafés o recados banales, así como de ocuparse de los asuntos personales de sus jefes. En los años ochenta y noventa, los lugares de trabajo vieron crecer el número de «ayudantes ejecutivas», que, a pesar de seguir cobrando poco y ser minusvaloradas por sus superiores, eran, al menos, tratadas como profesionales.

MÁS ALLÁ DE LOS LÍMITES

448. GUERRA A MUERTE

En 1835 los impresores de Boston se organizaron para expulsar a las mecanógrafas del mercado laboral. Para ello, iniciaron una campaña intimidatoria y de acoso sexual.

449. CUANDO UNA MUJER SE CONVIERTE EN TRABAJADORA

En 1860 Jules Simon, un legislador francés, dijo que «una mujer que se pone a trabajar deja de ser mujer». Su afirmación ilustra el debate sobre la posibilidad de que las mujeres compaginaran su papel de amas de casa con el de trabajadoras, ignorando el hecho de que éstas siempre han trabajado en casa y en las tierras de la familia.

450. LA QUIEBRA DE LA POSGUERRA

Satisfechas con los ingresos y con la independencia que el trabajo industrial les reportaba, muchas mujeres norteamericanas decidieron seguir en sus puestos de trabajo al término de la segunda guerra mundial. Sin embargo, cuando los veteranos volvieron a casa en busca de trabajo y las fábricas de armamento cerraron, muchas mujeres que habían trabajado durante la guerra fueron despedidas. Se dio preferencia a los hombres como veteranos de guerra y, al mismo tiempo, el gobierno de Estados Unidos emprendió una campaña propagandística para convencer a las mujeres de que su verdadero lugar estaba en el hogar. Así, muchas mujeres que habían trabajado durante la guerra se convirtieron en amas de casa; y a las mujeres que trabajaron entre 1950 y 1970 se las mantuvo alejadas de los puestos mejor pagados y de mayor poder, cobrando unos cincuenta y nueve centavos por cada dólar que ganaba un hombre.

451. EL TECHO INALCANZABLE

En 1984 la revista *Bussiness Week* informó que sólo el 2 por ciento de los trabajos de dirección en Estados Unidos eran ejercidos por mujeres. Doce años después, la misma revista informó que las mujeres constituían el 41 por ciento de los trabajadores, pero que sólo el 1 por ciento estaban afiliadas a algún sindicato.

NUEVAS OPORTUNIDADES

452. TRABAJADORAS, I

En 1850 Isaac Merit Singer inventó la máquina de coser Singer. Promocionó su invento como una «máquina para mujeres» y como un regalo de bodas perfecto. Veintisiete años después, la compañía de I. M. Singer introdujo en el mercado las primeras máquinas de coser eléctricas y vendió millones de ellas, la mayoría a fábricas donde se explotaba a las obreras. A consecuencia de ello, las fábricas que implantaron el invento aumentaron de inmediato la demanda de mujeres.

453. AL OESTE, JOVENCITAS

La ley de Granjas de 1862 permitió a las mujeres norteamericanas, incluso a las solteras, poseer tierras. Miles de mujeres (y hombres) se dirigieron al Oeste con la esperanza de obtener un terreno. Alrededor del año 1900, cerca de ochocientas mil mujeres vivían al oeste del Mississippi. Aunque la mayoría tenían profesiones típicamente femeninas, como profesoras, cocineras, lavanderas o prostitutas, también cultivaban la tierra y criaban ganado, disfrutando de un grado de libertad que jamás habían llegado a soñar. Se da la curiosa circunstancia de que los hombres de los estados del Oeste fueron los primeros en apoyar el sufragio para las mujeres.

454. TRABAJO EN TIEMPOS DE GUERRA

Durante la guerra civil norteamericana las mujeres trabajaban como enfermeras, como empleadas de fábricas o como funcionarias del Estado; poco a poco conseguirían también el acceso a otras profesiones. La guerra generó más de cien mil nuevos puestos de trabajo para las mujeres, la mayoría de los cuales desaparecieron tras el conflicto. Sin embargo, la guerra acostumbró a los norteamericanos a que las mujeres trabajaran y ello les facilitó el camino del mundo laboral.

455. OFICIOS TEXTILES

La Revolución industrial no formó a mujeres trabajadoras, simplemente trasladó el trabajo de la mujer de casa a las fábricas textiles; así, en 1870, el 10 por ciento de los trabajadores industriales eran mujeres. Al mismo tiempo, en Gran Bretaña cerca de seiscientas mil mujeres trabajaban en fábricas, cifra que suponía la mitad del sindicato de tejedores.

La implicación de las mujeres en sindicatos, huelgas y manifestaciones las ayudó a luchar contra los abusos de sus superiores. Se les pagaba menos que a los hombres y se les cobraba por las agujas, el uso de las taquillas, las sillas y por las piezas de tejido que salían defectuosas. Cómo no, el acoso sexual estaba al orden del día, por no hablar de las sistemáticas violaciones de las normas de seguridad general.

456. TRABAJADORAS, II

A principios del siglo XIX muchas mujeres trabajaron de oficinistas. Cuando se introdujo la máquina de escribir en 1873, se instruyó a las mujeres para que demostraran estar capacitadas para su uso, y muchas se aferraron a la mecanografía como una oportunidad de ganarse la vida.

A finales de siglo, las mujeres estaban firmemente atrincheradas en el trabajo de oficina. El telégrafo y el teléfono les abrieron infinidad de ocupaciones; en estos campos cerca del 45 por ciento de empleados eran mujeres. Y a principios del siglo XX, las mujeres eran ya un tercio de los trabajadores de oficinas.

457. ROSIE LA REMACHADORA

La movilización norteamericana para la segunda guerra mundial motivó una conversión masiva de la industria privada hacia la producción de guerra, y creó una enorme demanda de mano de obra. Al mismo tiempo, millones de norteamericanos se enrolaron en las Fuerzas Armadas, las Fuerzas Aéreas o la Marina. La escasez de hombres disponibles resultante afectó seriamente a los fabricantes, puesto que se requerían a muchos de ellos para cubrir esos nuevos puestos de trabajo. Así que, en plena lucha por la victoria, la industria quedó en manos de las mujeres. La propaganda del gobierno las alentó a que se incorporaran al trabajo industrial, por el bien de su país.

De tales consignas nació «Rosie la Remachadora», cuya abnegación se difundió en infinidad de anuncios y carteles, como símbolo de la trabajadora patriótica. Las mujeres acudieron en masa a las fábricas y a los astilleros, ansiosas por contribuir y hacerse con el trabajo industrial mejor pagado. Las casadas ignoraron las restricciones tradicionales respecto a su acceso al trabajo, y pronto sobrepasaron en número a las solteras. Alrededor de 1943, cuando la producción de guerra alcanzó el máximo nivel, cerca de diecisiete millones de mujeres trabajaban fuera de casa, siendo un tercio de la fuerza productiva del país. Alrededor de seis millones trabajaban en fábricas de guerra; así, el 40 por ciento de los trabajadores aeronáuticos y el 14 por ciento de los astilleros eran mujeres. Y es que las mujeres se unieron o sustituyeron a los hombres en varios trabajos, incluso en aquellos que antes estaban fuera del alcance del «sexo débil». Trabajaron fabricando herramientas, de maquinistas, de soldadoras; haciendo tanques, bombas, armas, barcos de guerra o cualquier cosa que el ejército requiriera. Fabricaron la mayor parte de los vehículos y equipamiento que luego usaron los hombres en el frente. Además, el racionamiento restringió severamente los bienes de consumo que las trabajadoras podían comprar con su suel-

do, así que millones de mujeres compraron bonos de guerra, multiplicando de ese modo su contribución a la defensa nacional.

458. REUNIONES DE CHICAS

Desde los años cincuenta hasta los setenta, las reuniones de Tupperware se convirtieron en uno de los rituales más extendidos en los suburbios estadounidenses. La práctica no tenía ningún secreto: las azafatas de la firma invitaban a sus amigas a casa, donde, después de romper el hielo y beber refrescos, ensalzaban las virtudes de los últimos envases de polietileno que se habían distribuido.

A finales de los años setenta, un equipo de cien mil vendedoras de Tupperware (en su mayoría mujeres) vendían productos por valor de más de novecientos millones de dólares al año.

459. LAS PROFESIONALES

Entre 1963 y 1993, el número de abogadas en Estados Unidos pasó de siete mil quinientas a ciento ochenta mil. En 1990 el número de doctoras se había multiplicado por siete respecto a 1960.

460. ROMPIENDO MOLDES

En 1991 el Congreso de Estados Unidos aprobó la ley de Empleo No Tradicional para la Mujer, obligando a todos los estados a potenciar el número de mujeres preparadas para ocupaciones tradicionalmente masculinas. La ley fue proyectada para abrir a las mujeres trabajos desempeñados tradicionalmente por los hombres. Y es que hasta entonces por trabajar como camioneras, peones o carpinteras cobraban un 30 por ciento menos de lo que cobraban como mujeres de la limpieza o secretarias. En 1992, la ley de Mujeres en Ocupaciones de Aprendizaje y Ocupaciones No Tradicionales protegió legalmente a las trabajadoras de los campos no tradicionales del acoso sexual.

DISCRIMINACIÓN SEXUAL

461. ABSTINENCIA

Conforme las mujeres acudieron en tropel a las carreras de magisterio durante el siglo XX, fueron paulatinamente relegadas a trabajos en escuelas elementales, con salarios más bajos. Los directores y los profesores, que tenían sueldos más altos, eran casi siempre hombres. Cuando las mujeres accedieron a puestos administrativos y a la educación superior, siguieron estando a expensas de un salario inferior y les costaba dios y ayuda encontrar trabajo; todavía hoy, la situación sigue igual.

462. IGUALDAD DE SALARIOS: UNA LARGA LUCHA

En 1869 Susan B. Anthony hizo un llamamiento a la afiliación de las mujeres a los sindicatos, para exigir juntas «el mismo salario por el mismo trabajo». Sin embargo, no sería hasta 1963 cuando el gobierno de Estados Unidos propuso la ley de Igualdad de Salarios; entonces sí, la mecha empezó a prender: en 1973, Australia aceptó la igualdad de salario para la mujer; tres años después, Japón condenó legalmente la existencia de diferentes sueldos para hombres y mujeres en un mismo trabajo; por último, en 1979 Austria y Suecia hicieron lo mismo.

463. CASADAS CON EL TRABAJO

En 1967 una mujer japonesa, que fue despedida de su trabajo por estar casada, demandó a la compañía y recuperó su empleo.

En 1992 una inspección en las empresas japonesas reveló que algunas todavía obligaban a las mujeres a renunciar a su puesto al contraer matrimonio o quedarse embarazadas.

464. PERSECUCIÓN Y DISCRIMINACIÓN

Con ocasión del caso de la Caja de Ahorros Meritor contra Vinson (1986), el Tribunal Supremo de Estados Unidos decretó que el acoso sexual viola las leyes federales. El Supremo dictaminó que el acoso, a la luz del artículo VII de la ley de Derechos Civiles de 1964, que garantiza a los empleados el derecho a trabajar en un entorno que no les discrimine por cuestiones de sexo, raza, religión u origen, es una forma de discriminación sexual. En 1992, 10.532 personas denunciaron casos de acoso sexual; el 90 por ciento de los denunciantes eran mujeres.

465. SEXO Y SOCIALISMO

A mediados de la década de 1990, en China, el país más poblado de la Tierra, el 43 por ciento de la fuerza de trabajo correspondía a las mujeres; en 1996, el 70 por ciento de las mujeres chinas trabajaban. A pesar de ello, sus salarios tendían a ser más bajos que los de los hombres, y su acceso a la educación superior era menor.

466. EL PELIGRO DE TRABAJAR

Según estudios recientes, entre un 40 y un 60 por ciento de las mujeres norteamericanas sufren la experiencia del acoso sexual en algún momento de sus vidas. Sólo durante el último año la cifra alcanza al 15 por ciento de las mujeres.

791. LOLA FLORES
(Dolores Flores Ruiz, 1921-1995)

La gitana más carismática y temperamental de España nació en Jerez de la Frontera (Cádiz). La llamaron Dolores Flores Ruiz, y como tal recorrería los bares de Jerez exhibiendo su voz con sólo diez años. A los quince ya formaba parte de la compañía de variedades Mary Paz y en 1940, tras convencer a su padre de que el porvenir estaba en Madrid, intervino en la película *Martingala* cantando una copla y empezó a desarrollar sus aptitudes para el baile.

Saltó a la fama entre 1944 y 1951, cuando recorrió España junto a Manolo Caracol representando el musical *Zambra*, aunque el reconocimiento popular le llegó en 1954, a raíz del estreno de la película *La Faraona*. El filme era una suerte de plataforma concebida para que Lola luciera su gran talento: así lo hizo, y poco después del estreno ya era considerada la mayor figura del arte flamenco gitano. Desde entonces se la conocería también como «la Faraona» o como «la Lola de España». De hecho, el cine fue el medio que la lanzó al estrellato, pero en adelante la clave de su popularidad sería el cante, su verdadera vocación, y su genio. Murió en Madrid en 1995.

LA REVANCHA

467. LA UNIÓN HACE LA FUERZA

En el siglo XII brotaron por toda Europa grupos de trabajadores organizados en gremios, que desde el siglo XV funcionaban como asociaciones legales que regulaban las profesiones.

La mayoría de las mujeres accedieron a los gremios casándose con artesanos que ya formaban parte de ellos. No obstante, sólo algunas consiguieron ser miembros independientes, probablemente heredando la vacante de sus esposos, a la muerte de éstos.

Con el tiempo, hasta las mujeres que confeccionaban ropa y cosían formaron gremios de mujeres. Las jovencitas pudieron agremiarse iniciándose como aprendices de las maestras en el oficio.

468. LAS PRIMERAS ACTIVISTAS

Antes de las huelgas de finales del siglo XIX y principios del siglo XX, las mujeres campesinas de los siglos XVI, XVII y XVIII lucharon contra los abusivos impuestos y los privilegios nobiliarios. Las mujeres pobres lideraron revueltas contra los propietarios que acapararon las tierras comunales, y promovieron motines y alborotos en Inglaterra, Alemania y Francia.

469. LO QUE SE DA

Al igual que sus homólogos masculinos, las esclavas de los estados del Sur estaban sujetas a severos castigos si osaban desobedecer a sus amos blancos. Así, para evitar insubordinaciones, fueron sometidas a fuerza de latigazos y azotes e incluso con medidas más brutales, cuando así se creyó necesario. En vista de ello, algunas esclavas salieron en busca de venganza: en el año 1800 Nancy y Gabriel Prosser lideraron e instigaron la sublevación de unas mil esclavas. Pese a que la rebelión fue sofocada, estableció un precedente para posteriores sublevaciones.

Otras esclavas prendieron fuego a las residencias y propiedades de sus amos, y llegaron a recurrir al envenenamiento y a la conspiración. Claro que, en caso de ser descubiertas, se las ejecutaba sumariamente.

470. MUJERES EN HUELGA

Durante la Revolución industrial, las mujeres que trabajaban en fábricas formaron parte del emergente movimiento obrero norteamericano. Así, en 1830 la huelga de trabajadores del calzado de Lynn, Massachusetts, obtuvo una respuesta sin precedentes: cerca de cinco mil hombres y mil mujeres recorrieron las calles, portando pancartas y gritando consignas a favor de la mejora de las condiciones de trabajo. La manifestación fue tan tumultuosa que la policía de Boston y el ejército tuvieron que reducirla para restablecer el orden; lo que suscitó aún más interés hacia la causa de los trabajadores. Sin embargo, las mujeres pronto se escindieron de las organizaciones lideradas por los hombres, en vista de que éstos hicieron muy poco por mejorar sus condiciones de trabajo, y formaron las suyas propias.

Así, cuando los dueños de las plantaciones de algodón de Lowell, Massachusetts, anunciaron un severo recorte de gastos en 1834, las trabajadoras organizaron una huelga. Las mujeres de Dover y New Hampshire, también se unieron a la manifestación y la huelga fue todo un éxito.

471. LAS CHICAS DE LA FÁBRICA LOWELL

En 1845 Sarah Bagley y otras mujeres formaron la Asociación Lowell de Mujeres por la Reforma Laboral. No tardaron mucho en aparecer nuevas secciones en cada centro textil de Nueva Inglaterra, y menos en alcanzar entre quinientos y seiscientos miembros. En la primera investigación sobre las condiciones de trabajo en la historia de Estados Unidos, Bagley y sus colaboradores denunciaron públicamente algunas flagrantes irregularidades: jornadas excesivas, sueldos miserables y condiciones de trabajo infrahumanas; tales eran las circunstancias que debían soportar las trabajadoras en las fábricas.

472. ILGWU

En 1900 las empleadas en fábricas de abrigos fundaron el Sindicato Internacional de Trabajadores de la Confección en Nueva York (ILGWU). Su andadura empezó con más de dos mil trabajadoras afiliadas entre Nueva York, Baltimore, Newark y Filadelfia, y en cuatro años doblaron sus miembros y se extendieron a veintisiete ciudades. En 1909 el Sindicato fue a la huelga y consiguió que se atendieran sus reivindicaciones; y en 1913, era ya uno de los sindicatos más importantes de la Federación Norteamericana de Trabajo.

473. LA HUELGA DEL PAN Y LAS ROSAS

En 1913 la líder obrera Elizabeth Gurley Flynn fue una de las instigadoras de una huelga en Lawrence (Massachusetts) que movilizó a veinte mil trabajadoras textiles durante dos meses. Aquella huelga fue conocida como la huelga del pan y las rosas, y en ella, las mujeres denunciaron tanto la inferioridad de sus salarios respecto a los de los hombres como que todavía realizaban toda suerte de tareas domésticas. La huelga fue violenta: hombres y mujeres destruyeron máquinas de coser, y una mujer perdió la vida en un enfrentamiento con la policía. En vista de todo ello, Flynn quiso enviar a los hijos de las huelguistas a familias adoptivas de Nueva York para que estuvieran seguros, pero la policía se lo impidió. Las represiones policiales sobre madres e hijos volcaron a la opinión pública en favor de las trabajadoras, y a los dueños de las fábricas no les quedó otro remedio que acabar con la huelga y acceder a la mayoría de las demandas de las huelguistas.

474. ELIZABETH GURLEY FLYNN (1890-1964)

Elizabeth Gurley, líder del movimiento obrero en Estados Unidos, creó el Sindicato de Defensa del Trabajador para evitar la deportación de inmigrantes y proporcionarles ayuda financiera y legal. Gurley se afilió al Partido Comunista en 1936, convencida de que «la posibilidad para la mujer de ser libre y acceder con igualdad de condiciones a todas las esferas humanas no puede darse con el capitalismo, aunque se han conseguido algunos avances gracias a la lucha organizada».

Se convirtió en la líder de Partido Comunista americano y fue encarcelada en 1952 por su ideología política.

475. SOCIAS

Una de las consecuencias del aumento de trabajo para la mujer propiciado por la primera guerra mundial, fue la aparición de la Federación de Clubes Nacionales de Mujeres de Negocios. Fundada en 1919 por Lena Madeson Phillips, la organización se creó con el objetivo de ayudar a las mujeres que dirigían negocios relacionados con la guerra. En los años veinte surgieron otros colectivos, como la Asociación de Mujeres Profesionales y de Negocios, para prestar ayuda a las mujeres que querían entrar en el mundo de los negocios.

Fundada en 1921, la Hermandad Internacional de las Américas es una organización internacional de mujeres ejecutivas y profesionales dedicada al desarrollo económico y social, a la educación, a los derechos humanos y a mejorar el estatus de la mujer. Sus miembros trabajan en veintiún países de América del Norte, América del Sur y Asia.

En 1935 se fundó la Organización Nacional de Negocios y el Club de Mujeres Profesionales. Y, finalmente, en 1972 un grupo de trece mujeres fundó en Washington la Organización de Mujeres Propietarias de Negocios, la primera para mujeres empresarias.

476. DOROTHY DAY (1897-1980)

Dorothy Day fue una activista que luchó por los derechos civiles, el pacifismo, los derechos de los judíos y trabajadores inmigrantes; aunque probablemente sea más recordada por haber fundado la publicación *Catholic Worker* en 1933. El objetivo de la publicación era unir a trabajadores e intelectuales para mejorar la educación, las técnicas de cultivo y las condiciones sociales. En tres años se convirtió en la voz de la justicia social y alcanzó una tirada de ciento cincuenta mil ejemplares.

477. DOLORES HUERTA

A mediados de los años sesenta, Dolores Huerta, que estaba embarazada de su séptimo hijo, organizó el Sindicato de Granjeras junto a César Chavez. El sindicato protestó contra el uso de pesticidas peligrosos, los bajos salarios y las condiciones de vida en los emergentes campos de viñedos californianos, que empleaban, básicamente, a trabajadores hispanos. El exitoso boicot a las uvas californianas que promovió el sindicato obligó a la industria a subir los sueldos y a mejorar las condiciones de trabajo y de las viviendas.

478. NO LO BASTANTE BUENAS

En respuesta a las demandas de los defensores de los derechos civiles, el Congreso de Estados Unidos redactó la ley de Igualdad de Salarios en 1963, y el Acta de Derechos Civiles en 1964, cuyo título VII incluía medidas contra la discriminación en el trabajo. Ambas leyes incrementaban los salarios y la protección laboral de las mujeres, pero en los años siguientes a su establecimiento, las autoridades federales apenas intentaron fortalecer este aspecto de la legislación. El floreciente movimiento feminista convirtió tal circunstancia en su primera reivindicación a escala nacional. En 1965 la autora feminista Betty Friedan y otras militantes viajaron a Washington D.C. con intención de presionar al gobierno para que cumpliera sus propias leyes; no obstante, se fueron con las manos vacías debido a la nula disposición de los funcionarios que las atendieron. Tras el fracaso dirigieron sus empeños a la formación de la Organización Nacional de las Mujeres.

ACTIVISTAS Y AGITADORAS

479. MADAME TUSSAUD (1760-1850)

Durante la Revolución francesa, la artista suiza Marie Gresholtz Tussaud se hizo famosa por su espeluznante trabajo: fabricó máscaras funerarias de cera de las más famosas víctimas de la guillotina de París. Madame Tussaud inauguró su museo de cera en Londres en 1802, y en 1833 añadió una cámara de los horrores.

480. LYDIA PINKHAM (1810-1883)

En 1876 Lydia Pinkham patentó su «compuesto vegetal» que promocionó como la panacea para los «males de las mujeres». Según ella, tres cucharadas al día ayudaban a curar numerosas enfermedades femeninas, incluyendo los dolores menstruales. A juzgar por el porcentaje de alcohol que contenía su tónico de hierbas y raíces (18 por ciento), es muy probable que tuviera razón.

En 1925 su compañía amasaba una fortuna de casi cuatro millones de dólares.

481. LA BRUJA DE WALL STREET

Henrietta Howland Green (1834-1916) convirtió un patrimonio de diez millones de dólares en una fortuna prodigiosa, gracias a sus inteligentes inversiones en valores, en bolsa y en bonos del Estado, y a la frugalidad en que vivió. Conocida por su tacañería, murió en 1916 a los ochenta y un años, dejando una fortuna de cien millones de dólares, y siendo la mujer más rica de Estados Unidos.

482. HARRIET HUBBARD AYER (1849-1903)

Harriet Hubbard Ayer fue, además de una bella periodista del *New York World*, la autora de *El libro de salud y belleza de Harriet Hubbard Ayer*. Hubbard Ayer acudió a un químico que aseguraba estar en posesión de un afeite que su abuelo había creado para una legendaria belleza francesa, y le compró la fórmula de su crema corporal. Ayer se hizo rica gracias a la colaboración de artistas y charlatanes que difundieron la fama de su crema; luego vendrían tiempos peores: su ex marido, su hija y sus prestamistas se volvieron contra ella, e incluso su hija la demandó, y la ingresó en un hospital psiquiátrico.

483. EMPRESARIAS PIONERAS

Cerca de cada guarnición militar fronteriza norteamericana solía haber una hilera de casas, que formaban las llamadas calles de las Espumas, donde vivían las lavanderas.

Aunque la mayoría de ellas no tenían estudios, contribuyeron a la creación de muchos de los pueblos de la frontera. Clara Brown, una esclava liberada que cobraba cincuenta centavos por camisa en su lavandería de Colorado, tuvo a Horace Greeley entre sus clientes. A fuerza de trabajar duro, ahorrar e invertir en tierras, ganó suficiente dinero para ayudar a otras esclavas a establecerse por su cuenta. También financió una exitosa expedición para buscar a su hija, a la que habían vendido muchos años atrás.

484. MADAME C. J. WALKER (1867-1919)

Si Madame C. J. Walker (nacida Sarah Breedlove) no fue la primera mujer millonaria norteamericana, al menos fue una de las primeras. En cualquier caso, fue la primera afroamericana millonaria. Se hizo rica inventando y fabricando productos para alisar el cabello de las mujeres negras. En 1910 tenía fábricas en Denver, Indianápolis y Pittsburg, además de su propia legión de vendedoras que como «analistas de belleza», vendían sus productos de puerta en

puerta por Estados Unidos y el Caribe, vestidas con uniformes de etiqueta.

C. J. Walker se convirtió en todo un modelo a seguir para las mujeres negras: abrió escuelas de belleza y las animó a que abandonaran el trabajo doméstico y emprendieran la búsqueda del éxito. Su empresa fue, de entre todas las administradas por negros, la más grande de la época.

485. COCO CHANEL (1883-1971)

A la diseñadora de moda Gabrielle Chanel le pusieron el alias de «Coco» a los veinte años, mientras divertía al Décimo Regimiento de Caballería. Amante por igual de los hombres de negocios y de la realeza inglesa, abrió una tienda de sombreros en 1913, e inició entonces una fulgurante ascensión que no se detuvo hasta la consecución del liderazgo mundial de la alta costura.

Chanel vistió a princesas y duquesas con sencillos y elegantes vestidos camiseros. Inventó también el «look del jersey», desarrolló una línea de ropa deportiva y de bisutería para mujer, y en 1921 introdujo en el mercado su perfume Chanel N.º 5, que se convertiría en el perfume más famoso de todos los tiempos. En 1954 produjo el primero de sus trajes chaqueta, todavía admirados y emulados hoy en día.

486. HABLANDO DE LA PIEL

Elizabeth Arden (Florence Nightingale Graham) inauguró su cadena de salones de belleza en Nueva York en 1910. En 1938 tenía ya veintinueve salones, diez de ellos fuera de Estados Unidos.

En 1914 Helena Rubinstein se unió a la floreciente industria de los cosméticos, y amasó una vasta fortuna gracias a la célebre crema para la piel que comercializó en Australia. Rubinstein inauguró el primer salón de belleza de Inglaterra, posteriormente abriría otro en París, y acabó convertida en asesora de belleza de las mujeres de la alta sociedad. Fue la pionera de la transformación en el arte del maquillaje, embarcando a miles de mujeres en giras donde les enseñaba a maquillarse correctamente. Cuando murió en 1965, su negocio se valoraba en sesenta millones de dólares.

Un par de décadas antes, en 1946, apareció en escena Estee Lauder (Josephine Esther Mentzer), quien creó una empresa de cosméticos que superó a Revlon, Arden o Rubinstein.

487. MARY KAY ASH

Mary Kay Ash creó su empresa de cosmética en 1963. Treinta años después la empresa había ingresado, tan sólo en concepto de ventas, 163 millones de dólares y su plantilla ascendía a trescientas mil vendedoras. Cosméticos Mary Kay es única por su forma de reclutar, formar y apoyar a las mujeres; al menos ése es el objetivo que persigue la empresa regalando cadillacs rosas y otros premios a sus vendedoras más eficaces. La compañía es singular también por la diversidad de sus empleadas; así, mientras que algunas de las «asesoras de belleza» que allí trabajan son meras amas de casa, otras son mujeres que tratan de huir de la América conformista.

488. AGATHA RUIZ DE LA PRADA (n. 1960)

Tan conocida por el llamativo color de sus prendas como controvertida por la audacia de sus creaciones, esta diseñadora española ha promovido una estética basada en lo asimétrico como forma de reivindicar la libertad y la comodidad de la mujer.

Inició su andadura en las pasarelas a mediados de los ochenta, cuando fue seleccionada para presentar su colección de ropa en una de las más prestigiosas de España: la pasarela Cibeles. Allí sorprendió gracias a una colección diseñada a fuerza de colores chillones y prendas o complementos tan desacostumbrados como alambres, espirales, muelles, aros, ruedas y taca-tacas. Desde entonces Ruiz de la Prada ha paseado sus colecciones por las pasarelas más importantes de todo el mundo, y con el tiempo ha extendido su arte a muebles y otros complementos.

SEXTA PARTE

LA VIDA COTIDIANA

MIEDOS Y FANTASÍAS

489. LA VIRGEN Y LA PROSTITUTA

Durante miles de años, las sociedades han visto en la sexualidad de la mujer una fuerza indómita susceptible de domesticación. Tal punto de partida sirvió para distinguir a las «buenas mujeres», que eran dóciles, virginales y sin deseos sexuales, de las «malas mujeres», que disfrutaban del sexo y eran consideradas peligrosas. Según el Viejo Testamento (Isaías 3:16-17): «Por cuanto son altivas las hijas de Sión, y andan con el cuello estirado y guiñando los ojos, y a pasitos menudos, y con sus pies hacen tintinear las ajorcas, afeitará el señor el cráneo de las hijas de Sión, y Yahveh descubrirá su desnudez».

490. TERRITORIO VIRGEN

A lo largo de la historia, la mejor fórmula que halló el hombre para asegurarse de que su descendencia le pertenecía, era casarse con una joven virgen que hubiera sido apartada de la sociedad. O, en palabras de una antigua ceremonia nupcial ateniense, «Te entrego a esta mujer para que la ares con hijos legítimos».

491. FINGIENDO

La virginidad ha sido un bien tan preciado por los maridos que las mujeres han recurrido a diversos métodos para simular la desfloración en la noche de bodas. Entre ellos se cuentan la de introducir pequeños fragmentos de cristal en la vagina antes de las relaciones, o esponjas o vejigas de pez mojadas en sangre de paloma.

Una canción del siglo XVII sugería la restauración del himen con un sutil tejido de seda:

El cornudo toma una doncella
que es ya una herramienta hecha de reensartados
—el coño lavado con áloe hace de una
puta una doncella.

492. ATENCIÓN

«Tres cosas son insaciables: el desierto, la sepultura y la vulva de una mujer» (proverbio musulmán).

493. TENER MIEDO

A lo largo de la historia hemos asistido a un interminable desfile de simbolismos que expresan el miedo de los hombres a la sexualidad femenina. Las *vaginas dentatas*, o vaginas dentadas, y las terroríficas escenas de mujeres castrando y engullendo a sus amantes, son imágenes comunes en el arte, la leyenda y la psicología.

La *Sheila-na-gig* constituye, en cualquier caso, una representación más benevolente de los genitales femeninos: muestra a una mujer desnuda con las rodillas abiertas mostrando su vulva. En su momento, los antiguos celtas pusieron tales imágenes en sus puertas para invocar a la buena suerte y, de paso, como recuerdo del origen del nacimiento.

Hay quien cree que poner herraduras sobre las puertas es una forma moderna de emular la invocación bendita del *Sheila-nagig*.

494. EL DOBLE RASERO

Sociedades de todo el mundo alaban a los hombres al tiempo que castigan a las mujeres por su comportamiento sexual; así, los hombres son sementales y las mujeres guarras. Mientras que a los chicos jóvenes se les anima a mostrar su «vena salvaje», a las mujeres se les advierte de que una futura pareja «no comprará la vaca si puede conseguir la leche gratis». Quizás el razonamiento que hay detrás de esta afirmación sea de carácter biológico.

Pero la biología arroja datos poco halagüeños: las mujeres producen un óvulo al mes durante su vida fértil, mientras que los hombres producen cerca de doscientos millones de espermatozoides en cada eyaculación. Para que una mujer triunfe biológicamente necesita de un compañero fiel que esté dispuesto a ayudarla a ella y a sus descendientes durante un largo período de tiempo. Por el contrario, el triunfo biológico del hombre no consiste más que en sembrar su semilla genética en el mayor número de mujeres.

495. ADULTERIO

Las ciudadanas hebreas de la Antigüedad a las que se consideraba culpables de adulterio eran apedreadas hasta morir.

En Egipto se dio el caso de una mujer que reivindicó su inocencia, fue perdonada y se libró de ella al no haber sido descubierta en plena fornicación.

En Roma, el emperador Augusto proclamó que las mujeres adúlteras debían divorciarse, perder la mitad de su dote y un tercio de sus propiedades. Además, se las desterraba y se les prohibía volver a casarse. Los hombres, en cambio, casi nunca recibían castigo por adulterio.

En Inglaterra, el adulterio del marido no fue considerado causa de divorcio hasta 1923, y en Italia las mujeres, no los hombres, podían ser acusadas de adulterio hasta principios de la década de los setenta.

496. CRÍMENES PASIONALES

Hasta el siglo XX existió en algunos países europeos, especialmente en Francia, una defensa legal del asesinato del cónyuge. El crimen pasional establecía que el marido o la esposa tenían derecho a matar a su cónyuge si él o ella era descubierto *in flagrante delicto*. A pesar de la presunta igualdad de estatus, los jueces absolvieron a muchos más maridos que esposas.

VIOLENCIA CONTRA LAS MUJERES

497. LOS ALBORES DE LA CIVILIZACIÓN

Según la leyenda, los fundadores de Roma (Rómulo y Remo) y sus seguidores secuestraron y violaron a las fundadoras de Roma, las sabinas. Cuenta que los romanos invitaron a sus vecinas a un festín y entonces las atacaron.

En el siglo V a.C., el hijo del rey Tarquino raptó a Lucrecia, una honorable mujer romana. Ella se lo contó a su padre, a su marido y a su tío y luego se suicidó, prefiriendo la muerte a convertirse «en un ejemplo de deshonor para otras esposas».

A la larga, la vulneración de las leyes de la hospitalidad (violar a la mujer de tu anfitrión) contribuyó a la caída de los etruscos y, por extensión, al establecimiento de la República romana.

498. PRIMA NOCTE

En el año 875 el rey Ewan III de Escocia decretó que «los señores feudales tenían derecho a disfrutar de las vírgenes que moraran en sus tierras».

Durante la Edad Media y en siglos posteriores se extendieron por toda Europa una serie de leyes que proclamaban el derecho de los nobles a gozar de las novias en sus noches de boda; antes, incluso, de que lo hicieran los novios (derecho de pernada).

499. LOS GRANDES PADRES BLANCOS

«Al igual que los antiguos patriarcas, nuestros hombres viven en sus casas rodeados de sus mujeres y de sus concubinas; los mulatos que se pueden encontrar en cada familia se parecen a los niños blancos. Cualquier mujer está dispuesta a explicar quién es el padre de los niños mulatos de cualquier casa menos de la suya. Parece como si creyeran que éstos han caído del cielo» (Mary Chesnut, 1823-1886, Carolina del Sur).

500. ESCLAVITUD BLANCA

Los primeros intentos por prohibir la trata de blancas (el tráfico internacional de mujeres para la prostitución) empezaron a finales del siglo XIX. La Ley Mann, también llamada Ley del Tráfico de Esclavos Blancos, fue aprobada en Estados Unidos en 1910 para impedir el tráfico de mujeres con propósitos impúdicos, dentro de su propio país, o en el extranjero.

501. VIOLACIÓN REGLAMENTARIA

Las altas instancias del ejército alemán dirigieron burdeles itinerantes durante la primera guerra mundial, en donde las prostitutas podían llegar a atender hasta a diez clientes en menos de dos horas.

502. LAS MUJERES EN EL HOLOCAUSTO

Algunos campos de concentración nazis, como el de Ravensbrüch, sólo reclutaban a mujeres. Algunas eran judías, otras habían luchado activamente por la mejora de la clase trabajadora; incluso algunas fueron retenidas bajo amenaza para obligar a sus familiares a que confesaran. Igualmente, muchas prisioneras fueron obligadas a prostituirse con miembros del ejército alemán. Algunas se sublevaron: Olga Benario y Charlotte Eisenblettermen formaron la Resistencia de Mujeres de Ravensbrüch.

503. MUJERES COREANAS

Durante la segunda guerra mundial, el ejército japonés, que contaba con unos efectivos de setenta mil japonesas al servicio de los campamentos militares, decidió reclutar a ochenta mil coreanas para trabajar como prostitutas. El espeluznante trato que los japoneses depararon a aquellas «mujeres de recreo» sigue enturbiando las relaciones diplomáticas entre ambos países. Las supervivientes fueron objeto de toda suerte de persecuciones y burlas al regresar a sus hogares después de la guerra. Muchas de ellas se suicidaron.

504. MUTILACIÓN GENITAL

En Estados Unidos la ablación del clítoris fue una práctica que perduró hasta los años cuarenta, al parecer, como «correctivo» a la masturbación femenina. Las ablaciones (escisión del clítoris y a veces de los labios adyacentes) han sido practicadas durante siglos en otros países, especialmente en África y en Oriente Próximo.

Por su parte, la infibulación, otra forma de mutilación genital, consiste en unir los dos lados de la vulva sobre la vagina, dejando solo una pequeña abertura para la orina y el flujo menstrual; el sello se abre si el marido desea tener relaciones sexuales.

La ablación de clítoris y la infibulación se practican (generalmente sin anestesia) a bebés, niñas o púberes. Las razones que explican semejante práctica son religiosas y culturales, y entre las consecuencias resultantes pueden incluirse hemorragias, septicemia, incontinencia, abscesos, infertilidad y un gran número de dolencias obstétricas, sexuales y psicológicas. Aunque muchos países han promulgado leyes contra la mutilación genital femenina, ésta todavía se practica.

505. SUPERMACHO

En 1979 un juez brasileño absolvió al *playboy* Docca Street de la acusación de matar a su amante, la millonaria Angela Diniz. Street disparó hasta cuatro veces contra su rostro porque había coqueteado con otro hombre mientras paseaban por la playa; el jurado absolvió a Street aduciendo «defensa del honor». La cosa no quedaría así y las indignadas protestas de las feministas brasileñas ayudaron a invertir el veredicto.

Anteriormente, los hombres brasileños que asesinaban a sus esposas o amantes en «crímenes pasionales» casi nunca recibían castigo alguno. Hoy en día Brasil cuenta con ochenta y cuatro comisarías femeninas destinadas a asistir, exclusivamente, a víctimas de la violencia.

506. INFANTICIDIO FEMENINO

Durante siglos, muchas sociedades han privilegiado la descendencia masculina a la femenina. En China, por ejemplo, a pesar de que el gobierno penalizó el infanticidio femenino en 1983, la práctica ha persistido amparada en la ley del país que prohíbe tener más de un hijo por familia. Desde entonces se ha sacrificado a un gran número de niñas y se han incrementado los casos de aborto.

507. ABUSOS SEXUALES A MENORES

Cada treinta segundos, un niño (que acostumbra a ser niña) es objeto de malos tratos en Estados Unidos. El 95 por ciento de las víctimas conocen a sus agresores, en su mayoría hombres que abusan de una media de 117 niños en su «carrera». La mayoría de estos niños no presentan denuncias.

Las cifras indican también que el 95 por ciento de las prostitutas adolescentes han sufrido abusos sexuales en la infancia.

508. VIOLENCIA DOMÉSTICA

En Estados Unidos se maltrata a una mujer cada quince segundos. Cada cinco años, el número de mujeres víctimas de la violencia doméstica iguala al total de muertes de la guerra de Vietnam. Cerca del 50 por ciento de las mujeres casadas sufren algún tipo de violencia durante su matrimonio; además, un 25 por ciento de las embarazadas sufren daños físicos.

La mitad de las mujeres sin hogar y sus hijos han huido de la violencia doméstica.

509. LA DOTE LETAL

En gran número de culturas persiste hoy la práctica de entregar la dote matrimonial a los familiares políticos. Así, la familia del novio compra una esposa a través de la dote y la familia de la novia ofrece dinero o bienes para que su hija sea aceptada en matrimonio; a menudo tales intercambios se convierten en formas de extorsión: las mujeres sufren malos tratos, son golpeadas y obligadas a trabajar virtualmente como esclavas por y para sus familiares políticos.

En la India, las muertes ocasionadas por la dote se enmascaran para simular accidentes. Según uno de los más habituales, la mujer tiene «un accidente mientras cocina»; lo que se hace en realidad es rociarla con queroseno y prenderle fuego.

510. CRÍMENES DE GUERRA

Durante la limpieza étnica auspiciada por los serbios, miles de musulmanas fueron violadas en Bosnia-Herzegovina. Muchas se quedaron embarazadas y algunas de éstas fueron asesinadas por sus hermanos, quienes prefirieron verlas muertas antes de que engendraran a niños serbios. En ocasiones no fue necesaria la intervención de los hermanos: ellas mismas se suicidaban.

511. VIOLACIONES

En Estados Unidos, una de cada ocho mujeres ha sido violada. Al parecer, es más probable que sea violada por una persona conocida antes que por un extraño; al fin y al cabo, el 10 por ciento de las violaciones son cometidas por novios o ex novios, el 29 por ciento por amigos o vecinos y el 9 por ciento por maridos o ex maridos. La media de tiempo que un violador pasa en la cárcel es de cuarenta y un meses.

512. ACOSADAS

En 1960 el antiguo novio de Linda Pugach, Burton, contrató a unos sicarios para que le arrojaran ácido en la cara, para evitar que Linda se convirtiera en objeto de deseo de otros hombres. Burton fue encarcelado; al salir de prisión se casó con Linda, y juntos escribieron un libro sobre sus vidas.

En 1992 varios estados norteamericanos promulgaron leyes para impedir que los acosadores persiguieran impunemente a sus víctimas. A pesar de ello, las mujeres que abandonan a maridos violentos tienen un 75 por ciento más de posibilidades de ser asesinadas que las que deciden seguir a su lado.

TODO LO QUE UNA MUJER DEBERÍA SER

513. DEFINIENDO LA FEMINIDAD

Algunos estudios sobre los estereotipos sexuales han comparado las características consideradas «ideales» o «deseables» en hombres y mujeres. Según se desprende de una encuesta realizada en 1983 entre estudiantes universitarios, el hombre «ideal» es independiente, agresivo, activo, hábil en las finanzas, seguro de sí mismo, ambicioso y dominante, tiene aptitudes para las matemáticas, la ciencia y la mecánica, actitud de líder y amante de la aventura. La mujer «ideal», en cambio, es emocional, amable, agradecida, doméstica y atenta, amante del arte, la música y los niños, se entrega a los demás, necesita aprobación y seguridad, y es de lágrima fácil.

514. EL CULTO A LA DOMESTICIDAD

Durante la época colonial, las mujeres realizaban las tareas domésticas para ayudar a sus maridos y familias; a finales del siglo XIX, se consideraba que las mujeres norteamericanas debían ser las responsables de formar buenos ciudadanos.

Para la mujer blanca de clase media, «el culto a la domesticidad» o «culto a la verdadera naturaleza de la mujer» significaba la entrega a la vida hogareña, no estar contaminada por los trasiegos de la vida comercial y política, y ser espiritualmente superior a su esposo; y todo ello para salvaguardar la moral de la nación. La inclusión de estas responsabilidades en la «esfera femenina» amplió las oportunidades educacionales de las mujeres y fomentó un sentimiento de solidaridad hacia ellas. Dado que la construcción nacional quedó en manos de la mujer, el culto a la domesticidad ayudó a allanar el camino de los posteriores movimientos feministas.

515. AMOR DURO

Se cuenta que existió una célebre espartana que cumplió con su deber cívico entrenando a las mujeres para ser guerreras. De tal modo, las futuras madres que tenía a su cargo aprendieron a luchar, a correr y a lanzar la jabalina. Así, sus hijos serían feroces en la lucha, tanto que Plutarco describió la imagen de una madre dándole un escudo a su hijo mientras le advertía «O con él o sobre él».

En Esparta los esposos no «poseían» a sus mujeres como en otras ciudades de la antigua Grecia. Incluso presentaban a hombres jóvenes y fuertes a sus mujeres, para favorecer el vigor de la procreación; gracias a dicha práctica (la selección eugénica), se estimuló el nacimiento de niños biológicamente superiores.

516. BAJO CONTROL

La Ley Oppiana, decretada en Roma en el año 215 a.C, disponía que «ninguna mujer podía poseer más de media onza de oro, ni llevar prendas de varios colores, ni montar en un carruaje tirado por caballos en ningún pueblo o ciudad, o más allá de un radio de una milla de sus límites, excepto con ocasión de algunas ceremonias religiosas públicas». La ley fue decretada como una medida de austeridad en tiempos de guerra, pero tuvieron que pasar veinte años (y las protestas de las mujeres en las calles) para que fuera abrogada. Catón se opuso a su abrogación diciendo que «la mujer es un ser testarudo y descontrolado … lo que quieren es completa libertad … si les cedemos un derecho tras otro, de forma que acaben siendo iguales a los hombres, ¿creéis que podríamos soportarlas? ¡Imposible!».

517. LINDAS CABECITAS LOCAS

Según declaró uno de los miembros del jurado, la mayoría de las participantes en el concurso de Miss América eran «insulsas muñecas» (guapas pero tontas). En 1925 los patrocinadores del concurso prometieron que el evento tendría «un nivel superior y que sus participantes representarían a hijas de pastores, maestras, chicas estudiantes y, en general, a una feminidad más deseable». A pesar de ello, la imagen de muñeca tonta, *bollycao* o *barbie* ha persistido en la cultura norteamericana; moraleja: una mujer no puede ser a la vez inteligente y atractiva.

518. TONTEANDO

Algunas célebres actrices fueron más conocidas por su figura que por su inteligencia o sus habilidades interpretativas. Jayne Mansfield, cuyo coeficiente intelectual estaba cifrado en 163 puntos, se convirtió en el paradigma de la gatita sexual de los años cincuenta. Mansfield chillaba y ronroneaba mientras balanceaba sus perfectas curvas (90-60-90) sobre unos vertiginosos tacones de aguja.

Asimismo, Judy Holliday se convirtió, con su voz aflautada, en el paradigma de la rubia tonta de Hollywood.

A comienzos de los ochenta proliferaron los papeles de «provinciana», con adolescentes malcriadas y dadas a la risa tonta, continuando así con la tradición de estereotipar a mujeres y niñas como seres tan nimios como bobos.

519. EL COMPORTAMIENTO DE UNA DAMA

Los libros de etiqueta de finales del siglo XIX y comienzos del XX incluían los siguientes consejos para alcanzar el ideal femenino:

«Una mujer que se mueve en sociedad debe, si no quiere quedarse sin compañía, saber bailar ... Es uno de los entretenimientos saludables y elegantes, que nunca será lo suficientemente recomendado».

«La dama de compañía (carabina) debe ... observar la naturaleza de los hombres que cortejan a su pupila y esforzarse por salvaguardar a la inexperta joven de los peligros de un mal matrimonio, si es posible.»

«Incluso cuando besar a un hombre pueda ser aceptable, déjale hacer el primer movimiento. La reputación de chica fácil lo es todo menos un cumplido.»

520. EMILY POST (1873-1960)

«Una no debe balancear los brazos como si fueran colgantes, no debe contonearse, ni gritar y no debe, mientras lleva el velo nupcial, fumar cigarrillos.» Eso dijo Emily Price Post, autora del *bestseller Etiqueta: el libro azul de los usos sociales*. Los libros, artículos y columnas de Post codificaron las normas sociales para el cambiante mundo del siglo XX en Estados Unidos. Post partió de los últimos años de su educación escolar para popularizar, con ingenio, las normas de la etiqueta, ya fueran formales o informales, postular sobre las costumbres matrimoniales, la indumentaria o cómo servir la mesa. Post puso su discurso en boca de una serie de personajes de ficción de nombres tan pintorescos como: la Sra. Cumbrealtiva, Gloria la Magnífica, la Srta. Isabel la Huérfana, María la Vecina, Sra. Érase una vez o Su Alteza la duquesa del Más Allá.

521. PERFECCIÓN PLÁSTICA

La célebre muñeca Barbie es la más vendida de toda la historia. Barbie tiene una figura de vertiginosas curvas, unos pechos prominentes y unas interminables piernas. En uno de los últimos juegos de ordenador de Barbie, el objetivo es ayudar a la muñeca a convertirse en una supermodelo; en otro, Barbie tiene que encontrar la salida de un centro comercial para poder acudir a una cita con su novio Ken.

VÍCTIMAS DE LA MODA

522. INGENIERÍA DE LA BELLEZA

Los polisones y miriñaques crearon la ilusión de una pelvis amplia, realzando el atractivo sexual de la mujer gracias a la proyección de una imagen liberada de la maternidad. Sin embargo, la realidad fue algo más cruel: vestir con faldas de doce kilos de tejido, que se sujetaban en el corsé o en el talle, desplazó, a menudo, los órganos internos de las mujeres.

Igualmente, las originarias crinolinas y los miriñaques consistían en unas enaguas de crin y alambre recubiertas por un tejido inflamable. Muchas mujeres murieron calcinadas, por no calcular bien la distancia con el fuego; una vez las crinolinas prendían era casi imposible desprenderse de ellas.

523. ENTALLADAS

Los corsés deformaban el cuerpo femenino a costa de realzar vigorosamente los pechos, oprimir la cintura hasta estrecharla y de simular unas caderas robustas. Las dolencias derivadas del uso del corsé incluían erupciones cutáneas, fracturas de costilla, colapsos pulmonares, problemas en el útero, neurastenia y debilidad en las paredes abdominales. Las mujeres encorsetadas requerían la atención de sirvientes, puesto que les era muy difícil incorporarse cuando estaban sentadas y enfajadas con acero o barbas de ballena.

524. ATUENDO MASCULINO

El Código Napoleónico francés prohibía a las mujeres vestirse como hombres. La escritora George Sand se percató de que mientras vestía como una mujer «era como un barco en el hielo, mis delicados zapatos se rompían en dos días, y siempre olvidaba levantarme el vestido. Acababa cansada y llena de barro». En cambio, cuando se puso pantalones, chaleco, sombrero y botas, dijo «Por fin me sentía segura sobre las aceras. Recorría París de arriba abajo y creía estar dando la vuelta al mundo. Salía cuando lo deseaba, volvía a casa a la hora que me apetecía y estaba en la platea de todos los teatros».

525. TACONES ALTOS

En 1874 los avances médicos ya advirtieron del peligro de llevar tacones altos: «Los chinos escandalizan nuestro sentido moral cuando deforman los pies de sus mujeres comprimiéndoselos en la infancia … [pero] los tacones altos … son una de las mayores fuentes de dolencias. No sólo causan contracciones en los músculos de las piernas … [sino que también] provocan los callos y los juanetes que provocan tanto dolor al andar».

526. BOMBACHOS

Amelia Jenks Bloomer copió el diseño de los pantalones para mujer de su amiga Elizabeth Smith Miller. Miller se inspiró en las prendas que vestían las mujeres de un centro de recuperación, aquejadas por las lesiones provocadas por los corsés y las fajas, para diseñar sus célebres pantalones de estilo turco. Miller vio que las mujeres que allí convalecían vestían prendas cómodas.

Con el tiempo, las feministas y las mujeres que trabajaban en las fábricas de Lowell, Massachusetts, se convertirían en las primeras defensoras de los bombachos. Durante la segunda guerra mundial, los pantalones fueron aceptados como indumentaria de las mujeres que trabajaban en las fábricas.

527. LA LONGITUD

Desde el siglo XIII las mujeres vistieron largas faldas, hasta que en 1914, y en un lapso de sólo dos años, logró recortarse el largo hasta en veinticinco centímetros. Durante la segunda guerra mundial, las mujeres vistieron con faldas cortas para conservar los recursos nacionales. Después de la guerra los dobladillos cayeron a plomo como símbolo de la prosperidad de la posguerra.

Y a principios de los años sesenta, Mary Quant, una diseñadora londinense, creó la minifalda (que ha sido considerada «menos una prenda de vestir que la bandera de una revolución»). Cuando se le preguntó sobre el significado de la mini-minifalda, Quant contestó simple y elocuentemente, «Sexo».

528. PANTIS

Fue tal la demanda que desataron los pantis, que el 15 de mayo de 1940 cuando las primeras medias de nailon de Du Pont se pusieron a la venta, se produjo un alboroto; sin embargo, el nuevo modelo que se comercializó en 1959, pasó casi desapercibido. Pero, a medida que la tecnología avanzaba, las ventas de los pantis subieron como la espuma. Las mujeres se alegraron de poder liberarse de las opresivas fajas y los incómodos ligueros. Los pantis ocultaban la celulitis, el vello corporal y las manchas de la piel. Las innovaciones posteriores, que alisaban el vientre y reafirmaban el trasero, dieron aún más popularidad al producto. Hoy en día se estima que sólo las mujeres norteamericanas compran unos cien mil millones de pantis al año.

529. BIKINIS

En el siglo XIX los trajes de baño para mujer se confeccionaban con tejidos pesados, de tal forma que las mujeres vestían con corpiños ajustados, faldas hasta la rodilla y pantalones anchos o medias.

En 1946 el diseñador parisino Louis Réard creó un nuevo traje de baño de dos piezas y lo bautizó así con motivo de las primeras pruebas nucleares norteamericanas en tiempo de paz, que tuvieron lugar en el atolón de Bikini, en las islas Marshall, cuatro días antes de la salida al mercado del nuevo bañador.

530. «SHORTS»

Cuando los grandes almacenes Bloomingdale pusieron los primeros *shorts* a la venta en 1970, las clientas avasallaron a las dependientas para comprar aquellos fascinantes pantalones cortos y ceñidos. Las mujeres que vestían *shorts* (al contrario de las que llevaban minifalda) podían sentarse y cruzar y descruzar las piernas sin vergüenza, y sin sacrificar su *sex-appeal*. La nueva prenda no tardó en popularizarse; así, Jackie Onassis llevaba unos de Halston cuando navegaba; las desenfadadas novias californianas se pusieron *shorts* con lazos blancos y botas de *go-go*; y Liberace hizo girar su bastón de *majorette* vistiendo unos *shorts* rojos, azules y blancos.

OBJETOS SEXUALES

531. BUENAS PARA COMER

La comida y el amor siempre han ido de la mano. El diseño de los tortellini, por ejemplo, se inspira en el monte de Venus.

Y Luis XIV recurrió a un escultor francés para que hiciera el molde de un seno de su amante, y *voilà*: la copa de champán se hizo realidad.

532. TALLAS

Algunos marineros del siglo XIX mataban el tiempo en alta mar, tallando los huesos de las ballenas o los colmillos de las morsas. Aquellos objetos artísticos constituyeron una reveladora prueba de las fantasías eróticas de los marineros; de sus moldes emergieron escenas de visitas a burdeles o imágenes de genitales femeninos, que, por lo general, eran destruidas por orden del capitán, antes de que el barco llegara a puerto.

533. CHICAS «PINUP»

Durante generaciones, los soldados y los marineros han colgado imágenes de celebridades femeninas en sus taquillas, en el interior de sus cascos o sobre sus camas. En los años cuarenta, Betty Grable, una actriz de cine de veintinueve años con «las mejores piernas del mundo», ganó trescientos mil dólares por fotografiarse en bañador y tacones altos. Las fotografías de las *pinups*, decoraron el fuselaje de los aviones durante la segunda guerra mundial y la de Corea; expresaban, según un exégeta de la época, «un doble mensaje de guerra y sexo, erotismo y valor, placer y destrucción humana». Se dice que la primera bomba atómica lanzada sobre Hiroshima estaba decorada con una foto de Rita Hayworth.

534. TEMPRANOS COMIENZOS

La edad media a la que un chico ve por primera vez un número del *Playboy* es a los once años.

535. LA VIOLACIÓN COMO DIVERSIÓN

«Parece que me lo esté pasando bien. Nunca me ha preguntado nadie el porqué de los morados que tengo en el cuerpo … Cada vez que alguien ve *Garganta profunda* está viendo mi violación» (Linda «Lovelace» Marchiano).

536. ¿PALABRAS CARIÑOSAS?

Expresiones cariñosas como muñeca y pequeña se originaron como muestras de afecto, pero a la larga se han convertido en apelativos despectivos. Denominaciones como conejito, pollito, zorra, terroncito de azúcar o galletita equiparan a las mujeres a los animales y enfatizan su comestibilidad.

VIGOROSAS INDIVIDUALISTAS

537. AMIGAS DEL ALMA

Las misioneras Narcissa Prentiss Whitman y Eliza Hart Spalding acompañaron a sus maridos al Oeste americano en 1836. Ambas hicieron la mayor parte del viaje cabalgando a la inglesa y se convirtieron en las primeras mujeres blancas en cruzar las Montañas Rocosas. Después de instalarse a ciento noventa kilómetros una de otra decidieron, en nombre de su amistad, ponerse a meditar cada día desde las 9 de la mañana, para «contactar» entre ambas y rezar para encauzar sus respectivas ocupaciones como madres y misioneras. En 1847 un grupo de indios cayuse que habían sido saqueados por los blancos y que se resistían a que los misioneros destruyeran su cultura, mataron a Narcissa Whitman y a trece personas más.

538. TIEMPOS DIFÍCILES

«El Oeste es agradable para los hombres y los perros, pero un infierno para las mujeres y los caballos» (viejo proverbio de los pioneros).

539. MARTHA MARTIN

En los años cincuenta, Martha Martin vivía en el suroeste de Alaska casada con un buscador de oro, cuando un alud la sepultó estando su marido ausente. Martin consiguió salir por su propio pie de entre las rocas y la nieve, se entablilló el brazo roto, se fabricó una muleta para la pierna, también fracturada, y se preparó para pasar el invierno sola (embarazada). Uno de los pasajes extraídos de su diario dice: «Hoy he matado una foca … con un hacha, la he traído a casa y la he despellejado. Le he sacado el hígado y me he comido un trozo». Antes de dar a luz, Martin cortó madera extra, coció pan e hirvió la cuerda de un saco de harina para atar el cordón umbilical; parió sola, envolvió a su hija con la piel de foca y la bautizó con agua de mar. Después de pasar muchos meses solas, Martin y su hija fueron rescatadas por los indios.

HERMOSAS VISIONES

540. VENTANAS DEL ALMA

La reina Cleopatra de Egipto, amante tanto de Julio César como de Marco Antonio, se pintaba los ojos con *khol*, una pasta negra hecha de almendras tostadas, óxido de cobre, antimonio en polvo y arcilla marrón, y humedecida con saliva. Las egipcias hacían lo propio aplicándose en los párpados unos polvos iridiscentes hechos de caparazones de escarabajo machacados. Otras se aplicaban malaquita en polvo para conseguir una sombra de ojos verde.

Tanto a las griegas como a las egipcias les encantaban las cejas alargadas, y cuando era necesario usaban lápices de *khol* para unírselas.

541. CUIDADO DEL CABELLO

Peinarse bien ha sido siempre una ardua tarea. A lo largo de la historia, las personas han potenciado el color del pelo con productos químicos, y se lo han decolorado o espolvoreado con polvo de oro, polen o harina. Así, las mesopotámicas combinaron cabezas de cuervo y de cigüeña con hiel de buey, opio y escorpiones, para dar un tono grisáceo a sus cabelleras; y las egipcias mezclaban el láudano con huevos de cuervo y el útero de una gata, para teñirse el pelo.

En el siglo XVII las italianas lucieron un moderno color rubio rojizo. Y en tiempos de María Antonieta, los elaborados peinados y las pelucas añadieron centímetros (y espectacularidad) al vestuario de la corte; las mujeres de la época llegaron a embutir entre las estructuras de alambre que sujetaban el pelo ornamentos como plumas, joyas, pájaros artificiales o maquetas de barcos. Y todavía hallaron espacio para hacer balancear sus tirabuzones como cascadas.

542. ¡AY!

El polvo de plomo ha sido usado desde la civilización griega para blanquear el rostro de la mujer. Las italianas del siglo XV pasaban horas depilándose la frente y las cejas, para que su frente pareciera más ancha; también blanquearon su piel con polvo de plomo y se frotaron las mejillas con abrasivos para conseguir una refinada palidez.

Las bellezas del siglo XVII usaban el albayalde, un material endurecedor, como esmalte para estirar los músculos faciales.

Algunos siglos atrás el arsénico había sido el ingrediente activo de un popular depilatorio grecorromano. En el siglo XVIII su uso varió: las mujeres comían galletas de arsénico para tornar pálido el color de su piel; claro que lo hacían a costa de envenenar la sangre.

Por su parte, las egipcias doraban sus pezones y pintaban de azul las venas de sus pechos; también confeccionaban cremas antiarrugas con leche, cera, aceite de oliva y estiércol de cocodrilo.

Ya a finales del siglo XIX algunas mujeres que vestían trajes escotados se atravesaron los pezones con alfileres adornados con piedras preciosas.

543. PIES VENDADOS

Las madres chinas empezaron a vendar los pies de sus hijas durante el siglo X para crear «flores de loto», un signo de belleza y refinamiento. A las niñas de entre cinco y doce años se les rompía el
empeine y se les vendaban los dedos: unas vendas de lino bien apre-
tadas atajaban el crecimiento de los pies. A consecuencia de ello
padecieron constantes dolores e infecciones como la gangrena. Los
pies ideales debían medir siete centímetros y medio, y debían caber
en la palma de la mano de un hombre. Aquellas que no seguían el
rito no podían casarse, excepto entre las clases más pobres. Si tras el
rito podían llegar a caminar, sólo lo lograban mediante ayuda y
pronto se convirtieron en un símbolo del estatus de los esposos que
podían permitirse el lujo de contratar asistencia física para sus des-
validas mujeres.

544. «À LA GARÇONNE»

Las mujeres empezaron a cortarse las largas melenas a principios del
siglo XX. La medida benefició especialmente a las trabajadoras, que
eran insultadas cuando sus largos cabellos se enredaban en las máquinas de las fábricas.

Durante la era del jazz, el pelo a lo chico se convirtió en un símbolo de una nueva época de libertad. A pesar de ello, en 1922 los
jueces del segundo concurso de Miss América, decidieron que el
pelo corto era demasiado radical para el desfile.

545. AQUÍ LLEGA

La estudiante de instituto Margaret Gorman fue la primera en ganar el concurso de Miss América en 1921; no ganó ni un céntimo,
sólo el trofeo. Años más tarde, durante la Gran Depresión, ella y su
marido pasaron por graves necesidades económicas y fundieron el
trofeo para utilizar la plata. Hoy en día, el Miss América es el concurso privado que proporciona más becas a las mujeres.

546. EL ESTÁNDAR BLANCO

La comunidad afroamericana hizo célebre el grito reivindicativo «Lo negro es bello» en los años sesenta. A pesar de los esfuerzos para diversificar los estándares, el prototipo de belleza en todo el mundo sigue siendo el de una mujer joven, delgada, con la nariz pequeña, el pelo liso y rasgos caucásicos. Según los sociólogos, tales parámetros resultan devastadores para la autoestima de las mujeres de color, y éstas, a menudo, tratan de cambiar su imagen.

Otra patología estética contemporánea es la de algunas mujeres asiáticas, que se operan los párpados para tener una apariencia occidental; o la de algunas negras que usan lentillas para cambiar el color de sus ojos, o recurren a productos químicos para alisar el cabello y blanquear su piel. En algunas culturas, casarse con alguien de piel más clara supone una ascensión inmediata en la escala social.

547. RASGOS DISTINGUIDOS

«Las arrugas y las canas de un hombre de mediana edad son consideradas un signo de atractivo y distinción, mientras que a la mujer de la misma edad se le exige eliminar las huellas del envejecimiento con maquillaje, tinte para el pelo y cirugía estética. El rostro ideal de una mujer no debe ofrecer signos de que haya vivido unas experiencias y unas emociones que la hayan curtido, se espera que permanezca sin huellas y con aspecto juvenil» (Susan Sontag, «The Double Standard of Aging», 1979).

548. SUEÑOS IMPOSIBLES

Los fotógrafos de moda usan modelos delgadas como juncos para sus prendas, equiparando la delgadez femenina a la belleza. En los años sesenta, la modelo Leslie Hornby, «Twiggy», medía 1,62 y pesaba 45 kilos. Las supermodelos de los noventa son mucho más altas, pero, en proporción, continúan siendo muy delgadas, además las perspectivas empleadas por la fotografía de moda acentúan aún más la longitud de sus piernas. Paradójicamente, las piernas largas y ágiles sólo son típicas de las chicas que están en las primeras etapas de la adolescencia, lo que cuestiona seriamente los ideales masculinos de belleza.

549. A DIETA

Las chicas sufren trastornos de la conducta alimentaria en una proporción aplastantemente superior a los chicos: nueve a uno, nada menos. Se calcula que alrededor de dos millones de estadounidenses, en su mayoría mujeres, consumen pastillas adelgazantes. El 15 por ciento de las chicas que cursan sus primeros años de formación académica se ponen a régimen, acomplejadas por su supuesta gordura, a pesar de que solo el 10 por ciento tiene un auténtico problema de sobrepeso; el 90 por ciento de las chicas en edad escolar hacen dietas y, de hecho, el 14 por ciento de las estudiantes vomitan ocasionalmente para controlar su peso.

CHICAS MALAS

550. EN SU LUGAR

«Tenemos hetairas para nuestro placer, concubinas para nuestras necesidades diarias y esposas para darnos hijos legítimos y cuidar la casa» (Demóstenes).

551. HETAIRAS

Las más reputadas cortesanas de la antigua Grecia, una suerte de cultivadas e inteligentes mujeres conocidas como hetairas, tenían derechos de propiedad y participaban en los debates políticos e intelectuales de una cultura dominada por los hombres. Algunas hetairas adquirieron gran notoriedad: Aspasia, además de ser una cu-

randera bien entrenada, dirigió un influyente salón político y literario; Thaïs, la amante de Alejandro Magno, se convirtió más tarde en la consorte del rey de Egipto.

No parece casualidad, pues, que la palabra *heter*, «compañía», derive del símbolo egipcio de la palabra «amistad», cuya ilustración muestra a dos mujeres cogidas de la mano.

552. CONCUBINAS

Las concubinas chinas debían deslizarse por debajo del cobertor y arrastrarse lentamente hacia el emperador. Durante la dinastía de los T'ang (618-907) todas aquellas mujeres que habían reptado entre los cobertores del emperador, eran marcadas con un ungüento indeleble elaborado con canela y la siguiente inscripción: «El viento y la luna son siempre nuevos».

553. HARENES

La investigación documental ha descubierto a un emperador chino entre cuyas posesiones se contaban: una reina, tres consortes, nueve esposas de segundo rango, veintisiete esposas de tercer rango y ochenta y una concubinas. Obviamente, tener bajo control tal número de mujeres era una pesadilla logística y requirió la creación de alojamientos especiales para mantenerlas separadas de otros hombres.

Los marajás indios, los califas árabes, los sultanes bizantinos y turcos otomanos y otros monarcas también tenían aposentos femeninos o harenes. Los relatos de *Las mil y una noches* contribuyeron a difundir, entre los europeos occidentales, el falaz mito de que los harenes eran lugares románticos. En realidad, las concubinas que tenían hijos ascendían de rango, pero, a menudo, urdían tortuosas intrigas para garantizar el derecho de sus hijos a la sucesión.

554. AMANTES

La historia contiene numerosos ejemplos de amantes célebres. Nell Gwyne (1650-1687) vendía naranjas a las puertas de un teatro antes de convertirse en actriz y, posteriormente, en la amante de Carlos II y madre de su hijo. Un día, su carruaje fue asaltado en Hyde Park por una multitud que la tomó, equivocadamente, por una de las amantes católicas del rey. «Desistid, buenas gentes —gritó—, soy la puta protestante.»

Igualmente, la sociedad francesa se escandalizó cuando Luis XV eligió como amante a Madame de Pompadour (1721-1764), miembro de la burguesía. Su famoso peinado con el pelo recogido hacia atrás desde la frente y a veces relleno de madejas de lana, fue bautizado con su nombre.

Hija de un herrero, Emma Hamilton (1765-1815) compartió lecho con un primer amante y con el tío de aquél, antes de entrar en la alcoba del almirante Horacio Nelson, con quien tuvo un hijo y una relación que escandalizaron a Inglaterra. Tras la muerte de Nelson en la batalla de Trafalgar, Hamilton pasó un año en prisión y más tarde murió en Francia, en la miseria.

Lillie Langtry (1853-1929), amante del rey de Inglaterra Eduardo VII, tenía un secreto para conservar la lozanía de la piel: retozar desnuda sobre el rocío matutino. Cuando murió, a los setenta y seis años, poseía joyas por un valor de cuarenta mil libras, incluyendo uno de los rubíes más grandes del mundo.

555. AGNÈS SOREL (1422-1450)

«La bella Agnès», considerada por unanimidad como la mujer más hermosa de Francia, se convirtió en la amante oficial de Carlos VII en 1443 y fue la primera de una larga lista de influyentes mujeres que dominaron a algunos débiles soberanos franceses. Sus aptitudes diplomáticas ayudaron a Francia a expulsar a Inglaterra de su territorio y establecerse como una potencia mundial. Cuando Sorel murió, al dar a luz, la reina Marie lamentó su pérdida tanto como el rey Carlos.

556. MADAME DU BARRY (1743-1793)

La favorita de Luis XV acumuló tanto poder, que, de hecho, ejercía de reina sin corona. Tras la muerte del rey en 1774, fue encarcelada por el gobierno, aunque sería puesta en libertad al poco tiempo. Ayudó a los pobres y estimuló la vida artística como ninguna otra, pero nunca hizo buenas migas con la reina María Antonieta. Con el tiempo sería la amante de otros hombres poderosos.

557. PARTIDARIOS Y DETRACTORES

Cuando la prostituta Julia Bulette, de Virginia City, Colorado, fue asesinada en 1867, muchos de los hombres del pueblo asistieron a su funeral. En cambio, las mujeres «respetables» colmaron de atenciones a su asesino, agasajándole con vino y tortitas en los días previos a su ejecución.

558. AMOR LIBRE

«Una chica que se entrega a un hombre libremente y por amor está moralmente por encima de las mujeres que, por razones pecuniarias o por desear un hogar, se casan con un hombre al que no aman...» (Karen Horney, 17 años, 1903).

559. CHICAS CHARLESTON («FLAPPERS»)

Fueron las chicas más famosas de los años veinte y se las ha conocido popularmente como «el caballo de Troya en la batalla de los sexos». Su escandaloso abandono de corsés, sostenes y enaguas; sus siluetas y aire andrógino les abrieron las puertas del mundo varonil; no en vano fueron mujeres de espíritu libre durante la efervescencia del jazz. Las chicas charleston redefinieron la recatada concepción de la mujer: fumaban, bebían y hacían el amor libremente. La actriz de cine mudo Clara Bow se convirtió en «la chica» de los años veinte, encarnando la espontaneidad de las jóvenes modernas y contribuyendo al progreso de las prerrogativas sexuales femeninas.

560. BETTY BOOP (1930-1939)

Célebre personaje de dibujos animados creado por Max Fleisher en 1930. Sus ojos lánguidos, sus actitudes provocativas y su cuerpo flexible causaron más estragos que muchas vedettes de la época. En 1939 la censura cortó su existencia por razones de moralidad.

561. LA DESPAMPANANTE RUBIA

A mediados de siglo, una actriz secundaria comparó los andares de Marilyn Monroe al movimiento de «la gelatina en primavera». Monroe encarnó el ideal hollywoodiense de la niña-mujer con voz susurrante e infantil. A juzgar por los parámetros estéticos actuales, era demasiado exuberante, pero lo cierto es que su figura curvilínea y su esplendor físico la ayudaron a convertirse en una estrella. Las mujeres intentaban imitarla tiñéndose el pelo de rubio y realzando el pecho.

DE AMOR Y ROMANCES

562. LA CIENCIA DEL AMOR

«El amor romántico es un ballet biológico ... Tanto los rechazos como la represión y las inhibiciones lo alimentan, puesto que la gente se obsesiona en satisfacer sus impulsos biológicos, a pesar de que no pueden esquivar los límites de la moral ... Enamorarse, lo llamamos» (Diane Ackerman, *Una historia natural del amor*).

563. CABALLEROS CON ARMADURAS RELUCIENTES

Los caballeros de la Edad Media y el Renacimiento protegieron la castidad y el buen nombre de sus vulnerables damas, y las honraron con sus hazañas. La caballerosidad era un código de gestos y rituales que los caballeros dedicaban a sus damas y con los que esperaban ganarse su favor, ofreciéndoles la lanza en los torneos.

564. AMOR CORTÉS

El amor cortés floreció entre las clases opulentas durante la Edad Media. Los amantes veneraron a sus damas con el mismo fervor con que los feligreses rendían culto a la Virgen María: salvaban toda suerte de obstáculos como prueba de fidelidad.

La pasión erótica entre los esposos llegó a considerarse pecaminosa; en cambio, se concebía que existiera entre una mujer casada y su héroe o su amante. Muchas damas y otros tantos caballeros se propusieron dominar la lujuria, mientras se deleitaban en los refinados gestos de cariño adúltero. Algunas famosas parejas, como Ginebra y Lancelot o Tristán e Isolda, fracasaron en su intento de no dejarse llevar por el deseo.

565. PERSECUCIÓN CON FLAUTAS

Los jóvenes cheyenes solían tallar flautas para cortejar a las mujeres que amaban. La flauta representaba lo mejor del hombre: su fuerza, su habilidad artística y la admiración por su amada. Por la noche los hombres salían de sus *tipis* y cantaban serenatas a las mujeres. Como quiera que cada flauta tenía un sonido diferente, las mujeres podían elegir al pretendiente que prefirieran.

566. ARROPADOS

A finales del siglo XVIII se extendió entre varias comunidades la práctica de un ritual de cortejo al que se conoció por *bundling*, cuya difusión se propagó especialmente entre los grupos religiosos reformados norteamericanos y europeos. Hasta que se acostumbraban a la intimidad marital, las parejas prometidas pasaban la noche en la cama, completamente vestidas y castas.

567. PENSAR EN INGLATERRA

En 1912 una mujer de cincuenta y cinco años, lady Alice Hillingdon, escribió: «Estoy contenta ahora que Charles llama menos a la puerta de mi habitación. Ahora sólo espero un par de llamadas a la semana, y cuando oigo sus pasos tras la puerta, me estiro en mi cama, cierro los ojos, abro mis piernas y pienso en Inglaterra».

568. MADRE POR UNA HORA

En los años veinte, la cantante de blues Ida Cox grabó una canción de Porter Grainger sobre la satisfacción sexual:

*Soy mamá por una hora, así que un papá ni por un minuto
es hombre para mí,
pon tu despertador, papi, a una hora
    que sea propicia,
        y entonces ámame como quiero ser amada.*

LAZOS QUE ATAN

569. LAS LEYES DE MANU

En los siglos II y III las escrituras védicas conocidas como las leyes de Manu establecieron la práctica hindú de casar a novias muy jóvenes, eliminaron la mayor parte de la educación de las mujeres y suplantaron las estructuras matrilineales por otras patrilineales. Así, se trazó un concepto de mujer ideal que debía tener un tercio de la edad de su marido, y que no podía exceder de los ocho años. La novia no vivía con su marido hasta que llegaba a la pubertad, y entonces era aleccionada en el sexo durante un período de unos días, porque «si una mujer es obligada a someterse a tocamientos por parte de un hombre al que casi no conoce puede llegar a odiar las relaciones sexuales e incluso a todo el sexo masculino». Los matrimonios infantiles respondían a varios propósitos: aportaban mano de obra a hogares necesitados, salvaguardaban la virtud de las chicas jóvenes, y reforzaban la dependencia intelectual, emocional, económica y física de la mujer respecto del marido.

570. LEYES PRECOLOMBINAS

En la cultura azteca, las bodas eran precedidas por un simulacro de rapto y un ritual de denigración de las facultades de la novia como tejedora, cocinera y madre. Curiosamente, en aquellas celebraciones las mujeres no eran ofrecidas por sus padres a sus futuros esposos; en vez de ello se transfería el cuidado del novio a la madre de la novia.

Por otro lado, en la cultura maya, las mujeres podían tener propiedades y las hijas heredar de sus madres; los hijos agregaban un *naal*, o nombre de la casa, derivado del apellido del linaje de la madre.

571. MATRIMONIOS CONCERTADOS

Muchas etnias tradicionalmente nómadas, incluidos los árabes, los mongoles o los gitanos, practicaban matrimonios concertados.

Aquellas prácticas se extendieron por todo el mundo, en especial entre las familias nobles, quienes a partir de la unión fortalecían los vínculos políticos, incrementaban fortunas y terrenos, y aseguraban los derechos de la sangre real; las dotes que se ofrecían las familias aristocráticas podían ser desmesuradas. Así, cuando la hija del duque de Milán, Caterina Sforza, se casó con el rey de Polonia en el siglo XVI, su dote hubiera sido suficiente para cubrir los gastos de toda la deuda nacional sueca.

Hoy en día los matrimonios concertados se siguen practicando en algunas culturas.

572. AMOR MODERNO

En Estados Unidos, la duración media de un matrimonio es de catorce meses, y, por lo general, la mayoría de las novias tienen entre treinta y treinta y cinco años. La revista *Woman's Day* sacó a la calle un número con una encuesta inquietante: el 38 por ciento de las encuestadas dijo que no se casaría otra vez con su marido.

573. DIVORCIO A LA AMERICANA

Estados Unidos tiene una de las tasas de divorcio más altas del mundo: sólo una de cada cuatro familias está formada tradicionalmente, es decir: por una pareja heterosexual, casada y con hijos.

574. ABURRIMIENTO BIOLÓGICO

La antropóloga Helen Fisher concluyó que existía una evidencia química para explicar el adulterio y el divorcio. Según su investigación, la media de tiempo que invierten las parejas en encontrarse, enamorarse, casarse y tener un hijo, es de cuatro años. Llegados a ese punto la atracción química se diluye y las parejas empiezan a practicar el escarceo. Fisher bautizó el fenómeno como «la crisis de los cuatro años»; casualmente, éste coincide con el final de la mayoría de primeros matrimonios en todo el mundo.

EL PROBLEMA DE LA PROCREACIÓN

575. PROFILÁCTICOS PRIMIGENIOS

Los métodos de control de la natalidad de los antiguos egipcios, incluido el *coitus interruptus*, fueron descritos en una serie de papiros. Aunque los egipcios no debían tener una total comprensión de la biología de la contracepción, ingeniaron algunos aparatos que absorbían cierta cantidad de fluido seminal. La fórmula mágica explicaba que debía introducirse una mezcla de miel y carbonato sódico, o una mezcla que contuviera estiércol de cocodrilo, en la vagina. Escritos posteriores sugerían insertar un paño de lino cubierto de acacia y miel. Estas mezclas actuaban tanto de diafragma como a modo de profilácticos.

576. CONDONES

Los condones fueron inventados por Gabriel Fallopius, un médico italiano que intentaba detener una epidemia de una enfermedad venérea en la Europa del siglo XVI.

En 1870 los condones, hechos de goma vulcanizada, ya habían sido perfectamente desarrollados. Algunos de los primeros ejemplares iban acompañados de retratos en color de la reina Victoria y del primer ministro Gladstone. Eran mucho más gruesos que los preservativos que se conocen hoy día, y podían ser lavados y vueltos a utilizar. Su uso original se destinó antes a la prevención de enfermedades venéreas en los hombres, que a la de los embarazos.

577. BARRERAS

Las mujeres griegas usaban cáscaras de granada vacías como diafragma. Aristóteles recomendaba untar el cuello del útero con aceite de cedro, ungüento de plomo y aceite de oliva. Por su parte, Casanova recomendaba a sus amantes que pusieran rodajas de limón para prevenir el embarazo.

En 1870 un médico alemán, Wilhelm Mensinga, desarrolló una barrera de goma con un resorte para mantenerlo en su lugar. El «diafragma alemán» tenía una efectividad del 98 por ciento (casi la misma que el actual).

578. EL DIU

Los nómadas árabes introducían piedras en el útero de sus camellas para prevenir que se quedaran preñadas en las travesías largas. Pronto, la lógica aplicada con el camello se empleó en la mujer: de pronto, ésta asistió a la introducción de materiales tan variopintos y extraños como botones, carretes, pelo de caballo o cuentas de ébano, cristal, marfil, peltre, plata y oro, en su útero. No fue hasta finales de los años setenta cuando se asimilaron las propiedades científicas del DIU.

579. MARGARET SANGER (1879-1966)

Margaret Sanger observó la progresiva debilidad de su madre tras varios partos y presenció las secuelas de los abortos clandestinos, cuando trabajaba como enfermera. En un intento por ayudar a las mujeres de clase obrera a prevenir embarazos no deseados, distribuyó información sobre condones, diafragmas y otras formas de contracepción. Tal actitud le costó la prisión en varias ocasiones, aunque no dejó de proclamar que «las mujeres deberían mirar al mundo con una mirada que diga "vete al infierno"; tener ideas; hablar y actuar desafiando las convenciones».

Sanger acuñó el término control de natalidad y ayudó a establecer una red de cerca de trescientas clínicas, con personal médico básicamente femenino, que distribuía anticonceptivos y registraba su efectividad. Sanger dijo que, para las mujeres, «… sin el derecho al control de sus propios cuerpos, todos los otros derechos carecen de sentido».

580. LA PÍLDORA

La píldora apareció en los años treinta durante las investigaciones sobre un anticonceptivo mexicano elaborado a base de extractos de plantas silvestres. Éstas contenían sapogenina, de la que, a su vez, podía extraerse la progesterona, la hormona sexual femenina, que podía ser tratada para la inhibición del embarazo. En 1962, un año después de que la píldora hubiese salido al mercado en Estados Unidos, más de un millón de mujeres ya la consumían.

581. MADRES ADOLESCENTES

Según el departamento de Planificación Familiar estadounidense, un tercio de las adolescentes no usan métodos anticonceptivos durante su primera relación sexual; se calcula que cuarenta mil adolescentes dejan cada año la escuela por culpa de embarazos no deseados, y que la tasa de embarazos entre las adolescentes no blancas es el doble que entre las blancas. El 90 por ciento de las madres adolescentes se quedan con sus hijos, y las que se quedan solteras no tardan más de un año en quedarse embarazadas de nuevo, en una proporción del 20 por ciento de los casos. En conjunto, las madres adolescentes se enfrentan a muchos más desafíos socioeconómicos en su vida que las mujeres que tienen hijos en la madurez.

SARA MONTIEL

825. SARA MONTIEL
(María Antonia Abad Fernández, n. 1928)

María Antonia Abad Fernández estudió en Orihuela, y pronto sus ambiciones la llevaron a un concurso de aspirantes a actrices, en el que venció. Contratada por el productor Vicente Casanova de Cifesa intervino en *Te quiero para mí* (1944), con el sobrenombre de María Alejandra. A finales de los años cuarenta inició su colaboración junto a José Luis Sáenz de Heredia, quien la dirigió como secundaria en tres películas.

Resuelta a escalar la resbaladiza rampa de la fama, voló a México donde entre 1951 y 1954 rodó trece películas, que le brindaron la oportunidad de trabajar a las órdenes de tres prestigiosos directores de cine norteamericanos: *Veracruz* (1954), de Robert Aldrich, *Dos pasiones y un amor*, de Anthony Mann (1956), y *Yuma* (1957), de Sam Fuller.

Volvió a España en loor de multitudes y obtuvo un clamoroso éxito con *El último cuplé* (1957), un filme romántico, al que siguieron *La violetera* (1958), *La reina del Chantecler* (1962) y *Varietés* (1970).

Poco a poco dejó el cine y prosiguió su carrera de cantante y estrella de revista.

AMÁNDOSE UNA A OTRA

582. LAS DAMAS DE LLANGOLEN

Eleanor Butler y Sarah Ponsonby, dos niñas irlandesas de sendas ilustres familias, se enamoraron cuando estaban en la escuela, a finales del siglo XVIII. Sus familiares intentaron impedir la relación, pero con el tiempo, ambas les convencieron de que habían nacido para estar juntas. Las familias se avinieron a ello, aunque sólo bajo la exigencia de que dejaran sus respectivas residencias.

Eleanor y Sarah se establecieron en Gales, y su casa se convirtió en punto de encuentro de intelectuales y artistas, y donde, según expresaba Eleanor en su diario, ambas fueron muy felices.

583. MATRIMONIOS BOSTONIANOS

Durante el siglo XIX no era extraño que las mujeres se escribieran cartas íntimas, se hicieran largas visitas en sus domicilios respectivos, o que durmieran en la misma cama. La sociedad no consideraba que tales relaciones fueran inmorales y, aunque las mujeres se sentían unidas emocionalmente, no tenían relaciones sexuales.

En los llamados «matrimonios bostonianos», las mujeres han mantenido estrechas relaciones de intimidad. Pese a no estar casadas, llevaban una vida doméstica convencional y compartían gran número de secretos sentimentales. Aunque, por lo general, la gran mayoría de los matrimonios bostonianos (así llamados en el siglo XIX por las relaciones que había entre las damas de la alta sociedad bostoniana) no incluían relaciones sexuales.

584. SALIR A LA LUZ

Si, como algunos historiadores aseguran, es cierto que Gertrude «Ma» Rainey era lesbiana, el lanzamiento de su canción «Prove it on me blues» en 1928 fue el primer alegato público a favor de la homosexualidad por parte de una figura pública norteamericana.

Salí anoche,
con un grupo de amigos,
deberían haber sido mujeres,
porque no me gustan los hombres.
Es cierto que llevo cuello de camisa y corbata,
mujeres, haceos populares,
volveos salvajes.

Todos dicen que lo hago,
nadie me ha descubierto,
tenéis que ponerme a prueba.

585. GERTRUDE STEIN Y ALICE B. TOKLAS

Gertrude Stein tuvo que publicar por su cuenta sus primeros trabajos literarios (algunos de los cuales describían relaciones sexuales lésbicas). Cuando en 1936 publicó la biografía de la que fue su compañera durante largo tiempo, Alice B. Toklas, se convirtió en un *bestseller* y Gertrude Stein en una celebridad.

586. ORGULLO GAY

«Mi sexualidad es una parte muy importante de mi vida, una parte muy importante de mi ser, pero una pequeña parte de mi maquillaje, una parte muy pequeña de lo que hace que un ser humano sea completo. En cualquier caso, ser una lesbiana no es el resultado de nada, no es algo que haya tenido que aprender, estudiar o graduarme en ello. Es lo que soy, nada más y nada menos» (Martina Navratilova).

PASATIEMPOS

587. PARLANCHINAS

La reina Isabel I de Inglaterra fue la «cotilla» —entendido como madrina o mujer sabia— en el bautizo de Jacobo VI de Escocia. Y es que el término cotilla tuvo originariamente connotaciones respetuosas, aunque con el tiempo acabaría aludiendo a la cháchara de las viejas, o cotillas.

588. LA HORA DEL TÉ

Catalina de Braganza, princesa portuguesa que se casó con el rey Carlos II, introdujo el té en Inglaterra en el siglo XVII. Tomar el té se convirtió entonces en un acontecimiento social exquisito y refinado que deleitó todo atardecer cotidiano. Después de que la duquesa de Bedford se quejara de sus mareos nocturnos, se instauró, en la mayoría de las reuniones sociales, la costumbre de servir el té acompañado de sándwiches y pastelillos.

589. TARJETAS DE VISITA

Las mujeres norteamericanas de clase media del siglo pasado se visitaban ritualmente cada tarde, dejando su tarjeta de visita en las bandejas de plata de los recibidores de las casas de sus amigas. Las tarjetas eran un modo elegante de ascender socialmente; de forma que una mujer podía acercarse a otra mejor situada, dejar su tarjeta, y si tenía suerte, recibir una visita a cambio. No devolver una visita fue un signo desaprobación, y sirvió para evitar enfrentamientos que, de otro modo, hubieran resultado desagradables.

590. COMPRAR HASTA MORIR

Tras la guerra civil norteamericana los grandes almacenes auspiciaron que el ir de compras se convirtiera en una práctica tan común como aceptable. Los grandes almacenes, decorados con toda suerte de muebles, galerías de arte y salas, para que las damas almorzaran, proporcionaban el calor de un entorno hogareño y liberaban a las mujeres de la carga de las complicadas normas de etiqueta, pero alentaron el papel de las mujeres como consumidoras.

591. EDREDONES

Las pioneras norteamericanas y las mujeres que vivieron durante la época de la Depresión crearon los edredones por necesidad. Así, transformaron retazos en colchas, que, además de funcionales, eran bonitas obras de arte. Una mujer confesó que, para ella, hacer edredones era «siempre mi rato de desahogo. No estoy feliz sin hacer nada. Pero si puedo relajarme con una aguja y un poco de buena conversación, entonces pienso que está bien … visitar a las amigas, enterarme de las novedades y coser un poco».

592. CICLISTAS PÍCARAS

Cuando se extendió el uso de las bicicletas en 1880, todas las familias querían una para sí, aunque también todas ellas se preguntaban cómo asumir el binomio mujer-bicicleta. Las mujeres requerían de carabinas para ir en bicicleta, y además se les prohibió circular en tándem si iban acompañadas de otra mujer. Cuando llevaban faldas largas, sólo tenían derecho al triciclo. Los más críticos pusieron el grito en el cielo, por entender que las bicicletas eran una amenaza para la moralidad y la salud de las mujeres (especialmente si se ponían pantalones anchos o faldas más cortas para conducir bicicletas de dos ruedas). Otros decían que el ángulo del asiento de la bicicleta podía crear o fomentar el hábito de la masturbación.

593. DAR

En 1890 cuatro mujeres que fueron rechazadas por la agrupación masculina Hijos de la Revolución Americana formaron su propio colectivo, las Hijas de la Revolución Americana (DAR), en Washington, D.C. La afiliación, basada en la herencia, estaba restringida a las descendientes de los que habían luchado en la guerra de la Independencia. El grupo enarboló un severo conservadurismo que le costó varios miembros con los años. Así, Jane Addams, socióloga y ganadora del premio Nobel de la Paz, fue expulsada de la organización por sus actividades pacifistas durante la primera guerra mundial; y la primera dama Eleanor Roosevelt dimitió del DAR en 1939, cuando la organización no permitió a la contralto afroamericana Marian Anderson cantar en el Congreso.

594. VOLUNTARIAS

Mary Harriman fundó, con sus amigas de clase alta, la Liga Juvenil de Nueva York en 1900. En 1920 treinta y nueve ciudades más contaban con ligas juveniles, grupos de mujeres dedicadas a las mejoras cívicas.

Hoy, la Asociación de Ligas Juveniles de Norteamérica continúa promoviendo el voluntariado y las mejoras en la comunidad, en temas como las relaciones entre padres e hijos, la concienciación sobre la violencia doméstica, la salud mental y el drama de los indigentes.

595. «GIRL SCOUTS»

Juliette Gordon Low conoció a sir Robert Baden-Powell, fundador de los *boy scouts*, durante su estancia en Inglaterra. Gordon estaba auténticamente ilusionada con la idea de ofrecer a las niñas las mismas oportunidades que a los niños, lograr que confiaran en ellas mismas, descubrieran la naturaleza y sirvieran a la comunidad. En 1912 creó dos patrullas de dieciséis niñas en Savannah, Georgia. Las actividades de las *girl scouts* incluían cocinar y llevar la casa, hacer nudos, construir campamentos y otros trabajos de supervivencia más insólitos, como, por ejemplo, «cómo reducir a un ladrón con dos metros de cuerda». La organización estaba abierta a chicas de toda raza y procedencia. Las *girl scouts* crecieron hasta convertirse, hoy en día, en la organización femenina de voluntarias con más miembros en el mundo.

SÉPTIMA PARTE

LITERATURA Y PERIODISMO

EL LEGADO LITERARIO

596. ARTESANAS DEL LIBRO

Antes de la invención de la prensa, las monjas de la Europa medieval copiaron e iluminaron innumerables manuscritos, y conservaron y difundieron grandes obras literarias. La biografía de Ida von Leuwen, una de las mayores copistas del siglo XIII, señala que «consagró y comprometió todo su talento a la escritura, copiando, con sumo cuidado, libros para la Iglesia».

597. PALABRAS DEVOTAS

Las monjas son las responsables de casi todos los trabajos literarios femeninos que se conservan de la Edad Media en Europa, entre los que abundan las vidas anónimas de santos. De hecho, su trabajo influyó en las primeras escritoras que empezaron a conocerse por su nombre de pila, quienes también practicaron una literatura de talante espiritual. En los siglos XIII y XIV, por ejemplo, Beatriz de Nazaret escribió *Siete estadios del amor*, Mechthild de Magdeburgo *La luz que derrama la Divinidad* y Marguerite Porete firmó *El espejo de las almas simples y devastadas*. El enfoque religioso que comparten las tres refleja la mimesis temática de la época, y justifica el atrevimiento que demostraron todas ellas al coger su pluma y empezar a escribir. Además, sus amplios trabajos igualan o incluso superan los méritos literarios de sus coetáneos masculinos. Conscientes de sus limitaciones, todas ellas acompañaron sus respectivas obras con una disculpa por su falta de personalidad literaria.

598. CHRISTINE DE PISAN (1364-c.1430)

A la muerte de su esposo en 1389, esta francesa nacida en Italia tuvo que empezar a trabajar como copista y escritora para sacar adelante a su nutrida familia: tres hijos, un nieto y su anciana madre. Pisan había disfrutado de una buena educación y gozaba de

una privilegiada posición social, pero su elección suscitó la controversia, cuando no cierta conmoción, por el hecho de preferir los temas seculares a los religiosos. Criticada, como mujer, por el mero hecho de escribir, se despreocupó de ajustarse a los parámetros literarios que se le presuponían por ser mujer. Su irreductible temperamento motivó que se la identificara con un dicho masculino, de origen escolástico, muy popular en la época, *insignis femina, virilis femina* («una mujer destacable, una mujer viril»). De Pisan fue una pionera, que expresó el punto de vista femenino partiendo de las formas masculinas tradicionales; además analizó las ventajas de las que disfrutaban los hombres en virtud de su educación, y lo hizo convencida de que, en realidad, lo que daba un auténtico sentido a su obra era su condición sexual. Escribió sobre política o filosofía, y cultivó la poesía, su voz anunció el feminismo. Asumió la defensa de su sexo en trabajos como *Carta al Dios del Amor* (1399), *El libro de las tres virtudes* (1406) y el más famoso de todos ellos: *El libro de la ciudad de las damas* (1405), una refutación de las tradicionales concepciones masculinas sobre la mujer. Le fue encomendada la redacción de la biografía de Carlos V.

599. TERESA DE CARTAGENA (S. XV)

Religiosa y escritora española que dio a conocer su singular pensamiento espiritual en el siglo XV. Perdió el oído a edad temprana e ingresó en la orden religiosa de San Francisco. Su obra literaria, más bien escasa, resulta muy significativa por su inusitada originalidad y por contener alegatos contra la discriminación de la mujer. Su obra cumbre titulada *Arboleda de los enfermos* constituye todo un hallazgo por la plasmación literaria de sus emociones, expresadas en clave alegórica: la autora se repliega en una «ínsula interior» y la nutre de una «arboleda graciosa» por la que pasea en busca de algún remanso en el que desahogarse del «ajetreo del mundo».

Sus metáforas y su esmero por expresar lo inefable de la experiencia religiosa fueron las piedras angulares sobre las que floreció el estilo místico y ascético que dominó la literatura castellana del siglo XVI.

600. EL ARTE DEL LIBRO

La impresión fue, durante su primer siglo de existencia, un dominio exclusivo del hombre. A pesar de ello, algunos de los primeros impresores fueron sucedidos en sus negocios por sus viudas y sus hijas. En el siglo XVI había en París alrededor de veinticinco mujeres dedicadas al arte de la impresión. Entre ellas destacó Charlotte Guillard, quien en sus veintidós años de trabajo publicó numerosos ensayos sobre historia, filosofía y teología.

601. ESCRITORAS NOBEL

Desde que fuera instaurado anualmente en 1901, el premio Nobel de Literatura sólo ha ido a parar a manos de ocho mujeres:

1909 Selma Lagerlöf (Suecia)
1926 Grazia Deledda (Italia)
1928 Sigrid Undset (Noruega)
1938 Pearl S. Buck (Estados Unidos)
1945 Gabriela Mistral (Chile)
1966 Nelly Sachs (Suecia)
1991 Nadine Gordimer (Suráfrica)
1994 Toni Morrisson (Estados Unidos)

POETAS

602. SAFO (c. 610-c. 580 a.C.)

Safo mereció tal estimación entre los poetas de su época que Platón fue incapaz de resistirse a denominarla la *Décima Musa*. Safo escribió nueve libros de poesía lírica e influyó en muchos poetas posteriores; desgraciadamente sólo un poema y algunos pasajes de su obra han sobrevivido al paso del tiempo. Entre sus logros se cuenta el de haber creado la forma métrica conocida como estrofa sáfica.

Vivió en Lesbos, una isla del Egeo, donde sus escritos suscitaron la admiración de un grupo de mujeres jóvenes. De hecho, el erotismo de sus poemas expresa sus apasionadas relaciones, o los sentimientos, que profesó hacia otras mujeres. Algunos exégetas han sugerido que Safo pudiera haber liderado un culto virtual a las jóvenes, del que nacerían unas lascivas relaciones sexuales. Según otra leyenda, Safo se precipitó al vacío desde lo alto de un acantilado, al no ver correspondido su amor hacia un marinero.

Esté donde esté la verdad, su nombre y su isla han sido enarbolados como términos para referirse a la homosexualidad femenina.

603. AL-KHANSA (600-675)

Coetánea del profeta Mahoma, Al-Khansa dejó un legado literario integrado por versos elegíacos, que escribió junto a su hija Amra. Su poesía, escrita en árabe, evoca con dolor la muerte de su padre y la de sus hermanos, asesinados durante la guerra.

604. POETAS RENACENTISTAS

El siglo XVI significó no sólo el florecimiento de la poesía escrita por mujeres (en especial la amorosa), sino también el reconocimiento universal de algunas poetas. Entre las más célebres se cuentan las dos Mary Sidney, lady Wroth y la condesa de Pembroke, en Inglaterra; Margarita de Angulema, Madeleine y Catherine des Roches, y Loise Labé en Francia; Vittoria Colonna, Isabella di Morra, Veronica Gambarra, y las cortesanas venecianas Veronica Franco y Gaspara Stampa en Italia; en México es de sobras conocida la fama alcanzada por la monja sor Juana Inés de la Cruz.

605. ANNE BRADSTREET (1612-1672)

Hija de una opulenta familia inglesa, Anne Bradstreet se trasladó a Nueva Inglaterra en 1630. Formó una familia en el puritano Massachusetts, aunque nunca renunció a la poesía. En 1650 se publicó en Inglaterra una compilación de sus trabajos: *La Décima Musa, apenas surgida en América*; primera publicación de una obra poética producida en el Nuevo Mundo. Los poemas revelan el gravoso trance que supuso para Bradstreet asumir las puritanas estructuras sobre las que toda mujer debía desarrollar sus deberes y obligaciones. Pese a sus dificultades iniciales, sus trabajos posteriores (*Meditaciones divinas y morales* y *Acerca del incendio de nuestro hogar*) transmiten una profunda y sosegada piedad. Más allá de las duras críticas que mereció, su condición de primera poetisa norteamericana permanece incontestable.

606. ANNA SEWARD (1747-1809)

Más conocida como «el cisne de Lichfield», esta poeta inglesa escribió elegías, sonetos y la novela poética *Luisa* (1782). Fue una buena amiga del célebre doctor Samuel Johnson, cuya singular idiosincrasia literaria emuló en una recopilación de cartas publicada en 1811. El estrecho vínculo que se estableció entre ambos impregnó de colorido la famosa biografía que James Boswell publicó acerca del doctor Johnson: aquél acudió a Seward para recuperar retazos de la vida del doctor en el pueblo. En 1810 sir Walter Scott publicó la obra poética de Seward, incorporando a la misma las memorias de la escritora, en la obra *La dama del lago*.

607. CHARLOTTE SMITH (1749-1806)

Madre de diez hijos, Smith se volcó en su carrera literaria para poder mantener a su familia, cuando su esposo fue enviado a una prisión para morosos. Smith se convirtió en una de las escritoras más prolíficas de su tiempo, publicando más de veinte novelas y una voluminosa colección de poesías. Más allá del nivel de sus versos, destacó por el formidable impacto que causó en poetas románticos como William Wordsworth, Samuel Coleridge y Elizabeth Barrett Browning.

608. PHILLIS WEATHLEY (c. 1753-1784)

Originaria de África, Weathley llegó a Boston en un barco de esclavos cuando tenía siete años. Fue comprada como asistenta personal de la mujer de un sastre local, quien deslumbrado por el potencial de la joven, le procuró una educación. Pronto su elegancia y su talento turbaron a eminentes colonos como George Washington y John Hancock, y antes de cumplir los veinte años publicó su primer poema.

Se trasladó a Inglaterra con el hijo de su ama, y también impresionó allí a distintos personajes de la alta sociedad, quienes reconocieron en ella un talento más que suficiente para publicar el que sería su primer libro: *Poemas sobre distintos aspectos de la religión y la moral*. Tras regresar a Boston fue dejada en libertad provisionalmente, pero sus mecenas se despreocuparon de ella, abandonándola a su suerte y permitiendo que muriera en la miseria. El único libro de la que fue la primera poeta afroamericana apareció póstumamente, en 1786.

609. ELIZABETH BARRETT BROWNING (1806-1861)

En vida fue más famosa que su marido, el poeta Robert Browning. Elizabeth fue el deslumbrante producto de una elevada educación y de un talento innato, desarrollado en el seno de una acaudalada familia inglesa. Cuando, asfixiada por su tiránico padre, huyó de su hogar familiar junto a Browning en 1845, ya había publicado algunos ensayos, traducciones del griego y poesías, incluido *El serafín* (1838). Barret Browning se había enamorado de un joven seis años menor que ella, un brillante, y todavía desconocido, Robert Browning. Con la oposición de su padre, se casó en secreto y emprendió un viaje a Francia e Italia. Allí conoció a algunas de las celebridades del momento: George Sand, Harriet Beecher Stowe y Margaret Fuller. Su prosa floreció, y empezó a publicar obras cada vez más ambiciosas y exitosas, observando una versatilidad temática que la llevó de la política a la poesía. En 1850 publicó su volumen poético *Poemas* (1850), al que seguiría, en 1851, el de sus célebres *Sonetos del portugués*, *Las ventanas de la Casa Guidi* y otras obras. Su epopeya *Aurora Leigh* apareció en 1856 y sus *Poemas ante el congreso* lo haría en 1860, poco antes de su muerte. Robert Browning publicó sus *Últimos poemas* póstumamente.

A pesar de que fue una de las poetas más notables del siglo XIX, hoy en día se la recuerda en mayor medida por su romance con Robert Browning y por su adicción a las drogas.

610. CAROLINA CORONADO (1823-1911)

Poeta española nacida en la Extremadura profunda, pasó allí su infancia y su juventud. Pronto se trasladó a Madrid, donde conoció a un diplomático estadounidense, Justo Horacio Perry, con quien vivió viajando por el extranjero. A la muerte de Horacio, Carolina regresó a Madrid.

Pese a que publicó la primera edición de sus *Poesías* en 1843, su discreción y su distanciamiento de la ampulosidad de sus coetáneos la sitúan en un romanticismo tardío. Indagó en un lenguaje intimista, y cultivó una poesía melancólica, apacible y serena, que tuvo una excelente acogida entre las mujeres españolas de la época, quienes la tomaron como modelo de sensibilidad y emancipación. No sólo cultivó el lirismo, sino que también incorporó la crítica social en algunos de sus poemas.

611. EMILIY DICKINSON (1830-1886)

Una de las más insignes figuras de la literatura norteamericana, el «mito de Amherst» (su ciudad natal), fue tan famosa por sus excentricidades como por su sobresaliente poesía. De niña fue consentida y absorbente, y tuvo una educación aparentemente normal, asistiendo durante un año al prestigioso seminario de Mount Holyoke. Sin embargo, a partir de entonces empezó a manifestar una paulatina metamorfosis: se volvió extremadamente introvertida, comenzó a vestir completamente de blanco, y desapareció de la propiedad de su padre, en Ahmerst, Massachusetts. Tras un período de desvaríos, a su vuelta a casa se negó a recibir visitas y pasó la mayor parte del tiempo encerrada en su habitación. Incluso cuando cayó

mortalmente enferma, sólo permitió que el doctor la examinara en una ocasión, a través de la puerta, y sin abrirla del todo.

Pese a que murió habiendo publicado sólo ocho poemas, Dickinson dejó un legado de mil setecientos setenta y seis, que había escrito primorosamente a mano y que fue descubierto en pequeñas libretas ocultas en su habitación. Su obra no fue publicada hasta 1955 y pronto fue reconocida entre las más admirables creaciones de la literatura inglesa. Su expresión y su depurada métrica, su precisión y sensibilidad, revelan una poesía sólo concebible por un intelecto lúcido y un ardiente apasionamiento, que sólo pudieron explicarse por la vida retraída y confinada que llevó.

Hoy en día se asegura que fue extraordinariamente agorafóbica, enfermedad que muchos exégetas atribuyen a un temprano desengaño amoroso con un hombre que no ha logrado ser identificado.

Dickinson vio en su aislamiento una forma de libertad y logró convertirse a consciencia en un personaje literario que perduraría más allá de su muerte.

612. CHRISTINA ROSSETTI (1830-1894)

Hija de inmigrantes italianos, Rossetti creció en Londres, en un ambiente de sofisticados escritores, pensadores, políticos y artistas de los que resulta indisociable, y entre los que se contaban Algernon Swinburne y Edith Sitwell. Pese a que a los diecisiete años publicó por cuenta propia su primer volumen de poesías, pasó toda su vida en el hogar paterno, y trabajando en distintas causas benéficas. Ferviente devota anglicana, vivió varios romances, tan apasionados como frustrados. Esa dualidad dejó su impronta en sus versos, en los que se descubre una profunda fe religiosa y una exaltada sensualidad.

Sus siete volúmenes de versos recibieron una entusiasta acogida entre la crítica, en especial: *Goblin Market* (1862), *El viaje del príncipe* (1866) y *Una celebración* (1881).

613. ROSALÍA DE CASTRO (1837-1885)

Escritora española, acaso la máxima figura del renacimiento literario gallego, vivió abrumada por el infortunio y la enfermedad; no obstante, pudo crear, desde un apartado pueblo, una obra poética de alcance universal.

A los veintiún años se casó con Manuel Murguía, un periodista que participó activamente en el renacimiento cultural de Galicia y que ejerció una poderosa influencia en su literatura. Pronto la literatura se convirtió en la tabla de salvación sobre la que vertió la soledad y el dolor de la existencia. Sus poemas afloran del folclore popular y tienden, cada vez más, hacia la reivindicación patriótica y la denuncia social. Bajo estas premisas publicó *Cantares gallegos*, el primer libro del *rexurdimento* publicado en gallego, que recuperaba una tradición perdida en el siglo XV. Pese a contar con el apoyo incondicional de sus paisanos, su obra fue incomprendida, hasta que los escritores de la generación del 98 difundieron sus innovadoras creaciones métricas. A medida que maduró, su pensamiento se fue oscureciendo, y de ese intimismo nació su gran obra *En las orillas del Sar* (1884).

614. AMY LOWELL (1874-1925)

La familia de Boston en que nació Amy Lowell era toda una institución, entre cuyos distinguidos miembros cabría destacar a un presidente de la Universidad de Harvard, a un miembro del consejo del MIT y al poeta James Russell Lowell (su primo). Inteligente e inconformista, Lowell fue autodidacta y acató durante mucho tiempo las normas de la comunidad de damas de Boston.

En 1902 asistió a una obra de teatro interpretada por la célebre actriz italiana Eleanora Duse: allí despertó su ambición literaria. Diez años después de aquel decisivo encuentro, Lowell publicó un mediocre libro de versos, y, de hecho, su emancipación como poeta no llegaría hasta su encuentro con Ezra Pound, H. D., Robert Frost y otros poetas imaginistas. Con su obra *Retratos de un mundo flotante* (1919) se aseguró un lugar de honor entre aquéllos, mientras que su ensayo *Tendencias en la poesía moderna americana* (1917), le supuso el reconocimiento como ensayista.

Dedicó gran parte de sus poemas amorosos a Ada Rusell, su compañera sentimental.

615. MARÍA EUGENIA VAZ FERREIRA (1875-1924)

Junto a Juana de Ibarbourou y Delmira Agustini, forma la punta de lanza de la poesía uruguaya de principios del siglo xx, seguramente el género literario por excelencia de la literatura del país. Su contribución a la literatura uruguaya se debe, fundamentalmente, a ser una de las pioneras en el cultivo de la poesía amorosa.

Vaz Ferreira simultaneó su carrera de escritora con la musical, en la que destacó como excelente compositora y concertista. Precisamente, la cadencia de sus palabras produce una obra de calculada musicalidad, que en los inicios muestra la poderosa influencia del poeta romántico español Gustavo Adolfo Bécquer. A esa época pertenecen sus *Poesías completas*, que poco tendrán que ver con la que se considera su indiscutible obra maestra, *La isla de los cánticos* (1924), escrita el mismo año de su muerte. Entonces su poesía ya había madurado hasta alcanzar un estilo personal, en el que se vislumbra el influjo del legado modernista.

616. H. D. (1886-1972)

Nacida en Pennsylvania, Hilda Doolittle abandonó el Bryn Mawr College en donde estudiaba literatura inglesa, antes de convertirse en la prometida del poeta Ezra Pound, junto a quien se trasladaría a Londres, donde publicaría sus primeros poemas, en 1912. Pound fue el primero en llamarla «H. D. la Imaginista» por las asociaciones de palabras con que rubricaba sus poesías; más tarde su relación se deterioraría.

En 1916 Doolittle publicó *Jardín marino*, su primer libro de poemas, bajo las iniciales H. D. En éste alzaba su voz contra el viril arte de la guerra, y abogaba por la necesidad de una renovación espiritual. Se casó, asumió la educación de su hijo, se divorció y perdió amigos y familiares en la guerra; adversidades que la llevarían a una agitada vida sentimental que compartió, por igual, con hombres y mujeres. H. D. publicó *Himen* (1921), *Heliodora y otros poemas* (1924), *Antología poética* (1925) y *Rosas rojas para el bronce* (1931). Escribió también diversas novelas y relatos cortos, incluyendo su autobiografía *HERmione* (1923). Sus conflictos personales la llevaron hasta el diván de Freud entre 1933 y 1934, y germinarían en el poema *Tributo a Freud* (1944). Siguió avanzando por el filo del desamor, abrumada por sus graves problemas emocionales, y vivió consagrada a la poesía hasta el día de su muerte, dejando dos poemas épicos especialmente notables: *Trilogía* (1944-1946) y *Helena en Egipto*, sendos alegatos contra los horrores de la segunda guerra mundial.

617. MARIANNE MOORE (1887-1972)

Pasó la mayor parte de su vida junto a su madre y compaginó su trabajo de secretaria y bibliotecaria con una impresionante producción poética que revolucionó la poesía norteamericana. Moore no abandonó su sosegada vida hogareña, que compaginó con sus relaciones con la elite del Greenwich Village neoyorquino. Su primera antología, *Poemas* (1921), fue publicada por la poeta H. D., sin que la austera Moore lo supiera; poco después se volcaría en el mundo literario: publicó *Observaciones* (1924) y fue editora de la revista literaria *The Dial* entre 1925 y 1929. Su siguiente libro, que no aparecería hasta 1935, se tituló *Selección de poemas*, y continúa siendo uno de sus trabajos mejor considerados.

Su métrica y las alusiones soterradas de su poesía, le valieron el premio Pulitzer en 1951. Por aquellos tiempos Moore ya se había convertido en toda una institución en su país, donde fue célebre por su sombrero de tricornio y por su declarada afición al béisbol.

618. ANNA AJMÁTOVA (1889-1966)

Poeta lírica, nacida bajo el nombre de Anna Adréievna Gorenko, su nombre es uno de los más y mejor considerados de la literatura rusa. Durante las primeras décadas del siglo XX fue una de las principales representantes del acmeísmo, que promovió la preponderancia póetica del realismo sobre el simbolismo. Obras como *Vecher* (1912) y *Chetki* (1914) son una buena muestra de tal punto de vista, describiendo pasajes y sentimientos de una forma extremadamente pormenorizada.

El movimiento hirió el orgullo de los comunistas, quienes detectaron en la obra de los acmeístas un exceso de individualismo que estimuló las obras más patrióticas de Ajmátova, como *Anno domini MCMXXI* (1922). Pese a que en realidad el poema conmemoraba la formación de la Unión Soviética, el gobierno de Stalin entendió que se trataba de una insultante amenaza. Fue tal la irritación de Stalin, que en un intento por silenciarla, encarceló a su hijo. El dictador no se salió con la suya, Ajmátova siguió escribiendo y produjo dos de las cumbres de su creación: *Requiem*, su obra maestra, e *Iva*. Sus últimas obras, entre las que sobresalen distintos poemas de turbadora belleza, comprenden también su autobiografía: *Poema sin héroe* (1962).

619. GABRIELA MISTRAL (1889-1957)

Probablemente la más ilustre de las escritoras chilenas de este siglo, Gabriela Mistral nació en el seno de una familia campesina. El suicidio de su prometido, ocurrido en 1909, determinó el inicio de su poesía. A esa época pertenecen *Los sonetos de la muerte*, que fueron premiados en los juegos florales de Santiago, y supusieron el fin de su anonimato: en adelante todas sus obras gozarían de una gran aceptación popular.

Su poesía se aparta de los originarios postulados modernistas, y aborda temas como el dolor, el consuelo religioso o la maternidad, desde perspectivas insólitas; el poemario *Desolación* (1922) es una excelente muestra de todos esos rasgos.

Tras ejercer durante un tiempo la pedagogía, se decidió por la diplomacia, lo que le permitió viajar por Europa: Nápoles y Lisboa la acogerían como cónsul. Durante la época de entreguerras se estableció en Los Ángeles, donde mostró su solidario compromiso con todas las causas humanísticas y vertió en sus poesías numerosas referencias a un paisaje, el norteamericano, que la fascinó y que supo conjugar con el de su tierra natal, los Andes: *Tala* (1945) y *Lagar* (1954) constituyen dos buenas muestras de esa exaltación.

En 1945 recibió el premio Nobel de Literatura, y en 1951, ya enferma de diabetes, el Nacional de Poesía de Chile. Murió en Nueva York en 1957.

620. NELLY SACHS (1891-1970)

El fascismo literario y la implacable opresión nazi obligó a muchos escritores alemanes a huir de su país durante la segunda guerra mundial. Entre los expatriados estaba Nelly Sachs, quien se estableció definitivamente en Suecia en 1940.

Sachs consagró la mayor parte de su producción a la lírica, y lo hizo en alemán; especialmente relevantes son sus antologías poéticas *En las moradas de la muerte* (1946) y *Fuga y transformación* (1959). Poemas como «Oda a las chimeneas», una conmovedora evocación del holocausto judío, la hicieron coganadora del premio Nobel de Literatura en 1966.

621. ALFONSINA STORNI (1892-1938)

Poeta y periodista nacida en Suiza, a los cuatro años se trasladó a Argentina, donde vivió hasta el fin de sus días. Simultaneó el ejercicio del periodismo (colaboró en el periódico *La Nación*), con la poesía, género que cultivó en mayor medida y en el que se adhirió al modernismo. La suya fue una poesía intimista, impregnada de ironía, acaso su rasgo más característico. Fue una defensora infatigable de los derechos de la mujer y, a pesar de su exaltada admiración hacia los musculosos cuerpos masculinos, nunca cesó en su reivindicación a favor de la liberación de la mujer. De hecho, fue

una de las primeras poetas en cultivar el erotismo, lo que contrastaba con el manifiesto desprecio con que juzgaba la actitud de los hombres hacia las mujeres.

La evolución de su poesía fue paralela a sus oscilaciones emocionales, cada vez más retorcida e indescifrable; así, de sus primeros libros de versos, *El dulce daño* (1919) o *Languidez* (1925), a sus últimas producciones, *Mundo de siete pozos* (1934) o *Mascarilla y Trébol* (1938), media una considerable diferencia estilística. En 1938 se suicidó al saberse víctima de una enfermedad incurable.

622. EDNA ST. VINCENT MILLAY (1892-1950)

Antes de ingresar en el Vassar College, en 1912, Millay se había labrado ya una gran popularidad como poeta gracias a la publicación de *Renacimiento*, una de sus obras más conocidas. Fue una notoria ciudadana del Greenwich Village neoyorquino en la época dorada del jazz, desde donde seguiría escribiendo una poesía lírica caracterizada por su accesibilidad y sencillez métrica.

En 1923 alcanzó popularidad, al ganar el Pulitzer con *El tañedor de arpa*; sin embargo, a partir de 1930 su carrera declinó. Millay no dejó de escribir y se comprometió con distintas causas políticas, pero lo cierto es que ya no conseguiría la repercusión popular que tan pronto había logrado. En las décadas sucesivas, la nueva generación de poetas norteamericanos se distanció de su obra, que pareció convencional e incluso comercial, lo que no ha impedido que aún sea considerada como una de las poetas predilectas del gran público.

623. JUANA DE IBARBOUROU (1895-1980)

Poeta uruguaya, cambió su nombre en varias ocasiones: fue Juana Fernández de Morales de soltera; y como escritora además del nombre que aquí la enuncia y por el que más se la recuerda, también se dio a conocer como Jeannette d'Ibar y Juana de América. No sólo fue la más grande de las poetas de su país, sino que su significación ha traspasado las fronteras continentales: sentó las bases de la que sería la poesía hispanoamericana contemporánea. Ibarbourou desdeñó el exotismo de los versos modernistas y abogó por una poesía melancólica, ocupada y preocupada por la realidad cotidiana. Su poesía se enriqueció con títulos como *La rosa de los vientos* (1930), *Romances del destino* (1944) o *La pasajera* (1968); y su prosa con obras como *El cántaro fresco* (1920) y *Chico Carlo* (1944). Fue distinguida con la condecoración José Artigas, máximo galardón de las letras uruguayas, y nombrada presidenta de la Sociedad Uruguaya de Escritores.

624. LYDIA CABRERA (1900-1991)

Una de las más singulares poetas cubanas por su esmerada indagación de los símbolos de la cultura afroantillana, se dedicó además a la pintura y la investigación de la cultura oriental. Y no sólo eso, sino que alimentó las letras latinoamericanas con los pasajes de una narrativa en la que refulge el realismo mágico, que adoptó de forma igualmente singular. Obras como *Refranes de negros viejos* (1955), *Ayapá, cuentos de jicotea* (1971) o *Cuentos para adultos, niños y retrasados mentales* (1983) dan buena cuenta de ello. Publicó ocasionalmente bajo el seudónimo «Nena».

Fue una de los muchos cubanos que se exiliaron del país cuando Castro llegó al poder; eligió Florida como destino.

625. DULCE MARÍA LOYNAZ (1903-1997)

Figura relevante de la poesía cubana de este siglo, la obra de Loynaz reivindicó de un modo singular e innovador la necesidad de crear un espacio en el que fuera escuchada la voz de la mujer. Su obra poética, en la corriente posmodernista, abarca temas como la introspección, a partir de sugerentes parábolas simbólicas. En 1953 escribió *Poemas sin nombre*, unánimemente considerada como su obra cumbre, aunque dejó otros muchos títulos: *Versos 1920-1938* (1938), *Últimos días de una casa* (1958); y las recopilaciones *Bestiarium* (1991) y *Poemas náufragos* (1992). En España su contribución a las letras fue reconocida con el premio Cervantes, otorgado en

1992. En Cuba fue designada directora emérita y vitalicia de la Academia Cubana de la Lengua, y en 1986 recibió el premio Nacional de Literatura

626. ELIZABETH BISHOP (1911-1979)

Escritora norteamericana, en 1955 ganó el premio Pulitzer y en 1969 el premio Nacional al Libro del Año, obteniendo el reconocimiento y la admiración de críticos y escritores, quienes la elogiaron tanto en vida como después de su muerte.

Su obra conjugó la reflexión de los conflictos emocionales y espirituales del ser humano, con una minuciosa descripción del mundo. Sus primeras publicaciones datan de cuando todavía era alumna del Vassar College, donde fue apadrinada por Marianne Moore. Después de graduarse viajó incesantemente, estableciéndose en Brasil entre 1951 y 1966. Obras como *Norte y Sur* (1946), *Cuestiones de viaje* (1965) o *Geografía III* (1976), muestran su indagación sobre la diversidad del mundo y su significado.

627. ROSARIO CASTELLANOS (1925-1974)

Célebre escritora mexicana, su infancia le produjo las heridas de las que surgiría su poesía: una mala relación con sus padres y la vida en una granja indígena hicieron que creciera solitaria y retraída. Ello no le impidió comprometerse en varias causas políticas en favor de los indígenas, ni impartir clases de Filosofía en la Universidad Autónoma de México. Si bien en sus inicios literarios tendió a la poesía, el reconocimiento le llegaría con una novela: *Balún-Canán* (1957), en la que desde una original perspectiva abordó la situación de los indígenas mexicanos; la obra le valió el premio de la Crítica. Levantó su voz contra la incomunicación y halló un sugerente tono expresivo en la templanza y la transparencia. En los años setenta, desde una perspectiva feminista y bajo el influjo de mujeres como Virginia Woolf o Simone de Beauvoir, reflexionó sobre la sexualidad en la vida y en las artes.

En 1971 fue nombrada embajadora de México en Israel, donde

divulgó las raíces de su cultura y estrechó los lazos entre ambos países. Una desgraciada descarga eléctrica acabó con su vida en 1974 y dejó inconcluso su trabajo.

628. ANNE SEXTON (1928-1974) Y SYLVIA PLATH (1932-1963)

A pesar de estar situadas estilísticamente en polos literarios opuestos, estas dos escritoras tuvieron vidas similares. Nacidas con cuatro años de diferencia, ambas crecieron en sendas familias de clase media de Massachusetts (Estados Unidos). Sexton vivió una infancia marcada por los conflictos emocionales y Plath por la muerte de su padre, pero, mientras que Sexton creció sin mostrar talento y dejó la escuela en el primer curso, Plath empezó a escribir y a publicar muy precozmente, y fue una sobresaliente alumna del Smith College.

Sexton se estableció en las inmediaciones de Boston, tras casarse en 1948; allí tuvo dos hijas, y fue ingresada en varias ocasiones por sus sucesivas crisis nerviosas. Agasajada con toda suerte de premios y distinciones, Plath también pasó por un personal colapso nervioso, y se intentó suicidar en 1954, experiencia que trasladaría a las páginas de la novela *The Bell Jar* (1963). En 1955 se graduó en el Smith College, completó su formación en Cambridge y allí se casó con el poeta Ted Hughes, antes de emprender el camino de regreso a Smith, esta vez como profesora.

Por aquel entonces, Sexton empezó a asistir a talleres de poesía en Boston, y en uno de ellos, impartido por Robert Lowell, conoció a Plath. Trabaron amistad mientras trabajaban para perfeccionar el tono de sus respectivas obras poéticas, consagradas ambas al dolor en su vida personal. Y ambas publicaron sus respectivas óperas primas en 1960: la de Sexton se tituló *To Bedlam and Part Way Back*, y la de Plath *The Colossus*.

Plath regresó a Inglaterra, donde tuvo dos hijos antes de que su matrimonio fracasara, en 1962. Su poesía ganó en intensidad dramática al enfrentarse en solitario a la maternidad y a sus demonios interiores. Finalmente, en 1963 se suicidó con el horno de gas de su apartamento londinense. Su último y más célebre

poema fue publicado a finales de ese mismo año en la antología *Ariel*.

Igualmente abrumada por los problemas, Sexton escribió sus versos más desgarrados a medida que zozobraba en el alcohol y las drogas, y mientras se resistía a sucumbir al estupor al que le inducía la toracina, una medicina que le había prescrito su psiquiatra. Entre 1962 y 1972, escribió cinco volúmenes de poesías, entre las que se contó *Live or Die* (1966) galardonada con un Pulitzer. Pese a ello sus obras levantaron una humareda de críticas por el explícito tratamiento que dio a temas como la masturbación, el incesto u otras realidades tabúes. En 1974 padeció una crisis depresiva definitiva: se asfixió con el gas de su propio coche. Tras su muerte, aparecieron sendos libros póstumos: *The Xuful Rowing Toward God* (1975) y *45, Mercy Street* (1976).

Unidas por una vida atormentada y por su desoladora introspección, Sexton y Plath expresaron algunas de las más crudas verdades de la vida de la mujer del siglo xx.

629. ADRIENNE RICH (n. 1929)

Enormemente respetada como poeta, Adrienne Rich ha escrito importantes libros y ensayos sobre los grandes temas feministas. En 1951 se graduó en Radcliffe College y publicó su primer libro de poemas, *A Change of World*, gracias a su victoria en el certamen para jóvenes poetas de la Universidad de Yale, antes de casarse, en 1953, con un profesor de Harvard.

Durante la década siguiente tuvo tres hijos y publicó dos libros de versos más, tan concisos como métricamente cuidados. En 1966 se trasladó junt6 a su familia a Nueva York, y allí se involucró en la causa antibelicista, en la lucha por los derechos civiles y en el movimiento feminista. Al igual que su ideología política, su poesía se liberó; incluso, empezó a abordar cuestiones políticas, como en *The Will to Change* (1971). En 1970 se divorció y en 1973 publicó *Diving into the Wrack*, una personal reflexión política con la que consiguió el premio al Libro del Año en Estados Unidos.

Cuando empezó a impartir clases, Rich profundizó en el feminismo lesbiano, produciendo su obra en prosa más explosiva: *Of*

Woman Born: Mothergood as Experience and Institution, y también con su libro más osado: *Twenty-one Love Poems* (1976). Tras trasladarse a Massachusetts para editar el diario *Sinister Wisdom*, escribió *The Dream of a Common Language* (1978) y *Your Native Land, Your Life* (1986). Su obra más reciente lleva por título *An Atlas of the Difficult World* (1992).

Una de las poetas más galardonadas de su generación, Rich ha consagrado su trabajo a analizar las injusticias sexuales y la opresión.

630. AUDRE LORDE (1934-1990)

Esta poeta afroamericana se sirvió de la palabra para combatir el racismo, la homofobia, el sexismo y el clasismo. Fue profesora de escritura creativa en el colegio Tougaloo de Mississippi y en el John Jay y el Hunter de Nueva York. Lorde escribió un verso en el que confluían imágenes míticas y pinceladas costumbristas. Publicó una decena de antologías de poesía entre las que destacan: *Cables to Rage* (1975) y *The Black Unicorn* (1978), además de la obra autobiográfica *The Cancer Journals* (1980) y *Zami: A New Spelling of My Name* (1982).

CIERTA APETENCIA POR LAS PALABRAS

631. LECTORAS RENACENTISTAS

La mayoría de las mujeres educadas en el Renacimiento no sabían ni leer ni escribir en latín, la lengua empleada en la enseñanza. En cambio, se expresaban con elocuencia en el lenguaje de la vida cotidiana. De tal modo, los lectores de entonces crearon una notable demanda de libros en lenguas vernáculas, que antes de la invención de la imprenta, en 1450, incluían, fundamentalmente, obras religiosas, manuales, poesía y algunos títulos románticos.

Después de 1450, las mujeres conformaron un gran mercado

para la emergente industria editorial. Durante los dos siglos siguientes, los impresores produjeron multitud de títulos dirigidos, esencialmente, al consumo del público femenino, la mayoría de los cuales eran manuales sobre el cuidado de los recién nacidos, sobre el modo de administrar una casa y otros asuntos de índole práctica. Las novelas, las biografías y los libros de historia quedaron desterrados de la lista de libros en lenguas vernáculas, aunque los que peor resistieron el cambio fueron los religiosos.

632. AUTOBIOGRAFÍAS Y MEMORIAS

Excluidas de la educación y de las ocupaciones mundanas, la mayoría de las escritoras de la Edad Media vivieron refugiadas en su mundo interior. Fruto de ello, las letras femeninas alcanzaron un elevadísimo carácter personal, y plasmaron fielmente el lenguaje popular. Esa preocupación subjetiva sirvió para que germinara la primera obra autobiográfica: *El libro de Margary Kempe*, publicado alrededor de 1436 por Margary Kempe. Desde el siglo xv hasta nuestros días, la sensibilidad femenina ha aportado notables obras biográficas y autobiográficas como: *Mi vida* de George Sand, *Desventuras de una niña esclava* de Linda Brendt, la *Autobiografía de Alice B. Toklas* de Gertrude Stein o *Un ángel sobre mi mesa* de Janet Frame.

633. ALICE JAMES (1848-1892)

Hermana del novelista Henry James, ambos sostuvieron un encendido enfrentamiento en su camino en pos de la consumación de sus respectivas ambiciones literarias, que pese a lo espinoso que resultó, no les disuadió de escribir.

Destacado escritor y figura imprescindible de la literatura estadounidense, Henry manifestó una inusual sensibilidad hacia las emociones femeninas en obras como *Daisy Miller* (1879), *Retrato de una dama* (1881) o *Las bostonianas* (1886). Sin embargo, la imagen que difundió de él la biografía de su hermana difería de aquella empatía con las mujeres que Henry había sugerido en sus novelas.

De hecho, éste, herido, no vaciló en desacreditar las memorias y de impedir su publicación: tuvieron que pasar cuarenta años para que las memorias de Alice vieran la luz. *Alice James, Her Brothery - Her Journal* apareció finalmente en 1934.

634. ESCRITURA EPISTOLAR

El arte de escribir cartas ha sido tradicionalmente un dominio exclusivo de la mujer, fundamentalmente porque, a lo largo de los siglos, fue una de las pocas disciplinas literarias cuyo acceso no se le vedó. Mujeres como la reina Isabel, Madame de Staël o Virgina Woolf deben contarse entre las figuras más brillantes que haya dado la escritura epistolar. Muchas de las cartas se despachaban burocráticamente, como las propuestas informativas, mientras que las puramente literarias acostumbraron a publicarse en colecciones. El género epistolar permitió que las mujeres experimentaran con los recursos lingüísticos, que aumentaran su destreza y que se dejaran tentar por la diversidad de géneros que se les ofrecía. Así, gracias a la vasta experiencia que adquirieron redactando cartas, surgió la novela epistolar, una de las más tempranas manifestaciones de lo que luego sería la novela. Las *Cartas de amor entre un aristócrata y su hermana*, de Aphra Behn, publicadas en 1683, constituyen la primera novela escrita en inglés. Éstas sentaron las bases del género epistolar, cuya estela seguirían toda suerte de escritoras: desde Fanny Burney (1752-1840) hasta Jane Austen (1775-1817) pasando por Alice Walker (1944).

635. EL FUROR DE LA LECTURA

A principios del siglo XIX, las mujeres que habían gozado de una buena educación abanderaron la lectura secular como nunca hasta entonces. La lectura proporcionó a las mujeres una muy necesaria evasión del confinamiento al que les obligaban su vida diaria y sus frustrantes matrimonios; muchas sustituyeron la realidad por la ficción. Su voracidad hizo que la industria editorial prosperara, especialmente en lo que se refiere a la literatura novelesca. Con el paso del siglo, y una vez las mujeres habían profundizado en su gusto por la lectura, el furor por el conocimiento reemplazó al ansia de evasión. Las mujeres empezaron entonces a surtirse de periódicos y de literatura no novelesca para informarse de lo que sucedía en el mundo; ello dio pie a la formación de las primeras asociaciones de lectoras que se esparcieron rápidamente por ciudades y pueblos, tanto europeos como norteamericanos.

636. EL LIBRO DE LAS MUJERES DE GODEY

En 1828 salió a la calle el primer número de la revista *Ladies Magazine,* que nutrió a la mujer norteamericana de artículos sobre maternidad, moda y trabajos hogareños, y que se caracterizaba por una sencillez estilística que alcanzó su máxima expresión en sus inocuas historias cortas. Adquirida por Louis Godey en 1837, la revista cambió su nombre por el de *Godey's Ladies Book* y delineó las actitudes y los valores de la población femenina norteamericana, permaneciendo durante varias décadas como la más influyente del país. En 1883 tuvo que enfrentarse a su más seria competidora, cuando la revista *Ladie's Home Journal* incorporó columnas y artículos de algunos de los autores más renombrados del país. En 1885 aparecería el *Good Housekeeping* y en 1893 lo haría *Vogue.* Finalmente, en 1898 *Godey's* desapareció del mercado.

637. MUJERES ENIGMÁTICAS

Las mujeres fueron las máximas beneficiarias, como lectoras o como escritoras, del desarrollo de la novela de misterio, desde su aparición a principios del siglo XIX. En 1878 Anna Katharine Green escribió *El caso Leavenworth*, primera novela de detectives norteamericana. Escritoras como la inglesa Dorothy Sayers, creadora del detective lord Peter Wimsey, o las norteamericanas Mary Roberts Rinehart y Carolyn Wells, tuvieron una importancia capital en el alumbramiento de las primeras ficciones de crímenes y asesinatos. Aunque quizá la más famosa figura de todas las escritoras de misterio fue Agatha Christie, cuya carrera se desarrolló ininterrumpidamente entre 1929 y 1976, año de su muerte. Agatha Christie, creadora de los célebres detectives de ficción Hércules Poirot y Miss Marple, escribió un total de setenta y cinco libros que han superado los cien millones de ejemplares vendidos, además de dar lugar a distintas películas y series de televisión. También escribió las obras de teatro *La ratonera* (1952) y *Testigo de cargo* (1953), que sería más conocida por su adaptación cinematográfica.

La otra reina inglesa del misterio es P. D. James, cuyas historias son conocidas por su sutileza y elegancia literaria. En las dos últimas décadas algunas escritoras norteamericanas como Sue Grafton, Sara Paretsky, Patricia Cornwell y Mary Higgins Clark han arrasado con sus explosivos *best-sellers*. Sus heroínas femeninas exhiben una aplastante seguridad que está generando una estela de adeptas (y de adeptos) cada vez mayor.

638. HISTORIAS HÚMEDAS

El amor, probablemente el primero y el más universal de los argumentos literarios, ha inspirado formidables novelas desde que fuera formulado como tema literario en tiempos inmemoriales. La segunda mitad del siglo XX ha asistido al giro hacia lo prosaico que ha cobrado la novela amorosa, apelando a las fantasías evasivas de millones de mujeres de todo el planeta. El mercado femenino no sólo ha absorbido la gran mayoría de la producción amorosa, hasta convertirla en un fenómeno de masas, sino que también ha brindado excelentes oportunidades a escritoras que buscaban el éxito comercial. Desde Jacqueline Susann, pionera de la novela descocada gracias a *El valle de las muñecas*, hasta los resultados obtenidos por fórmulas tan manidas como los culebrones, las mujeres han suscrito la mayoría de los títulos del género. Incluso algunos de los autores de más éxito de todos los tiempos han sido mujeres, cuyos libros son gruesos volúmenes de consumo efímero y hermosos héroes, embriagadoras heroínas, escenarios incitantes y veladas sugerencias sexuales.

Danielle Steel, responsable de más de treinta novelas cortadas con ese patrón, ha vendido ciento setenta y cinco millones de ejemplares de sus obras en todo el mundo, y ha visto numerosas de sus historias transformadas en miniseries de televisión. Otras escritoras como Judith Krantz, Jackie Collins, Barbara Taylor Bradford y un sinfín más de ellas han disfrutado de una popularidad similar, y han generado suculentos beneficios a la industria editorial.

639. CORÍN TELLADO (n. 1926)

Prolífica autora de novelas rosa, género que tiene como precedentes el folletín, el melodrama y la literatura de cordel, y como hijos más o menos espurios, la fotonovela y el culebrón televisivo.

Corín Tellado, nacida en Gijón, es la autora que (excepción hecha de Cervantes) ha vendido más libros en toda la historia de la literatura española: cien mil ejemplares semanales durante los años sesenta.

En sus novelas (de dudoso valor estético pero técnicamente impecables, lo que ha hecho que escritores como Vargas Llosa o Cabrera Infante expresen su admiración hacia ella) se encuentra, ante todo, un mundo sentimental muy determinado. No hay referencias a la política, a la religión o a los problemas sociales: el todopoderoso amor es el único motor. Y aunque no hay menciones explícitas a cuestiones sexuales, contienen numerosas alusiones eróticas. La literatura de Corín Tellado (y su éxito, hoy algo más atemperado) constituye, de hecho, todo un fenómeno de carácter sociológico.

LAS PERIODISTAS

640. FRANCES BENJAMIN JOHNSTON (1864-1952)

Probablemente la primera fotoperiodista norteamericana. Johnston empezó como cronista, y en 1888 incorporó la fotografía a su trabajo. Dirigió su atención hacia temas sociales y retrató a los líderes políticos y a los actores más influyentes del momento. Johnston nunca formó parte de la plantilla de periódico o revista alguna, prefirió la independencia y estar al acecho de las noticias que se producían a diario. Igualmente sostuvo, dentro del liberalismo de su pensamiento, una postura escéptica respecto a los convencionales papeles de la mujer en la vida, una actitud que ayudó a modelar sus cincuenta años de carrera.

641. MARGARITA RIVIÈRE (n. 1944)

Periodista y escritora especializada en cultura y en el análisis de la moda y la comunicación, fue autora, junto con el ginecólogo Santiago Dexeus, del primer manual de anticoncepción, *Anticonceptivos y control de natalidad* (publicado por La Gaya Ciencia en 1976), cuando aún estaba prohibido en España divulgar los métodos anticonceptivos. En 1984, y junto al mismo ginecólogo, publicó *La aventura de envejecer*, una de las primeras obras españolas sobre los efectos de la menopausia. En el año 2000 va a aparecer su libro *El mundo según las mujeres*, un trabajo basado en trescientas entrevistas con mujeres de todo el mundo, que anticipa el programa de la mujer sobre la orientación de los cambios sociales. Autora de una veintena de libros de ensayo, obtuvo el premio Espasa de Ensayo en 1992 con su obra *Lo cursi y el poder de la moda*. Ha sido premio Ciudad de Barcelona de Periodismo, ha trabajado en los principales diarios españoles, en radio y en televisión, y de 1988 a 1991 fue directora de la delegación en Cataluña de la Agencia EFE.

642. ORIANA FALLACI (n. 1930)

Periodista y escritora italiana, ha brillado como una de las corresponsales más audaces del periodismo contemporáneo. Ha sido testigo de algunos de los conflictos políticos y bélicos más desgarradores del siglo.

Mujer sagaz y emprendedora, cubrió como corresponsal los avatares de la guerra en Oriente Medio, estuvo en la primera línea de fuego en Vietnam, e incluso fue alcanzada por una bala cuando cubría el conflicto militar. Ha simultaneado su carrera periodística

con la de escritora, terreno en el que ha sido precursora de una forma de literatura que conjuga el argumento novelesco con la sangrienta realidad que ha cubierto como periodista. Así, su corresponsalía en el Líbano dio lugar a dos títulos: *Nada y así sea* (1969) e *Inshala* (1990). Ha destacado también como entrevistadora y biógrafa: en 1980 su libro *Un hombre* reconstruía la trágica vida del poeta y guerrillero griego Aléxandros Panagoulis. El reconocimiento y el prestigio que ha adquirido la han llevado a publicar en el *New York Times* o la revista *Life*. Es doctora *honoris causa* por el igualmente prestigioso Columbia College de Chicago.

643. CARMEN RICO-GODOY (n. 1936)

Periodista y escritora española de brillante trayectoria, nació en París y estudió Ciencias Políticas en Washington. De regreso a España colaboró en la revista *Cambio 16*, una de las publicaciones que asumieron cierto protagonismo durante la transición democrática. Rico-Godoy participó en la renovación del periodismo político de la época.

Pero más allá de la articulista sarcástica en la que se convirtió, su intervención fue decisiva para dar vida a una imagen de la mujer en España que superó el estereotipo tradicional de la fémina a la sombra del macho ibérico. Su novela *Como ser mujer y no morir en el intento* (1990), convertida en un sorprendente éxito de ventas, propuso una mujer emancipada y perspicaz. Al libro seguiría la película, ópera prima de Ana Belén. En 1991 publicó *Como ser infeliz y disfrutarlo*, novela de menor repercusión, en la que abundaba en la reflexión de la mujer contemporánea.

644. MARUJA TORRES
(María Dolores Torres Manzanera, n. 1943)

Brillante periodista española. Mujer polifacética y cinéfila empedernida, ya desde muy joven expresó su vocación por la palabra escrita, que en sus comienzos exhibió como mordaz cronista de la pintoresca vida de la farándula española. Trabajó con Elisenda Nadal, directora de la revista cinematográfica *Fotogramas*, quien advirtió su talento y la incorporó al cuerpo de redacción de la publicación.

Sin embargo, y pese a simultanear su devoción por el celuloide con el periodismo rosa, su compromiso se radicalizó a finales de los años sesenta, cuando inició su dilatado periplo como corresponsal de guerra.

En 1980 se trasladó a Madrid, donde colaboró en el periódico *Diario 16* y, posteriormente, en *El País*, desde cuyas columnas ha hostigado con singular ironía la vida política y social española. También ha simultaneado su obra narrativa con el periodismo, con obras como *¡Oh, es él!* (1986), *Amor América* (1993) o *Un calor tan cercano* (1997), y su más reciente *Mujer en guerra* (1999), crónica de sus experiencias como corresponsal.

645. ROSA MONTERO (n. 1951)

Periodista y novelista española, Rosa Montero es una de las plumas femeninas más contumaces de las letras españolas, en las que se inscribe como ferviente defensora de los derechos de la mujer. Su trayectoria como periodista comenzó a los dieciocho años, y en poco más de una década, en 1981, consiguió el premio Nacional de Periodismo, una de las distinciones profesionales más prestigiosas de España. Un año antes del galardón, Montero había dirigido el suplemento dominical del diario *El País*, al que se incorporó en 1976. Cuando abandonó la dirección del dominical, prosiguió su colaboración en el diario y su carrera literaria empezó a consolidarse.

En 1983 escribió *Te trataré como a una reina,* novela en la que desplegaba la personal mordacidad que le ha proporcionado el favor del público lector. Tanto en su producción periodística como en la literaria, en el discurso de Montero subyace la desmitificación de lo masculino. En 1995 publicó el libro de ensayos *Biografías de mujeres*, y en 1997, *La hija del caníbal*, premio Primavera de novela, y en 1999 *Pasiones*, crónica, apasionada a su vez, de una docena de amores célebres.

LITERATURA PLANETARIA

646. CHINA

Entre las figuras más relevantes de la literatura china hay un gran número de mujeres. Entre los siglos III y VII la caída de la dinastía Han, el fugaz reinado de la dinastía Sui y la ascensión de la dinastía T'ang fraguaron un clima marcial que quedó plasmado en la obra de Tzu-yeh. Autora de alguna de las más sutiles semblanzas líricas del pueblo chino, escribió obras como *La balada de Mulan,* la heroica historia de una mujer soldado que se hace pasar por hombre, y *El pavo real que voló al sureste,* la epopeya de una familia china.

Otra de las máximas representantes de la poesía china fue Li-Ch'ing-chao (1081-*c.* 1141), quien indagó en la cadencia de una forma melódica, la *tz'u,* que se había desarrollado enormemente con el auge de la cultura china durante el período T'ang (618-907). Sus grandes obras utilizando la *tz'u* las escribió a partir de su viudez.

647. JAPÓN

Además de Murasaki Shikibu, autora de la *Historia de Genji* en torno al año 1020, muchas otras mujeres contribuyeron notablemente a la literatura japonesa. En el siglo IX, mientras la obra de la princesa Irge era aclamada, Sei Shoangon, una aristócrata coetánea de Shikibu, escribió un jocoso relato de la vida cortesana, *Makura nonsoshi* (*El libro de cabecera*), mostrando el lado menos virtuoso de la sociedad Heian a partir de una serie de episodios.

Ya a mediados del siglo XI apareció la literatura no novelesca en la vida patricia, con la obra *Sarashima Nikki,* memorias de la dama Sarashima (*c.* 1008-1060), también conocida con el nombre de *Takasue-no-Musume.* Dos siglos después la monja Abutsu retomó su estela, publicando sus memorias en clave literaria: *Diario de la luna pálida* (1277), en las que conjugaba la prosa con una magnífica poesía.

Cuando Japón salió de su aislamiento, sus escritores desarrollaron una técnica literaria que combina la tradición japonesa con el nuevo bagaje occidental. Entre quienes cultivaron tal combinación, destaca Higuchi Ichiyo, quien escribió varias colecciones de relatos cortos, de contenido psicológico, como *Creciendo* (1896).

648. INDIA

La larga y rica herencia literaria de la India incluye a algunas mujeres. Antes de la época moderna, un significativo número de indias intentaron abordar por vez primera la literatura, aunque sólo las más privilegiadas tuvieron la oportunidad de practicarla. Una de ellas fue la princesa y poeta Mira Bai, quien durante el siglo XVI dedicó su poesía lírica a Krisna. Su obra está impregnada por el *bhakti*, una forma de ritual fundado en el principio del amor estático y de la devoción personal hacia una divinidad.

En el siglo XVIII Gauribai de Gujarat también escribió poesía religiosa, en la que expresó las pasiones del misticismo hindú. Sin embargo, la llegada del colonialismo británico cambió por completo la faz de la cultura y de la literatura indias. Muchas poetas, como Sarojini Naidu (1879-1949), empezaron a escribir en inglés. Conocida como el «ruiseñor de la India», publicó *El umbral de oro*, *El ala rota* y otras muchas obras de carácter popular.

Hoy en día algunas autoras indias desarrollan su obra partiendo de la nostalgia del pasado. Ése es el caso de la novelista Ana Desai en novelas como *La clara luz del día* (1980) o *Bajo custodia* (1984), la tragedia de una profesora obsesionada con la poesía.

649. ESCANDINAVIA

El panteón literario de la literatura escandinava del siglo XX incluye a tres célebres mujeres, todas ellas novelistas. En Suecia el neorromanticismo que emergió a finales del siglo XIX encumbró a Selma Lagerlöf, cuya obra refleja el renovado interés de la época por la historia y la vida rural de Suecia. Sus obras de mayor renombre son *La saga de Gösta Berling* (1890), y la novela para niños *El maravilloso viaje de Nils Holgersson a través de Suecia* (1906-1907).

Otro exponente de ese gusto por la historia, lo constituye la obra *Kristin Lavransdatter* (1920-1922), una trilogía escrita por la noruega Sigrid Undset, que fue merecedora del premio Nobel. La historia transporta al lector a la Edad Media, a través el empleo del realismo psicológico.

En contraste con semejante técnica, Isak Dinesen, la más importante novelista danesa, recurrió a la fantasía y a la simbología en la mayoría de sus obras. Dinesen (Karen Blixen), que obtuvo el reconocimiento internacional con *Siete cuentos góticos* (1934), daría un giro temático absoluto con la todavía más famosa *Memorias de África* (1937), obra autobiográfica.

650. AUSTRALIANAS

Las mujeres han influido notablemente en la literatura australiana, especialmente en la novela. Stella Maria Sarah Miles Franklin, que escribió bajo el seudónimo Miles Franklin, describió las adversidades de una mujer aislada en el campo en *Mi brillante carrera* (1901). Henry Handel Richardson, otra mujer que escribió con seudónimo (se llamaba Ethel Florence Lindesay Richardson), contribuyó enormemente al avance de la literatura australiana de ficción con su trilogía *Las peripecias de Richard Mahony* (1917-1929). Haciendo alarde de su dominio del realismo psicológico, Richardson relata la historia de un desarraigado doctor irlandés en la década de 1850, con la fiebre del oro como telón de fondo. La comunista Katharine Susannah Prichard fue igualmente implacable en la visión que ofreció de su tierra natal y clamó a favor de la lucha de clases en Australia. Libros como *Jóvenes trabajadores* (1926) o el alegato antirracista *Coonardoo* (1930) recibieron una entusiasta acogida, aunque su trilogía de los yacimientos de oro, publicada entre 1946 y 1950, está considerada como su obra capital. Eleanor Dark, una escritora igualmente sobresaliente aunque de corte más íntimo, escribió sendas novelas a mitad de siglo, la una histórica y la otra algo más contemporánea, ambas de una profunda carga emocional. Por su parte, Kylie Tennant, trazó pintorescos retratos de la Australia profunda partiendo de un inconfundible sentido del humor, entre los que destacan *La feliz condenada* (1953) y *Las batalladoras* (1954). Igual-

mente reconocidas a escala internacional se encuentran Christina Stead, autora de *El hombre que amaba a los niños* (1940) y *El pequeño hotel* (1973); y Elizabeth Jolley, autora de *La herencia de la señora Peabody* (1984) y de *Foxybaby* (1985).

651. SURÁFRICA

La literatura blanca de Suráfrica, escrita principalmente en inglés, se ha centrado principalmente en los problemas raciales del país. Han sido varias las mujeres que han examinado de cerca el tema, empezando por Olive Schreiner, quien en 1883 escribió *Historia de una granja africana*, una audaz reflexión sobre las relaciones tanto raciales como sexuales. En el siglo XX la perspectiva abordó el impacto del *apartheid* en individuos concretos.

Por su parte, Doris Lessing con sus ciclo novelístico iniciado por *Hijos de la violencia* (1950-1969), desarrolló un pormenorizado seguimiento de la vida de su protagonista, Martha Quest, y de cómo ésta libra una dura contienda contra los problemas raciales y clasistas.

En lo relativo a novelas y relatos cortos, algunos de los cuales fueron declarados proscritos en su momento, Nadine Gordimer es acaso quien haya expuesto de un modo más audaz los horrores del *apartheid*. Aclamada por novelas como *Un huésped de honor* (1970) y *La hija de Burger* (1979), fue galardonada con el premio Nobel de Literatura en 1991.

652. LAS CANADIENSES

La escena literaria canadiense ha dado un sinnúmero de escritoras de relieve. Una de sus obras cumbre es la célebre *Ana de las tejas verdes* (1908), novela infantil escrita por Lucy Maud Montgomery, que reproduce una idílica ficción en torno a la vida en la Isla del príncipe Eduardo. Algunos años después, la novelista Ethel Wilson abordó el tema de la realización personal en *Las ecuaciones del amor* (1952) y en *El Ángel brumoso* (1954).

Margaret Laurence se situó entre las mujeres novelistas de su país, durante las décadas de 1960 y 1970, abordando temas similares a los de Wilson. Entre sus grandes obras se encuentran: *El ángel de piedra* (1964), *La chanza de Dios* (1966) y *Los adivinadores* (1974). Por su parte, Alice Munro se desenvolvió como pez en el agua en historias emotivas y de relaciones humanas, especialmente cuando hablaba de mujeres; entre sus relatos cortos destaca *Vidas de niñas y mujeres* (1971). Asimismo, la producción última de Dorothy Livesay dejó atrás las inquietudes políticas que guiaron su producción anterior para sumergirse en una literatura centrada en temas como el amor, la maternidad o el matrimonio. Entre su bibliografía sobresalen: *La cama inquieta* (1967), *Colección de poemas* (1972) y *Las fases del amor* (1982). Otra escritora canadiense que ha conseguido el reconocimiento internacional es Margaret Atwood, quien ha dirigido su sensibilidad feminista hacia terrenos tan amplios como insospechados, en diversas historias sobre la mujer y la búsqueda de su identidad. Su repertorio incluye novelas como *En la superficie* (1972), *Heridas corporales* (1981), *El cuento de la artesana* (1986) y *La novia del ladrón* (1995).

ESCRITORAS CON MUCHAS DOTES

653. GERTRUDE STEIN (1874-1946)

Utilizó diversos seudónimos, tales como «la mamá del Dadá». Gertrude Stein puede ser considerada como la madre de la modernidad. Nacida en Oakland (Estados Unidos), educada en Harvard Annex (que luego se convertiría en el célebre Radcliffe College), y en la Universidad Johns Hopkins, en 1902 abandonó la carrera de Medicina y se trasladó a París con su hermano Leo. Ambos conocieron de inmediato la obra de los pintores que despuntaban allí entonces, como Matisse, Cézanne o Picasso, cuyos cuadros empezaron a coleccionar. Stein buscaba la fórmula para trasladar los principios del cubismo al lenguaje escrito, aventura que plasmó en su trilogía *Tres vidas*, en 1909. Por aquellas fechas conoció a Alice B. Toklas, quien se convertiría en su amante y en su compañera de por vida.

El salón Stein-Toklas congregó a la vanguardia parisina, lo cual permitió a Stein proseguir sus investigaciones literario-pictóricas. A aquellos años pertenecen obras como la epopeya *Ser norteamericanos* (1911), la colección de prosa poética *Tiernos botones* (1914) y la pieza de teatro *Cuatro santos en tres actos* (1927), que supusieron un auténtico paso de gigante para la literatura inglesa, aunque resultaron demasiado densas para el gran público.

Precisamente, Stein conseguiría su primer gran triunfo literario con la semblanza de la vanguardia que la rodeaba en París, *La autobiografía de Alice B. Toklas* (1933). El compositor Virgil Thomson llevó al éxito a Stein cuando convirtió *Cuatro santos* en una ópera. Stein escribiría muchos libros más antes de morir, entre los que se cuenta *Ida, una novela* (1941), pero se lamentó de «que el público norteamericano se interesara siempre más por mí que por mi trabajo».

654. DOROTHY PARKER (1893-1967)

Fue la emperatriz de la célebre tertulia del Hotel Algonquin de Nueva York, punto de encuentro de varios literatos de las décadas de 1920 y 1930. La figura de Parker se sigue recordando hoy por su extraordinaria lucidez.

En 1916 colaboraba en la revista *Vogue*, entre 1917 y 1920 haría lo propio en *Vanity Fair*; de 1917 a 1933 ejerció como crítica de libros en el periódico *New Yorker*. Durante esos años escribió también poesía (*Cuerda suficiente* en 1926; *Muerte y Tasas* en 1931, etc.) y relatos cortos (*Después de tantos placeres*, 1933, y *Aquí yazco*, en 1939) que causaron auténtica sensación entre los escritores modernos. Parker dio muestras de un extraordinario talento para improvisar, en el calor del momento, hilarantes sentencias; de hecho, su obra está salpicada por un cáustico sentido del humor. Su poema «Résumé» deja constancia de ello: «Las pistolas no son legítimas / los lazos despiden un hedor ácido / así que, por tu bien, vive».

No obstante, su ingenio encubrió una turbulenta vida personal: intentó quitarse la vida en 1923, y estuvo involucrada en comprometidas causas políticas que le costaron ser incluida en la lista negra de Hollywood en 1940. Aun así, colaboró con éxito en distin-

tos guiones cinematográficos, tales como el de *Ha nacido una estrella*, estrenada en 1955.

Pasó los últimos años de su vida bajo la dependencia del alcohol, y sugirió una frase para su epitafio: «Perdonad a mis cenizas».

655. STEVIE SMITH (1902-1971)

La poesía y las obras de ficción de esta escritora (llamada Florence Margaret Smith) irradian un cinismo cegador, a veces algo hiriente, cuyo objeto de burla es la sociedad inglesa del siglo XX.

Smith no empezó a escribir hasta pasados los treinta, aunque fue una incansable devoradora de libros mientras vivió en su ciudad natal. Su primera novela fue *Una novela en papel amarillo* (1936), la primera de una trilogía, y el primero de sus más de doce libros de poesía llevaba por título *Después de todo, pasamos un buen rato* (1937).

Su obra es, a menudo, oscura, incluso mórbida, pero apeló a la ironía que la rescató de la amargura.

656. AMA ATA AIDOO (n. 1942)

Una de las más elegantes escritoras africanas contemporáneas, escribió novelas, relatos cortos, teatro y poesía, en los que describió la evolución de la cultura africana desde el final de la colonización. Profesora de inglés y de literatura africana en la Universidad de Ghana, Aidoo concluyó su primer trabajo de envergadura en 1965, con la obra teatral *El dilema de un fantasma*. Desde entonces cultivó también la novela, en trabajos como *Nuestra hermana Killjoy* (1966); los relatos cortos, en su colección *Aquí no hay dulzura* (1969), y su segunda obra de teatro *Anowa* (1970).

En cada una de estas obras, Aidoo conjugó un profundo pesimismo y ciertas dosis de ironía que le permitió abordar su temática con compasión y esperanza.

Aidoo está convencida de que la promesa de un futuro mejor para la mujer africana sólo surgirá de la colisión entre la sociedad occidental y la emergente África moderna.

HOMBRES ILUSTRES HABLAN DE LA MUJER

657

«No permitáis que las mujeres con un buen trasero os embauquen con palabras halagadoras y mimosas; sólo andan tras vuestro granero. El hombre que confía en una mujer confía en el fraude» (Hesíodo, poeta, siglo VIII a.C.).

658

«¡Mujeres, mujeres! Adorables y mortales objetos que la naturaleza ha embellecido para torturarnos … cuyo amor y cuyo odio son igualmente letales, y a quienes no podemos perseguir ni abandonar impunemente» (Jean-Jacques Rousseau, 1712-1778).

659

«La mujer es una esclava ante quien deberíamos ser lo bastante inteligentes para sentarla en un trono» (Honoré de Balzac, 1799-1850).

660

«El escritor entendido como mujer no existe. Es contradicción. El papel de la mujer en las letras es el mismo que tras los mandos de un telar: puede utilizarlos mientras no se requiera que participe el genio en su trabajo» (Pierre-Joseph Proudhon, 1809-1865).

661

«La mujer es natural, es decir, abominable» (Charles Baudelaire, 1821-1867).

662

«En la mujer es poesía casi todo lo que piensa, pero muy poco de lo que habla» (Gustavo Adolfo Bécquer, *Cartas literarias a una mujer*, 1860).

663

«La poesía eres tú, te he dicho, porque la poesía es el sentimiento, y el sentimiento es la mujer» (Gustavo Adolfo Bécquer, *Cartas literarias a una mujer*, 1860).

HEROÍNAS DE FICCIÓN

664. CASOS CLÁSICOS

Las mujeres han sido fuente de inspiración de la poesía clásica, el drama y la prosa escrita por los hombres, quienes las han representado desde multitud de prismas. La literatura se ha referido a la *mujer buena* como a una mujer sumisa; en cambio, la ha masculinizado para construir la figura de la *mujer fatal*.

En el siglo VIII a.C. Homero ya utilizó injustificadamente la belleza de Helena, tanto en la *Ilíada* como en la *Odisea*, para provocar la guerra entre Grecia y Troya. Trescientos años más tarde Esquilo definió a la hermana de Helena, Clitemnestra, como una mujer manipuladora y tortuosa, que persiguió impúdicamente el poder político y la libertad sexual; a fin de cuentas, Clitemnestra perpetró la emboscada que acabó con la vida de su esposo. En *Las Euménides*, la última obra de la trilogía dramática de la *Orestíada*, su hijo recurre al asesinato.

665. ANTÍGONA

La atribución de un carácter masculino a la mujer de acción se remonta más allá de la antigua Grecia. Sófocles ya lo advirtió en su tragedia *Antígona* (*c.* 442 a.C.), en la que relata la lucha por el poder entre el personaje que da nombre a la obra y un tirano. La trama se inicia cuando el rey Creonte prohíbe a Antígona que entierre a su hermano Polínices, que ha traicionado a su pueblo. Ignorando el consejo de su hermana Ismena, de que las mujeres han nacido para ser gobernadas por los hombres, Antígona decide, en secreto, enterrar a su hermano. Al enterarse de lo ocurrido Creonte se convence de que semejante desacato sólo puede haber sido obra de un hombre; incapaz de permitir que se culpe a un inocente, la arrepentida Antígona reconocerá su culpabilidad. Finalmente, Creonte la denunciará y castigará por haber actuado como un hombre, y la obligará a que, en adelante, se comporte como una mujer. Semejante decisión supondrá su entierro en vida; consciente de su fracaso como mujer, Antígona se suicidará.

666. UNA ÉPOCA REALMENTE OSCURA

Buena parte de la literatura europea escrita antes del Renacimiento ofrece una imagen negativa de la mujer.

En la epopeya anglosajona *Beowulf*, escrita probablemente alrededor del siglo VIII, simplemente se ignora a la mujer, excepto en el papel de esclava, de desquiciada o de monstruo. Con el advenimiento del cristianismo, la misoginia literaria encontró una nueva justificación en la historia de Eva, cuyo pecado original mancilló a la Humanidad y condujo a Cristo a la cruz.

La poesía de la Edad Media no le irá a la zaga, y acude al prejuicio religioso para incidir una y otra vez en la noción de mujer como tentación que pervierte las virtudes del hombre. Personajes alegóricos como la Hipocresía, el Fraude, el Sacrilegio y el Orgullo eran femeninos; si tuvieran ocasión, las mujeres darían rienda suelta a su voraz y depravado apetito sexual.

Mientras tanto, las obras seculares esbozaron, durante mucho tiempo, un concepto de *mujer buena*, identificado con el silencio y la sumisión, y otro de *perversa*, con la murmuración y el despecho.

667. LA COMADRE DE BATH

En los *Cuentos de Canterbury* (1390) de Chaucer, se incluye la historia de una mujer que clama a favor de la guerra de sexos y se burla de la superioridad de que alardean los hombres. En un momento dado, enfurecida por la ultrajante imagen de la mujer convenida por los escritores, la comadre de Bath, arremete como sigue: «Por Dios, si las mujeres hubiesen escrito historias / del mismo modo que los clérigos escribían sus oraciones / se hubieran ensañado de tal modo con las perversiones masculinas / que ni tan siquiera el bueno de Adán hubiera salido indemne».

668. SCHEREZADE

Reina en la ficción, es la heroína y narradora de *Las mil y una noches*, una colección de relatos que proceden del folclore persa, árabe, indio y egipcio, concluida en el siglo XV. El libro relata la historia del sultán Schahriar, quien encolerizado por el adulterio de su mujer, la hace ejecutar y se promete que desde ese día tomará una nueva esposa cada noche, y la asesinará al día siguiente. Pero he aquí que el sultán queda cautivado por la hábil Scherezade, quien, tras contraer matrimonio con él, logrará salvar su vida iniciando cada noche el relato de fascinantes cuentos, que dejará deliberadamente inconclusos hasta el día siguiente para aplazar la ejecución. Alcanzadas las mil y una noches de cuentos e interrupciones, el sultán, derrotado, desiste de su despiadado propósito.

669. LA CELESTINA

Fernando de Rojas le dio vida en torno a 1499 (*Comedia de Calisto y Melibea*), y desde entonces ha sido representada en innumerables montajes teatrales y hasta en el cine. La Celestina fue quizá la

SABALA

488. AGATHA RUIZ DE LA PRADA (n. 1960)

Tan conocida por el llamativo color de sus prendas como controvertida por la audacia de sus creaciones, esta diseñadora española ha
promovido una estética basada en lo asimétrico como forma de
reivindicar la libertad y la comodidad de la mujer.

Inició su andadura en las pasarelas a mediados de los ochenta,
cuando fue seleccionada para presentar su colección de ropa en una
de las más prestigiosas de España: la pasarela Cibeles. Allí sorprendió gracias a una colección diseñada a fuerza de colores chillones y
prendas o complementos tan desacostumbrados como alambres, espirales, muelles, aros, ruedas y taca-tacas. Desde entonces Ruiz de
la Prada ha paseado sus colecciones por las pasarelas más importantes de todo el mundo, y con el tiempo ha extendido su arte a muebles y otros complementos.

mejor alcahueta de cuantas aparecieron a lo largo de los siglos xiv y xv en la literatura española. Entregada a los placeres de la carne en la juventud, una mujer que regenta una mancebía añora el deleite del sexo y ahoga sus penas en el alcohol. Encarna la codicia, lo prosaico y lo mundano, frente al falso idealismo, la retórica y la caballerosidad de la Edad Media, rasgos con los que Fernando de Rojas invistió a los otros dos protagonistas del libro: Calisto y Melibea.

Así, *La Celestina* relata la historia de una vieja pelleja que se vale de su codicia y de sus malas artes para embaucar, como alcahueta, a una pareja de ingenuos amantes, Calisto y Melibea, a quienes llevará a la muerte, víctimas de sus engaños.

670. DULCINEA DEL TOBOSO

Uno de los personajes más fascinantes del universo de Miguel de Cervantes. Dulcinea del Toboso, heroína de la novela más reverenciada de las letras españolas, *El ingenioso hidalgo don Quijote de la Mancha* (1605-1614), es una mujer doblemente ficticia: no sólo es el producto de la imaginación del escritor español, sino que es el personaje femenino que alumbra la desquiciada mente del protagonista de la novela: don Quijote de la Mancha. La habilidad de Cervantes en la caracterización de los personajes dio forma a Dulcinea del Toboso, producto asimismo del desvarío de don Quijote, quien decide encubrir su verdadero nombre: Aldonza Lorenzo. Como dice Sancho Panza, fiel escudero de don Quijote, Dulcinea-Aldonza es una moza que «tira tan bien una barra como el más forzudo zagal de todo el pueblo».

El talento de Cervantes al servicio de don Quijote forjó a una dama imaginaria, que no sólo superó en profundidad a las féminas que habían poblado las páginas de las novelas cabellerescas, sino que caricaturizó sus formas estereotipadas. Dulcinea es la respuesta a aquellos que quisieron ver bellas y delicadas a las damas de una estepa donde sólo habitaban labriegas y molineras; es la destrucción del mito del amor lírico presentado por la literatura pastoril.

671. DOÑA INÉS

Personaje capital de una obra no menos capital: *Don Juan Tenorio*, firmada por José Zorrilla en 1844. La historia relata el drama de un hombre sin escrúpulos que consagra su vida a la seducción. Un buen día se cruza en su camino doña Inés, una joven virtuosa, a la que no duda en seducir, enternecido por su inocencia. Don Juan no tarda mucho en conseguir la atención de la joven, pero en la larga demora de la entrega física se descubre enamorado. Don Juan ha recurrido al subterfugio para llevarse a Inés a la alcoba, pero cuando sus falsas promesas de amor empiezan a ser verdaderas, Inés muere. Será entonces cuando don Juan le entregue también su alma a la bella, para redimir su turbio pasado.

La frágil doña Inés irá cobrando una fuerza inusitada conforme avance el relato, hasta que finalmente redima a su enamorado de las brasas del infierno. La obra nos remite a un drama que debe mucho al primer romanticismo, un paraíso celestial en el que la mujer es una suerte de ángel redentor y etéreo que rescata al hombre de una realidad embrutecida; Inés, sin embargo, siempre será virgen.

672. ANA OZORES

Protagonista de *La Regenta* (1885), de Leopoldo Alas «Clarín», es uno de los personajes femeninos más complejos de la literatura española. Ana Ozores encarna la personalidad romántica en una sociedad en transición del realismo al naturalismo, a finales del siglo XIX.

La historia de Ana Ozores es la historia de una mujer atormentada, que vive en Vetusta, una sociedad corroída por la hipocresía y el egoísmo. Casada con un hombre veinte años mayor que ella, Ana se consume escindida entre la exaltación religiosa y la atracción hacia Álvaro Mejía, un donjuán.

673. HESTER PRYNNE

Protagonista de la novela *La letra escarlata*, escrita por Nathaniel Hawthorne en 1850, Prynne encarna la deshonestidad con que la sociedad estadounidense de la época preservó la castidad de las mujeres «honestas». La protagonista debe enfrentarse a una comunidad que la desprecia, convencida de que es el correctivo que debe infligirle por haber tenido una relación extramatrimonial.

Al final, sin embargo, una vez Prynne demuestre haber actuado con dignidad, serán los vecinos quienes queden salpicados por la degradación.

674. EMMA BOVARY

Sin duda, uno de los personajes más irresistibles de la historia de la literatura, la protagonista de la obra cumbre del realismo, *Madame Bovary* (1857), de Gustav Flaubert, se revela contra el orden burgués que la hunde en el tedio y la banalidad: en su búsqueda por alcanzar sus aspiraciones románticas, se convertirá en adúltera. Sin embargo, perdida en una espiral de relaciones frustrantes, se suicida.

Emma Bovary podría simbolizar el castigo que merece todo delito, pero el propio Flaubert se encargó de rechazar tal interpretación cuando proclamó aquello de *Madame Bovary c'est moi*.

La novela es todo un alegato contra el adocenamiento de la vida moderna, y su protagonista, un emblema del individualismo.

675. NANA

Émile Zola dio vida a todo un estereotipo de la misoginia en la figura de una heroína a la que bautizó con el mismo nombre que a su novela: *Nana* (1880). Dominada por el deseo carnal, Nana encarna el hedonismo de la sociedad que la rodea, un hedonismo que pervierte no sólo a aquella sociedad, sino también a ella misma. Su trágico destino fue una advertencia de lo que podía ocurrirle a aquellas mujeres que buscaran el placer sexual sólo para su propio disfrute, en lugar de hacerlo por el bien de la procreación.

676. TESS, LA DE LOS D'URBEVILLE

En 1891 Thomas Hardy relató la historia del conmovedor y trágico destino de una mujer, cuyo nombre dio título a la novela, que
se arriesgó a desafiar las convenciones sociales.

La idealista Tess rechaza la vida que la sociedad ha construido
para ella, encontrando fugazmente la libertad en los brazos de su
amante. Sin embargo, en su carrera se dará de bruces contra el in-
franqueable muro del conservadurismo y será ejecutada por sus
transgresiones.

677. LEONOR

Fue la vida y la muerte de Antonio Machado. Fue poesía y realidad, pues en vida apenas pudo disfrutar dos años de la compañía de
Machado, con quien se había casado; y a su muerte se convirtió en
la musa que inspiró los versos más desgarrados del poeta.

Leonor y Machado vivieron su efímera relación a caballo entre
París y Soria, ciudad en la que Leonor murió el 1 de agosto de
1912, siendo casi una niña, enferma de tuberculosis. La muerte de
Leonor descubrió la vertiente más recoleta de la poesía de Machado. Con los versos que le dedicó alcanzaría el cenit de su lirismo (y
por extensión el de la literatura española):

> *¿No ves, Leonor, los álamos del río*
> *con sus ramajes muertos?*
> *Mira el Moncayo azul y blanco; dame*
> *tu mano y paseemos.*
> *Por estos campos de la tierra mía,*
> *bordados de olivares polvorientos,*
> *voy caminando solo,*
> *triste, cansado, pensativo y viejo.*

(Antonio Machado, *Campos de Castilla*, 1912)

678. YERMA

Uno de los personajes que mejor ilustran los rasgos de las martirizadas heroínas a las que dio vida su autor, Federico García Lorca. *Yerma*, que se publicó por vez primera en 1934, da nombre a una mujer estéril: es el clamor por una maternidad insatisfecha y el símbolo de la sumisión marital.

Al igual que sucede con otros personajes femeninos definidos por la sensible pluma lorquiana, *Yerma* revela la sensibilidad del autor para plasmar el dolor de la mujer en la sociedad tradicional andaluza, en la que, como un animal herido, se consume al cuidado del hogar.

679. VIRIDIANA

Interpretada por la actriz mexicana Silvia Pinal, es uno de los personajes femeninos más turbadores de Luis Buñuel. En Viridiana, quizá sólo un pretexto que Buñuel utilizó para arremeter contra el conservador orden social de la época, confluyen algunos de los rasgos característicos de las heroínas del director aragonés. Viridiana, novicia en un convento, llega a la hacienda de su tío para despedirse antes de profesar. Tras el suicidio de don Jaime tratará en vano de reemprender una vida dedicada a la oración.

Buñuel dio vida a una mujer entregada a la caridad, pero cuyo subconsciente (los sueños son harto reveladores) la aboca hacia los placeres del sexo. En la castidad, los moños o las medias Buñuel hallará un símbolo de la pulsión de sus personajes.

680. LA MAGA

Personaje femenino de la que acaso sea la obra más brillante del escritor argentino Julio Cortázar (1914-1984): *Rayuela* (1963). La narración, entre el efervescente París de los años sesenta y Buenos Aires, significó una innovación de la estructura tradicional de la novela (una suerte de *collage* que ofrecía varias posibilidades de lectura). En ese entramado, el personaje de «la Maga» actúa como un inhibidor de las efusiones discursivas del protagonista, Horacio de Oliveira. Frente al discurso abigarrado y cerebral de Oliveira, la Maga propone una forma de vivir aparentemente despreocupada, una espontaneidad que representa la «perfecta denuncia de la falsa perfección». La Maga es una mujer de ambiciones difusas que aprehende las cosas al instante, el contrapunto del intelectual Horacio.

«Hay ríos metafísicos, ella los nada como esa golondrina está nadando en el aire … Yo describo y defino y deseo esos ríos, ella los nada. Yo los busco, los encuentro, los miro desde el puente, ella los nada. Y no lo sabe, igualita a la golondrina» (Julio Cortázar, *Rayuela*, 1963, capítulo XXI).

MUSAS Y ANFITRIONAS

681. MECENAS LITERARIAS DEL RENACIMIENTO

Mucho antes de que las mujeres se consolidaran como escritoras, estimularon la literatura como benefactoras de distintos escritores. Entre las destacadas mecenas que invirtieron sus arcas para ayudar a que prendiera la literatura del Renacimiento se cuentan: Margarita de Borgoña (1290-1315), Catalina Cornaro (1454-1510), Isabel de Este (1474-1539), Ana de Bretaña (1477-1514), Catalina de Aragón (1485-1536) y Ana de Cleves (1515-1557).

682. EL SALÓN LITERARIO DE LA MARQUESA DE RAMBOUILLET

Inmortalizado por Molière en su sátira *Las preciosas ridículas* (1659), el salón de la marquesa de Rambouillet fue el lugar de nacimiento del preciosismo, un movimiento que floreció en Francia durante el siglo XVII.

Si en ocasiones resultaban ridículamente impostadas, aquellas reuniones fueron la expresión de las más genuinas muestras de refinamiento de la aristocracia francesa. La marquesa de Rambouillet fue la responsable (o la culpable, según se mire) de aquella institución, que congregó en su salón a las figuras literarias más importantes de la época. Una de sus invitadas habituales fue la condesa Marie Madeleine de La Fayette, autora de *La princesa de Clèves* (1678), todavía considerada como la más brillante novelista de su tiempo.

683. MADAME DE STAËL (1766-1817)

Germaine Necker, baronesa de Staël-Holstein, conocida simplemente como Madame de Staël, dirigió uno de los salones literarios más famosos de la historia. Stäel celebró sus primeras reuniones mientras vivía en Suiza, donde se estableció huyendo de los tumultos de la Revolución francesa. A su regreso, en 1794, retomó sus encuentros en París. Entretanto escribió una suerte de tesis sobre la obra de Jean-Jacques Rousseau.

Tanto en su país como en el extranjero, su brillantez embelesó a las más relevantes figuras literarias e intelectuales del momento, e hizo de su salón el centro del pensamiento ilustrado. Sus ideas progresistas, que expresó en comentarios políticos, críticas literarias, y en las novelas *Delphine* (1802) y *Corinne o Italia* (1807), despertaron la ira de Napoleón, quien ordenó exiliarla. Staël no volvería a Francia hasta 1815, pero durante su destierro se convirtió en una escritora de cartas tan célebre como prolífica. Su obra, que incluye un estudio sobre la cultura alemana y un tratado sobre el exilio, ejerció gran influencia en Europa.

684. NATALIE BARNEY (1876-1972)

La más eminente *salonista* de la modernidad, Natalie Barney fue una de las muchas bohemias estadounidenses que vivieron en París en la primera mitad del siglo XX. Procedente de una opulenta familia, dirigió semanalmente encuentros literarios donde se dieron cita los más respetados escritores, artistas y músicos del momento; incluso tuvo a Mata Hari y a Janet Flanner entre sus contertulios. Sus reuniones congregaron también a las abanderadas del lesbianismo; lo que le valió el sobrenombre de «la Amazona». Aunque escribió algunas obras, Barney destacó como musa de otras escritoras: Djuna Barnes, Radclyffe Hall, Anaïs Nin y otras muchas la tomaron como modelo de distintos personajes de sus respectivas obras.

Extraordinariamente longeva, murió a los noventa y cinco años, su biografía deja constancia de innumerables amoríos, además de una relación con la poeta francesa Renée Vivien, y otra, de treinta y tres años, al lado de la pintora Romaine Brooks.

685. SYLVIA BEACH (1887-1962)

Propietaria de la librería parisina Shakespeare and Company, la norteamericana Sylvia Beach fue una figura imprescindible de la vanguardia literaria de entreguerras. Entre sus realizaciones, figura la publicación del *Ulises* de James Joyce, antes de que la ocupación nazi la obligara a cerrar el negocio. En 1959 repasó en su autobiografía *Shakespeare and Company* sus experiencias con las grandes figuras de la literatura.

686. GALA DALÍ
(Elena Dimitrievna Diakonova, 1894-1982)

Mujer de rutilante biografía, Gala nació en Rusia y vivió en Francia, España y Estados Unidos, y absorbió enigmáticamente la atención casi obsesiva de dos hombres de gran talento: el poeta surrealista Paul Éluard y el pintor Salvador Dalí. Al primero lo conoció en París, ciudad en la que también se relacionó con los máximos artífices del surrealismo —Aragon, Breton, Tzara— y se casó con él. Sin embargo, su matrimonio con Éluard se truncó tras la irrupción de Dalí, amigo de aquél, a quien conoció en 1929 en Cadaqués. Gala abandonó a Éluard para irse con Dalí. La relación coincidió con el apogeo de la carrera del pintor, quien reconoció en Gala el símbolo de su inspiración.

Murió en una pequeña población de la Costa Brava catalana en 1982.

PALABRA DE MUJER

687

A pesar de todo son
sólo un hálito, palabras
que yo dispongo
como inmortales.

(Safo)

688

«Conocemos a los hombres por sus palabras» (María de Francia, siglo XII).

689

He sido amenazada por este libro;
y esto es de lo que se me advirtió:
Que si no lo enterraba
sería engullido por las llamas!

(Metchild de Magdeburgo, siglo XIII,
de *Derramando la luz de la divinidad*)

690

«No permitáis que se me acuse de insensata, de arrogante o presuntuosa, por osar, yo, una mujer, desafiar y responder ... cuando él, un hombre, ha descalificado hasta la calumnia y el oprobio a la totalidad del sexo femenino» (Christine de Pisan, siglo XIV).

691

«Y si una de nosotras osa pasarse de la raya hasta el punto de expresar sus pensamientos por escrito, dejad que lo haga con orgullo y no le impidáis que alcance la Gloria que se merece; infinitamente mayor a aquella que se ganó a fuerza de collares, anillos y moda elegante. Por todo ello nos pertenecen, sólo por que nos hemos aprovechado de ellos, pero el honor que verdaderamente nos pertenecerá será el que obtengamos a través del estudio» (Louise Labé, (1524–1566).

692

No puedo ofrecerte una ofrenda mayor
más que instarte a que acometas tu deber
para con la Musa y el saber divino...
Algún día alcanzarás la inmortalidad a través
de tu virtud,
aquí es hasta donde yo siempre he deseado que llegaras.

(Madeleine de Roches a su hija Catherine, siglo XVI)

693

Ellos silenciaron mi prosa
como a una niña pequeña
me encerraron en el armario,
Porque me querían «tranquila»

Emily Dickinson

694

«El mundo no se lo dijo a ella del modo en que se lo dijo [al hombre]: Escribe si ése es tu deseo; eso no te diferencia de mí. El mundo dijo, riéndose a carcajadas: ¿Escribir? ¿Cuál es el provecho de eso?» (Virginia Woolf, *Una habitación propia*, 1929).

«Las mujeres siempre han sido pobres, no es algo que suceda desde hace sólo doscientos años, ya desde los albores del tiempo … Las mujeres, desde entonces, no han tenido siquiera las oportunidades de escribir que tendría un perro. Ésa es la razón que ha hecho que yazca desterrada en la miseria, y en una habitación propia» (Virginia Woolf, *Una habitación propia*, 1929).

695

«¿Quién crees que está entre Shakespeare y yo?» (Gertrude Stein).

696

«No existe agonía mayor que la de arrastrar dentro de ti una historia que jamás podrás contar» (Zora Neale Hurston, *Huellas de polvo en una carretera*, 1942).

697

«Una mujer nunca es lo suficientemente rica ni está lo suficientemente delgada» (Coco Chanel, 1950).

698

«No fue hasta tener siete años o más cuando empecé a rezar cada noche "¡Oh Dios, déjame escribir libros! ¡Por favor señor, permíteme que escriba libros!"» (Ellen Glasgow, *La mujer que llevo dentro*, 1954).

699

«Como escritora tú eres libre … Vives en el país del que *tú* creaste las normas, las leyes. Eres al mismo tiempo el dictador y el obediente populacho. Éste es un país que nadie antes había descubierto. Corre de tu cuenta el trazar los mapas, construir las ciudades. Nadie más en el mundo puede hacerlo, o jamás podría hacerlo, o jamás será capaz de hacerlo de nuevo» (Ursula K. LeGuin, *El lenguaje de la noche*, 1979).

GRANDES NOVELAS

700. «LA HISTORIA DE GENJI»

Unánimemente considerada como la primera novela escrita en japonés, *Genji monogatari* (*La historia de Genji*) también ha sido considerada como la mejor obra de la literatura japonesa. Su primera aparición data del año 1010, lo que la convierte en uno de los más tempranos trabajos conocidos en una mujer japonesa. Su autora, la gran dama Murasaki Shikibu, cimentó los cincuenta y cuatro capítulos que forman el relato sobre el majestuoso y profundo retrato de la corte de la dinastía Heian, la reinante en la época. La novela narra la historia del príncipe Genji y su hijo Karou, personaje que irá incrementando su poder paralelamente a su glacial transformación psicológica.

Una obra maestra, *Genji monogatari* contiene numerosos *tanka* (un singularísimo verso japonés) al que dan forma los mismos personajes.

701. «LA ABADÍA DE NORTHANGER»

Publicada en 1818, dos décadas después de que Jane Austen la escribiera, esta parodia de la novela gótica encubre una mordaz denuncia del patriarcado. La novela, ambientada en la enrarecida atmósfera de prosperidad que atravesaba Inglaterra, relata el desencanto de su protagonista, Catherine Morland, a medida que se va adentrando en la sociedad moderna. La protagonista asiste al triste espectáculo de la impostación, la hipocresía y el adocenamiento de la «mujer decente», categoría de la que, supuestamente, procede.

Tal y como ocurre en los personajes femeninos de Austen, Catherine descubre que ser mujer (en el marco de una sociedad dominada por el hombre) significa ser dependiente y vivir confinada en el autoengaño. Austen no deja lugar a interpretación alguna y concluye que las mujeres que asumen el papel de buenas hijas y esposas están condenadas a una vida asfixiante, bajo el poder absoluto del patriarca de la familia.

702. «FRANKENSTEIN»

En 1818 Mary Shelley publicó en Inglaterra la historia de la creación y la destrucción de un monstruo, retomando *El Paraíso perdido* de Milton desde una perspectiva femenina.

Shelley relata el perverso intento de la creación de Victor Frankenstein, que compara con la creación de Eva a partir de la costilla de Adán, con similares resultados. Al igual que Eva, el monstruo será la encarnación de la perversidad: su infernal paso por la Tierra es el reflejo de la eterna condena a la primera mujer.

703. «JANE EYRE»

Charlotte Brontë publicó en 1847 las tribulaciones de una huérfana durante su tortuoso camino en la búsqueda de la realización personal. Escrito en un tono diametralmente opuesto al de las sentimentales fábulas populares de la literatura británica de la época, *Jane Eyre* describe la lucha de una impetuosa joven que se resiste a aceptar los presupuestos de la feminidad convencional. De la irrespirable atmósfera de Gateshead, su ciudad natal, a la opresiva escuela de Lowood, pasando por la laberíntica Thornfield, donde trabaja para Edward Rochester, hasta la consumación de su romance con Ferndean; el libro relata el periplo de Jane a través de una so-

ciedad que espera de ella que se convierta en la mujer que se supone que debe ser. Durante su periplo, Jane se tropieza con la primera esposa de Edward, la desdichada y esquiva Berha Rochester, cuya locura se erige como símbolo de lo que puede significar para una «dama» cumplir con las expectativas sociales.

704. «LA CABAÑA DEL TÍO TOM»

Publicado en dos volúmenes entre 1851 y 1852, este clásico alegato contra la esclavitud fue escrito por Harriet Beecher Stowe, quien, en su afán por fomentar el abolicionismo, apeló a la emotividad de los lectores norteamericanos. El desproporcionado éxito de la novela, convertida en un inesperado *best-seller*, enardeció las tensiones políticas y sociales en Estados Unidos, y contribuyó a que prendiera la llama que condujo a los esclavos afroamericanos hacia la emancipación.

Los historiadores revisionistas y los críticos redujeron la consideración de la obra a la de melodrama social; sin embargo, el dócil Tío Tom se convirtió en un emblema de la complicidad racista.

Un siglo y medio después de su publicación, el vehemente debate en torno al libro todavía sigue vivo.

705. «MUJERCITAS»

Paradojas de la existencia: a pesar de que Louisa May Alcott admitió que «nunca le gustaron las chicas ni conoció a muchas» escribió una de las historias de amor más apreciadas por niñas y mujeres de todos los tiempos. Desde que apareciera en Estados Unidos por vez primera, en 1869, *Mujercitas* ha gozado del favor de generaciones de lectoras, arraigando inevitablemente en el imaginario femenino.

El libro relata la historia de la ambiciosa e independiente Jo, que vive junto a su adorada Marmee y sus tres hermanas: la tierna Meg, la frágil Beth y la obstinada Amy. *Mujercitas* supuso un punto de partida importantísimo para una nueva concepción de la literatura infantil, hasta entonces un género caduco y moralizante; y Jo se convirtió en un modelo a seguir para miles de niñas que suspiraron por su resolución y determinación.

706. «MIDDLEMARCH»

George Eliot ya era una escritora de reconocido prestigio y popularidad, cuando en 1871 publicó la que sería su indiscutible obra maestra. En *Middlemarch*, como en toda su obra, abordó la incertidumbre y la desesperanza existencial a partir de la disección de las vidas de los ciudadanos de una provinciana ciudad inglesa. *Middlemarch* relata la historia del fracasado y mediocre Mr. Casaubon, que vive una efímera regeneración al casarse con la ingenua Dorothea Brooke, pero que acabará arrastrándola hacia una existencia inevitablemente tediosa cuya única expectativa es la muerte, y que Dorothea sólo atenuará durante el romance que mantiene con el anodino Will Ladislaw. El cínico y fatuo doctor Lydgate ignora y desprecia a su abnegada mujer, Rosamond, quien se hundirá en un amargo silencio; mientras que el avaro Featherstone, el oportunista Rigg y el débil Bulstrode vivirán agobiados por deudas.

Además de todos ellos, otros muchos personajes evidenciarán la infecta moral de la sociedad moderna.

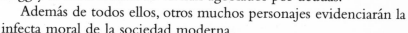

707. «EL DESPERTAR»

En el último año del siglo XIX, la escritora norteamericana Kate Chopin publicó una novela sorprendentemente avanzada a su tiempo. Ésta relata la historia de Edna Pontellier, una mujer que adquiere conciencia de su asfixiante matrimonio y de que sus deseos sexuales son lo suficientemente fuertes como para arrastrarla al adulterio.

La franqueza con que esta novela feminista zahirió al puritanismo social de la época provocó la inmediata prohibición de su venta y el destierro de la escritora de los círculos sociales respetables. Después de aquello, arruinada la carrera literaria de Chopin y su prestigio como escritora, no tardó en caer en el olvido. A causa de todo ello, el libro no fue reconocido como la obra maestra que es hasta que avanzaron las costumbres culturales.

708. «LA CASA DE LA ALEGRÍA»

Publicada en 1905, la primera novela de Edith Wharton esbozó los temas de sus posteriores y más conocidas obras. La novela, una mordaz acusación a la hipocresía de la alta sociedad norteamericana, narra el fracaso de una mujer que se niega a acatar las normas sociales. El porvenir de la protagonista, Lily Bart, queda truncado cuando los negocios de la jovencita de sangre azul empiezan a naufragar; entonces, siempre conforme a las reglas, se supone que deberá hacerse con un buen partido que la saque del apuro. De vuelta a la vida lujosa, Lily se verá convertida en un trofeo decorativo. Llegada a tal punto, se resistirá a venderse en el mercado del matrimonio y acabará hundida en la pobreza y desterrada de la enjoyada sociedad del privilegio.

En cualquier caso, bajo la pluma de Wharton es la sociedad la condenada por su desprecio a la mujer.

709. «MI ANTONIA»

La novela que Willa Cather escribió en 1918 narra la historia de una magnífica heroína, una mujer más fuerte que su despiadada circunstancia y más valerosa que los hombres que la rodearon. La novela, a través de la voz de un narrador masculino (un recurso insólito en la literatura femenina de la época), relata los sinsabores de la vida de Antonia, una inmigrante procedente de Bohemia que crece en las llanuras de Nebraska durante el siglo XIX. Antonia debe cargar, además de con las dificultades que padecieron los primeros colonos, con el suicidio de su padre y con un hijo bastardo, que engendra junto a un trabajador del ferrocarril sin escrúpulos.

Pero nada destruirá el inquebrantable espíritu de Antonia, personaje que trascenderá tiempo y espacio, hasta erigirse en uno de los más paradigmáticos de la literatura norteamericana.

710. «LA SEÑORA DALLOWAY»

En 1925 Virgina Woolf escribió el relato de un día de la vida de Clarissa Dalloway, en lo que constituyó un atrevido experimento novelesco.

El libro transcurre entre los pensamientos de la señora Dalloway, una mujer de la sociedad opulenta, y Septimus Warren Smith, un soldado que padece neurosis de guerra. Las afinidades y los contrastes entre ambos personajes ofrecen un análisis amargo y esclarecedor de la tradicional cultura británica; y eso, a pesar de que la novela fue construida desde una insospechada perspectiva literaria.

711. «EL BIEN DE LOS SOLITARIOS»

A pesar de que en términos estrictamente literarios no pueda competir con los clásicos, el trabajo realizado por la escritora británica Radclyffe Hall en 1928 permanece como una de las obras de mayor relevancia social de nuestra época. La historia de Stephen Gordon, una «invertida» con pocos escrúpulos para su época, constituyó el primer (y compasivo) retrato literario del lesbianismo. La controversia no tardó en suscitarse, y la obra fue embargada y prohibida, por su carácter «obsceno», tanto en Gran Bretaña como en Estados Unidos. De hecho, *El bien de los solitarios* fue el eje de una batalla legal en ambos países. Y pese a que las prohibiciones se abolieron eventualmente, el libro siguió siendo objeto de toda suerte de recelos. Desde entonces, mientras que los conservadores se han manifestado rotundamente en contra del lesbianismo, los liberales siguen alimentando el debate sociopolítico con voluntad de disipar la desconfianza que, todavía hoy, sigue despertando el movimiento homosexual.

712. «EL BOSQUE DE LA NOCHE»

En 1936 la escritora norteamericana Djuna Barnes publicó una obra de ficción que impresionó de tal modo a los críticos de su país que éstos la compararon con James Joyce. Su novela *El bosque de la noche* sigue la estela de Robin Vote, una mujer norteamericana que pulula erráticamente por el París bohemio; allí conocerá, cautivará y destruirá a una serie de personajes tan singulares como sobrecogedores.

La prosa de Barnes constituyó un paso adelante para la expresión literaria en inglés; incluso T. S. Elliot expresó su admiración: «Sus hallazgos estilísticos, la belleza de su redacción, lo brillante de sus personajes y sus destellos de talento; una mezcla de horror y fatalidad, que recuerda a la tragedia isabelina».

713. «EL CORAZÓN ES UN CAZADOR SOLITARIO»

Primero de los tristes e idealistas trabajos de Carson McCullers, la novela *El corazón es un cazador solitario* fue publicada en 1940, cuando la autora contaba sólo veintitrés años. Su protagonista, la adolescente Mick Kelly, es una inquieta romántica aspirante a música, que se resiste a aceptar las normas de un pequeño pueblo del Sur. Suspira por un mundo en que no se de la espalda a los proscritos como ella, y vive su eterna adolescencia, implicándose en conflictos tan agitados como peligrosos.

La novela encumbró de inmediato a McCullers y, actualmente, se la considera uno de los mayores talentos de la tradición gótica sureña. Sus sucesivas novelas incluyen títulos como *La balada del café triste* (1944) y *Frankie y la boda* (1946).

714. «EL CUADERNO DORADO»

Unánimemente considerada como la obra maestra de la británicosurafricana Doris Lessing, se trata de una novela de estructura audazmente novedosa, que aborda la vida íntima de las mujeres de la segunda mitad del siglo XX. La novela se gestó a partir de la narración corta *Mujeres libres*, en la que Lessing trazó un primer bosquejo de lo que sería la amistad de las protagonistas Anna y Molly. La estructura está construida alternando pasajes narrativos con las reflexiones que Anna va anotando en sus cuadernos, en cada uno de los cuales abordará una parte distinta de sí misma. Tanto la novela como los cuatro cuadernos describen la enajenación de Anna conforme las fauces de la sociedad moderna la van engullendo. El quinto cuaderno (el dorado) relata el proceso de recomposición y restablecimiento de su salud mental.

El cuaderno dorado, cuya aparición en 1962 fue simultánea a la eclosión del movimiento de liberación de la mujer, fue enarbolado por las feministas como una epopeya de la guerra de los sexos. Lessing se opuso a semejante interpretación y repitió hasta la saciedad que la única voluntad del libro era plasmar el universo emocional de la mujer moderna. En cualquier caso, la novela sigue viéndose como una poderosa obra de carácter feminista, capaz de aprehender y explicar la vida de la mujer en un espacio y en un tiempo muy determinados.

715. «ANCHO MAR DE LOS SARGAZOS»

En 1966 Jean Rhys, obsesionada por la *Jane Eyre* de Charlotte Brontë, escribió este intenso y surrealista retrato sobre la locura y la mujer. Jean Rhys fusionó en *Ancho mar de los Sargazos* el personaje de Bertha Rochester con las tradicionalmente dementes herederas criollas de sus Antillas natales. De tal mezcla surgió el personaje de Antoinnete Bertha Cosway, cuyo destino es el mismo que el de Bertha.

Rhys se remonta a la infancia, a la adolescencia y al temprano matrimonio de su heroína, con intención de rastrear las causas de su locura. En su búsqueda alumbrará una obra que sobrecoge por su brutalidad y por su belleza. El resultado es un análisis profundamente turbador sobre la opresión de la mujer y sus consecuencias.

716. «MUJERES GUERRERAS»

Repartido a partes iguales entre la ficción y la autobiografía, este libro, escrito por Maxine Hong Kingston en 1976, funde dos temas literarios ampliamente utilizados por las mujeres. La parte autobiográfica del libro describe la infancia en California de la narradora, una mujer de origen chino; mientras que la ficción evoca los mi-

tos y la historia de China. La obra, que lleva por subtítulo «Memorias de una juventud entre fantasmas», relata las impresiones que una muchacha americana de origen asiático tiene de los blancos «fantasmas» norteamericanos entre quienes convive. La novela analiza la colisión entre su realidad y la persistencia de las influencias de la China ancestral que sobreviven en su presente. A lo largo de todo el relato, se acudirá una y otra vez al tema de la venganza femenina, con el objetivo de explicar el porqué del comportamiento de la mujer china.

La novela fue aclamada por la crítica, no sólo por su innovadora aproximación a un tema inusual, sino también por la intensidad y nitidez lírica de su prosa.

717. «BELOVED»

Ganadora del premio Pulitzer de ficción en 1988, esta novela de Toni Morrison se centra en el destuctivo impacto de siglos de esclavitud afroamericana en una hacienda de Ohio, pocos años después de la guerra civil. Atormentada por el recuerdo de su hija, a la que mató recién nacida, antes de entregársela a los blancos, la esclava fugitiva Sethe se convierte en la enigmática Beloved. Cruzando los límites entre los vivos y los muertos, la identidad de Beloved se va revelando poco a poco a los ocupantes de la casa. El pasado y el presente se superponen en la narración, iluminando el cruel legado de la esclavitud para la población afroamericana, especialmente las mujeres. *Beloved* tuvo enorme repercusión, brindando a Morrison una atención merecida. En 1993 se convirtió en la primera mujer negra que recibió el premio Nobel de Literatura.

LAS NOVELISTAS

718. MARÍA DE ZAYAS (1590-1661)

Hija de un capitán de infantería, nació en Madrid. Escribió la comedia *La traición en la amistad*, pero su obra es preferentemente narrativa, siguiendo la forma clásica del *Decamerón*: se cuentan los relatos en tardes sucesivas con el fin de distraer a una mujer enferma. Su principal característica es haber introducido la picaresca entre la aristocracia. Publicó dos colecciones narrativas: las *Novelas amorosas y exemplares* (1637), todas con final feliz, y *Parte segunda del sarao y entretenimientos honestos* (1649). La crítica actual la considera precursora del feminismo.

719. MARIA EDGEWORTH (1767-1849)

A diferencia de la mayoría de las mujeres de su tiempo, que escribieron a pesar de los hombres, Maria Edgeworth escribió para satisfacer el deseo de su padre. Éste, un irlandés, la educó con esmero y volvió con ella de Inglaterra a su Irlanda natal en 1782.

Trece años después, Edgeworth publicó sus *Cartas para literatas*, una novela epistolar con la que inauguró una de las más ilustres carreras que haya dado jamás la literatura irlandesa. A aquélla le seguirían otra novela epistolar, un ensayo y las novelas de salón *Belinda (1801)* y *Ormond* (1817).

Sin embargo, su auténtico legado lo constituyen sus otras dos novelas: *El castillo de Rackrent* (1800) y *El ausente* (1812); en esta última, con una innovadora forma de realismo social, analiza a fondo el caciquismo y critica los abusivos métodos de los terratenientes irlandeses.

720. GEORGE SAND (1804-1876)

Amandine-Aurore Lucille Dupin, baronesa de Dudevant, imprimió con su obra, tan vasta como extraordinaria, una indeleble huella en el romanticismo, bajo el seudónimo masculino que le dio la fama.

El feminismo que afloró en sus relatos resulta más clarificador respecto a su vida que cualquier biografía.

Se casó en 1822, pero se sintió desarraigada durante toda su juventud y pronto dejó a su esposo por el París bohemio de la época.

Allí vivió rodeada de celebridades como Balzac, Chopin y Liszt, se vistió con ropa de hombre y tuvo varias aventuras amorosas. De hecho, tal fue el telón de fondo de sus obras; el mismo año que llegó a París publicó *Rose y Blanche* (1831), novela que escribió junto a Jules Sandeau y que firmó bajo el sobrenombre Jules Sand. Más adelante adoptaría el seudónimo con que se hizo famosa y bajo el que escribió una serie de influyentes y populares novelas, en las que abogó por los derechos de la mujer, el amor libre y los ideales filantrópicos, entre ellas, *Lélia* (1833), *Les sept cordes de la lyre* (1840), *Les maîtres sonneurs* (1853) y sus dos volúmenes autobiográficos: *Histoire de ma vie* (1855) y *Elle et lui* (1859).

721. FERNÁN CABALLERO (1796-1877)

Seudónimo que encubrió la personalidad de Cecilia Böhl, hija del hispanista alemán J. N. Böhl de Faber. Cecilia vivió escindida y, aunque se convirtió en una figura clave de la literatura española del siglo XIX, se avergonzó de su profesión, que consideraba impúdica. A menudo, retrasó exageradamente la publicación de sus novelas.

En 1837 se casó en terceras nupcias con Antonio Arrón, y el rumbo de su vida pareció sosegarse: por vez primera, Caballero vivió de forma estable en un lugar, Chiclana (Cádiz). Desarrolló un estilo literario moralizante y sumamente peculiar, conjugando el costumbrismo andaluz con su bagaje cosmopolita.

Böhl escribió esencialmente en francés y en alemán, y sus títulos se resintieron de traducciones poco afortunadas, pero su significación histórica resulta incuestionable: fue el nexo literario entre la novela romántica y el realismo que marcaría el siglo XIX. Entre su extensa producción destacan: *La familia de Albareda* (1845), *Un servilón y un liberalito* (1859), *Cuentos y poemas andaluces* (1859) y *La farisea* (1863). Isabel II le cedió su residencia en el Alcázar de Sevilla para que pasara sus últimos años, aunque tuvo que abandonarla antes de morir.

722. GERTRUDIS GÓMEZ DE AVELLANEDA (1814-1873)

De origen cubano, Gómez de Avellaneda pasó la mayor parte de su vida en España y, pese a que su figura ha caído en el olvido, su sensibilidad y la elegancia de su prosa resultaron fundamentales para cambiar el curso de la literatura romántica de la época. La clave de ese pulso vigoroso se encuentra en su compromiso ideológico. Gómez de Avellaneda creó unos personajes femeninos de tal envergadura que hoy se la considera como una de las precursoras del feminismo moderno. Su estilo literario fue netamente moderno y le costó algún que otro disgusto: Menéndez Pelayo le vetó la incorporación a la Academia de la Lengua. En poesía brilló con especial fuerza el mestizaje cultural: sus versos combinaron elementos del exotismo caribeño con un paradójico escepticismo político. Obras como *Guatimozín* (1847) o *Saúl* (1849) son una buena prueba de ello; aunque quizá su obra maestra sea *Baltasar* (1858), referencia imprescindible del teatro romántico.

723. EMILY BRONTË (1818-1848)

Hermana de Charlotte (la célebre autora de *Jane Eyre*), Emily Brontë es conocida por su no menos famosa *Cumbres borrascosas*. Junto a Charlotte y Anne, sus hermanas (a las que debe añadirse un hermano, Branwell), vivió una infancia plena de las historias y de las fantasías que ellas mismas ingeniaban, algunas de las cuales transformaron en minúsculos librillos manuscritos. Pronto las hermanas llevaron cabo su primera tentativa de publicación, un compendio de versos escrito entre las tres y que firmaron bajo seudónimo: *Poemas de Currer, Ellis y Acton Bell* (1846). El resultado fue un fracaso estrepitoso, que en nada informa del reconocimiento del que hoy gozan. En vista del fracaso decidieron dar un giro hacia la literatura de ficción que se tradujo en la publicación,

en 1847, de *Jane Eyre, Cumbres borrascosas y Agnes Grey* (escrita por Anne).

Cumbres borrascosas, la apasionada historia del amoral Heathcliff, no sólo desafió las convenciones sociales imperantes, sino que las trascendió. La novela fue interpretada por algunos críticos como una provocación al *lector decente*. Sin embargo, con el paso del tiempo, los críticos terminaron por reconocer las indiscutibles excelencias literarias de la novela y sus significativos logros en su habilidosa mezcla de romance y misticismo.

Brontë murió de tisis poco después de publicar su obra maestra.

724. CONCEPCIÓN ARENAL (1820-1893)

Escritora y socióloga española, vivió abrumada por la adversidad. Nació en El Ferrol, y aunque pasó unos años en Madrid y tras la muerte de su esposo se regugió en Potes, la mayor parte de su vida transcurrió en Galicia. Siendo muy joven ya tenía una visión extremadamente lúcida del mundo en que vivía: supo reconocer la discriminación, pero jamás se abandonó al abatimiento. Autodidacta, se dedicó a la reforma social: la situación de la clase obrera, el sistema penitenciario, la instrucción y los derechos de la mujer. Fundó junto con Antonio Guerola, la revista *La Voz de la Caridad*, cuyo primer número apareció en 1865. Entre sus obras destacan: *La beneficencia, la filantropía y la caridad, Manual del visitador del pobre* (ambas reconocidas a nivel internacional), *Cartas a un obrero* (1880), *La mujer del porvenir* (1884) y *La instrucción del pueblo*.

Murió en 1893 tras una penosa enfermedad, y escribió su propio epitafio: «A la virtud, a una vida, a la ciencia».

725. SOLEDAD ACOSTA SAMPER (1833-1903)

Fue una de las periodistas, escritoras, feministas y defensoras de la libertad más renombradas de su país, Colombia. Fundó varias revistas, entre ellas *La Mujer* (1878-1881), de difusión quincenal, que resultó especialmente influyente en lo concerniente a la educación de la mujer colombiana. Fue además una anfitriona de excepción, cuyo salón reunía a diversas personalidades de la vida intelectual en tertulias que fueron denominadas «el mosaico». Su obra literaria es pintoresca, no sólo por la variedad de los temas que abordó, sino por su singular modo de moldear sus novelas según la tradición romántica, argumentos costumbristas o simples intuiciones.

Fue designada miembro de la Academia de las Letras de Caracas, cuando ya había publicado libros tan influyentes para la literatura de su país como *Una holandesa en América* (1888), *Novelas y cuentos de la vida sudamericana* (1869) o *Los piratas en Cartagena* (1885).

726. EMILIA PARDO BAZÁN (1851-1921)

Escritora gallega, nació en el seno de una familia aristocrática. Mujer paradójica, fue emprendedora y prolífica. Se casó por vez primera a los diciesiete años con Jacinto Quiroga, de quien se separaría poco después. Sus deslices (intimó con su editor José Lázaro y con Pérez Galdós) no fueron obstáculo para que se adscribiera a un ideario conservador. En la revista *La Época* publicó diversos artículos sobre Zola y la novela experimental, que fueron publicados en el volumen *La cuestión palpitante* y que la popularizaron como impulsora del naturalismo en España. Fue conferenciante y directora de la Biblioteca de la Mujer, consejera de Instrucción Pública y, desde 1916, profesora de Literaturas Románicas en la Universidad de Madrid, una cátedra creada para ella. Entre sus obras destacan: *Un viaje de novios* (1881), *La tribuna* (1882), *Los pazos de Ulloa* (1886-1887), *La madre naturaleza* (1887) e *Insolación* (1889), de tendencia naturalista. En *La prueba* (1890) y *La piedra angular* (1891) se aprecia una evolución hacia el simbolismo y el espiritualismo característicos de la literatura de fin de siglo.

727. SARAH ORNE JEWETT (1849-1909)

Natural de Maine, Jewett trasladó a la ficción las vidas de una serie de campesinas enfrentadas a las vicisitudes del mundo rural, en medio de la austera belleza de los paisajes de Nueva Inglaterra. Inició su andadura literaria publicando relatos en revistas como *Atlantic Monthly* a finales de la década de 1860. En 1877 veía la luz su primera colección de relatos, *Deephaven*, a la que seguirían *La garza blanca* (1886) y *El rey de la loca Islandia* (1888), con las que fascinaría a escritores como Harriet Beecher-Stowe o John Greenleaf Whittier. Sin embargo, su verdadera obra maestra *El país de los abetos puntiagudos* no llegaría hasta algunos años más tarde, en 1896. Este trabajo supuso una relevante contribución a las letras norteamericanas, e influyó notablemente en nuevas escritoras como Willa Cather.

728. VÍCTOR CATALÀ (1869-1966)

Su figura sigue siendo una de las más enigmáticas y singulares que haya dado la literatura catalana. Caterina Albert i Paradís, así se llamaba, adoptó una personalidad literaria masculina para dar forma a una literatura sombría, sobre todo en su inclemente relato del mundo rural catalán. Inscrita en el movimiento naturalista, Català trasladó al mundo campesino catalán de la época las pautas de sus coetáneos franceses, dedicando especial atención al análisis psicológico de sus personajes. En 1905 alcanzó su cenit literario con la obra *Solitud* (*Soledad*), donde desarrolla con maestría una narración dramática del aislamiento rural.

729. GRAZIA DELEDDA (1871-1936)

Esta escritora italiana, autodidacta, fue galardonada con el premio Nobel de Literatura en 1926. A los quince años dio muestras de un talento literario y de una madurez emocional impropios de una joven de su edad en obras como *Stella d'Oriente* (1890) y *Nell'azzurro* (1891). Abundó en los conflictos entre razón y pasión hasta alcanzar sus títulos más logrados: *Elias Portolu* (1906) o *La madre* (1920). En 1937 se publicó, a título póstumo, su autobiografía *Cosima*.

730. MARÍA LEJÁRRAGA (1874-1974)

Escritora y dramaturga española, aunque su huella es difícil de hallar en los manuales literarios, fue una de las dramaturgas más notables de su época, relegada el anonimato por su esposo, Gregorio Martínez Sierra. Al parecer, ya durante su noviazgo, Martínez Sierra detentó la autoría de algunos textos que habían escrito conjuntamente. Por aquel entonces no estaba muy bien visto que una mujer escribiera, y Lejárraga lo sabía: lo descubrió cuando no pudo publicar su primera obra, *Cuentos breves* (1899). Así que se resignó a que títulos como *La torre de marfil* (1908) o *Canción de cuna* (1911) le fueran usurpados.

Fue una irreductible defensora del feminismo y del socialismo y, gracias a su perseverancia, fue una de las primeras diputadas durante la Segunda República. Luego llegó el exilio: primero en Francia, de donde huyó a causa de la ocupación nazi, y más tarde en América, donde siguió luchando infructuosamente por el reconocimiento de sus derechos como escritora. María Lejárraga murió casi en la miseria y con sólo tres obras publicadas con su nombre: *Cartas a las mujeres de España* (1916), *Una mujer por los caminos de España* (1934) y *Gregorio y yo* (1952).

731. ZENOBIA CAMPRUBÍ (1887-1956)

Traductora y escritora nacida en Barcelona, la figura de Camprubí no ha recibido la atención que merece. Lejos de ser recordada como la brillante traductora de Rabindranath Tagore, el más ilustre escritor indio del siglo, y del poeta Synge, de quien fue la única correctora de sus originales, Camprubí ha quedado reducida al papel de esposa del escritor Juan Ramón Jiménez. Así pues, su vida estuvo marcada por su unión con el escritor: no sólo fue su consorte, sino que participó decisivamente en el desarrollo literario de su esposo. En su *Diario*, que no sería publicado hasta 1991, mucho después de su muerte, Zenobia trazó unas memorias de los años que el matrimonio pasó en Cuba.

732. KATHERINE MANSFIELD (1888-1923)

Fue durante mucho tiempo la única escritora de su tierra natal, Nueva Zelanda, que disfrutó de reconocimiento internacional. En sus colecciones de relatos cortos, que van desde *En un balneario alemán* (1911) a *Fiesta en el jardín* (1922), emplea un satírico hermetismo, reflejo del desarraigo, de los trastornos sexuales y de la debilidad de su corta existencia. Murió de tuberculosis a los treinta y cinco años.

733. VICTORIA OCAMPO (1891-1979)

Escritora y, sobre todo, editora, Victoria Ocampo nació en Buenos Aires en el seno de una familia aristocrática. Recibió una meticulosa educación: a los diez años ya hablaba español, francés e inglés. Sensible, esbelta y acaudalada, parecía ser un excelente partido. Sin embargo, poco después de contraer matrimonio, a los veintidós años, se separó. Tras el fracaso, Ocampo se dedicó a las letras en su doble vertiente de ensayista y editora. Su casa se convirtió en un centro de reuniones literarias que en nada desmerecía a los salones parisinos. Por allí desfilaron autores de la talla de Albert Camus, André Malraux, Ortega y Gasset…

En 1930 fundó la revista *Sur*. Desde la editorial, Victoria Ocampo se convirtió en uno de los canales ineludibles para el intercambio cultural entre América Latina y Europa. Su lucha resistió, ya no sólo a la sociedad patriarcal y machista que tanto detestó, sino también a las inclementes embestidas del régimen de Juan Domingo Perón. Murió en 1979 convertida en un mito

734. ROSA CHACEL (1898-1994)

Escritora de talento, enriqueció la literatura con la virtuosa elasticidad de su lenguaje. Nació en Valladolid y en 1908 se trasladó a Madrid, donde estudió en la Academia de Arte, en la Escuela de Artes y Oficios y en la Escuela de Bellas Artes de San Fernando. En 1926 se casó, escribió su primer relato y ultimó su primera novela, *Estación, ida y vuelta*, cuyo primer capítulo fue publicado por la prestigiosa *Revista de Occidente*.

Vivió en Roma, Berlín, París, Grecia y Bruselas, capitales que visitó junto a su esposo Timoteo Pérez y en las que su literatura se impregnó de melancolía. En 1939, al término de la guerra civil, Chacel y su esposo se exiliaron en América del Sur. En Buenos Aires el prestigio de la escritora se extendió y un extracto de la novela *Memorias de Leticia Valle* (1945) fue publicado en la revista *Sur* por la influyente editora Victoria Ocampo. También vivió en Nueva York, becada por el Guggenheim, y en Río de Janeiro, ciudad que la conmovió por su miseria.

Regresó en 1985 a España. Entre sus obras destacan: *Desde el amanecer* (1972), autobiografía de sus años de infancia, *Alcancía. Ida y vuelta* (1983), sus diarios; *Barrio de Maravillas* (1975), *Acrópolis* (1984) y *Ciencias naturales* (1988), su conocida trilogía. En 1987 le fue concedido el premio Nacional de las Letras Españolas.

735. ELIZABETH BOWEN (1899-1973)

Autora de más de una veintena de novelas y de relatos cortos de ficción, Elizabeth Bowen fue considerada en Gran Bretaña como una de las más brillantes escritoras irlandesas. Después de que su padre padeciera un colapso nervioso y de que su madre muriera de cáncer, se instaló en Inglaterra, donde viviría desarraigada, de casa en casa, entre sus innumerables parientes. Así pues, no sorprende que en su obra afloraran los traumas infantiles y las fobias que la asaltaron en su vida adulta, en la que tuvo que enfrentarse a la falta de raíces y a unas desconcertantes circunstancias. Entre sus más reconocidas novelas se encuentran: *El Hotel* (1927), *El calor del día* (1949) y *Eva Traut* (1969); además de sus colecciones de relatos: *Encuentros* (1923) y *El amante demoníaco* (1945).

736. ANAÏS NIN (1903-1977)

Nacida en París, de padre español y madre franco-danesa, Nin creció en Nueva York. En 1914 inició el extenso relato de sus *Diarios*. En 1932 regresó a París y publicó su primer libro: *D. H. Lawrence: un estudio inexperto*, para luego consagrarse a la ficción. Su primera novela, *La casa del incesto*, apareció en 1936, un año antes de que su acaudalado agente la estimulara a escribir literatura erótica a dólar por página. También la acercó al novelista Henry Miller, a quien consideraba el contrapunto masculino de su expresión literaria sobre la sexualidad. Nin estimó la propuesta, y produjo un grueso trabajo que fue publicado a su muerte bajo el título de *Delta de Venus*. Aunque acaso fueron sus *Diarios*, publicados entre 1966 y 1980, las obras que le reportaron una mayor popularidad, Nin merece ser considerada también por sus excelentes novelas, que incluyen: *Niños del Albatros* (1947), *Un espía en la casa del amor* (1954) y *La seducción del minotauro* (1961).

737. FRANCESAS

Cuatro escritoras brillan con especial intensidad en la constelación literaria francesa del siglo XX: la fabulosamente prolífica Colette, que cultivó un realismo psicológico de altura, y que escribió, entre muchos otros, los libros de Claudine (hasta 1900), los libros de Chérie (hasta 1920) y *Gigi* (1945). En sus antípodas literarias, está Nathalie Sarraute, una de las auspiciadoras del movimiento del *nouveau roman*, cuyos títulos más sobresalientes fueron *La era del recelo* (1956), *El planetario* (1959) y *Los frutos de oro* (1963). Igualmente significativas para la novelística de su país han resultado Françoise Sagan, universalmente conocida por su libro *Buenos días, tristeza* (1954); y Marguerite Yourcenar, autora de *Memorias de Adriano* (1952) y de *Recordatorios* (1973), y primera mujer en la historia de Francia en ser elegida miembro de la Academia de las Letras del país.

738. MERCÈ RODOREDA (1908-1983)

Una de las grandes escritoras catalanas de este siglo, Rodoreda desarrolló una temática recurrente sobre la mujer y su horizonte social. Nació en Barcelona, ciudad que evocaría con frecuencia durante el largo período del exilio.

En 1928 se casó con su tío materno, al que acababa de conocer, y con quien tuvo una hija. A su lado pasó diez años de relativo sosiego, en los que escribió varios poemas, novelas e incluso una obra de teatro. Sin embargo, tras la guerra civil se exilió dejando a su esposo y a su hija en Barcelona. En el exilio conoció a Armand Obiols, con quien mantuvo una relación amorosa y con el que viviría, sucesivamente, en Burdeos, París y Ginebra, ciudad donde Rodoreda trabajaría como traductora para la Unesco.

Desde la publicación de *Aloma* (premio Creixells de novela) en 1938, la actividad literaria de Rodoreda quedó interrumpida hasta finales de los cincuenta, cuando escribió las obras con las que se ganó la posteridad: *Jardí vora la mar*, *Vint-i-dos contes* (premio Víctor Català) y, algo más tarde, la que sería su obra más conocida: *La plaça del Diamant* (1962).

En 1971 murió Obiols, y Rodoreda, que vivía entre Ginebra y Barcelona, se estableció en Romanyà de la Selva (Girona), donde escribió varias novelas, entre las que destaca la que acaso fuera su obra más ambiciosa, *Mirall trencat*.

Falleció en 1983 dejando una novela póstuma incabada: *La mort i la primavera*.

739. EUDORA WELTY (n. 1909)

Además de como escritora, Welty será recordada como una ferviente nacionalista sureña. Su obra literaria destaca por la vida y el entusiasmo de sus personajes femeninos, y por sus enternecedores relatos, memorables por su encanto y su optimismo. Welty cultivó el relato corto en su primer libro: *Un manto verde y otras historias* (1941); y la novela en las obras *El novio bandido* (1942) y *El corazón sosegado* (1954). En 1972 ganó el premio Pulitzer por la obra *La hija del optimista*.

Su último trabajo fue el breve, aunque intenso, libro de memorias *Mis inicios literarios* (1983).

740. CARMEN LAFORET (n. 1921)

Pasará a la historia como la primera ganadora de uno de los premios literarios más prestigiosos de España, el premio Nadal, que ganó en 1944 con su novela *Nada*, obra clave en el debate sobre el «tremendismo». Impulsó la identidad de todo un movimiento literario (la tupida generación de posguerra) en España, aunque se refugió de las multitudes y de las tertulias, y abordó en su obra la problemática del aislamiento y la intimidad. *La llamada*, *La mujer nueva* o la trilogía *Tres pasos fuera de tiempo*, obras posteriores a la galardonada con el Nadal, plasman un insobornable empeño de sinceridad, lejos del fragor de la mayoría.

741. FLANNERY O'CONNOR (1925-1964)

Convencida de que la mayoría de los lectores constituían una «audiencia hostil» para su novelística profundamente religiosa, O'Connor defendió siempre la manera casi ciega de sus historias como un rasgo necesario: «Por el dolor que me produce escuchar vuestros gritos, y por la intensidad en que dibujastéis vuestras asombrosas figuras». Su ferviente catolicismo y sus raíces sudistas alimentaron sus novelas y sus relatos. Su primer libro, *Sangre sabia* (1952), ya daba cuenta de la violenta colisión entre su inteligencia y el mundo; a esta primera novela le seguiría el libro de relatos cortos, *Un hombre bueno es difícil de encontrar* (1955). Su producción, plena de una extraña imaginería, de personajes tortuosos y de acción, postuló que la redención espiritual sólo puede alcanzarse superando los inevitables obstáculos de la vida. Tal presupuesto fue el punto de partida de su segunda novela, y también de su segundo libro de relatos cortos *Todo lo que se levanta debe converger* (1965), poco antes de que el lupus acabara con ella los treinta y nueve años.

742. CARMEN MARTÍN-GAITE (n. 1925)

Escritora lúcida y prolífica, ha recreado con una mezcla de sarcasmo y denuncia el aprisionamiento de la mujer en una sociedad amordazada por patrones de comportamiento netamente machistas. No en vano tituló al conjunto de sus relatos cortos *Cuentos de mujeres.*

Se licenció en Filosofía y Letras por la Universidad de Salamanca, su ciudad natal. Sin embargo, sus ambiciones académicas se desvanecieron al calor de las tertulias de los cafés de Madrid, que la fascinaron. El fragor de aquellas sobremesas iluminó una de sus obsesiones literarias, «la búsqueda de interlocutor», tema recurrente de sus novelas y que trasvasaría mordazmente a la relación de pareja. En 1957 fue distinguida con el premio Nadal, cumbre literaria de la que ya no descendería, y que la erigió como una de las abanderadas de una generación de escritores (Sánchez Ferlosio, Ignacio Aldecoa…) de la posguerra. Su obra se afianzó sumergiéndose en temas como la incomunicación, la rutina, el miedo: *Ritmo lento* (1963) o *El cuarto de atrás* (1978) son una buena muestra de ello.

Martín Gaite es uno de los puntos de referencia de la literatura española contemporánea: premios como el Príncipe de Asturias (1988) o el Nacional de las Letras (1994), lo avalan.

743. ANA MARÍA MATUTE (n. 1926)

En trescientos años de historia de la Real Academia Española sólo tres mujeres han tenido el privilegio de acceder a ella y Ana María Matute es una de ellas, la tercera. Nació en Barcelona en el seno de una familia acomodada, aunque vivió una infancia dolorosa. Dos graves enfermedades, a los cuatro y a los ocho años, estuvieron cerca de quitarle la vida. A los diez, además de haber sorteado la muerte en dos ocasiones, había vivido ya en Barcelona, Mallorca, Logroño y Madrid; y su producción literaria había despegado con dos relatos ilustrados por ella misma. En adelante su pulso ya no se detendría, y el grosor de su obra empezó a crecer paralelamente a las distinciones literarias. Con *Los Abel* (1948) fue finalista del premio

Nadal, un galardón que no se le resistiría en 1959, gracias a su novela *Primera memoria*. En 1958 obtuvo el premio Nacional de Literatura Miguel de Cervantes, una de las máximas distinciones en el ámbito de las letras españolas, por *Los hijos muertos*.

Ha sido traducida a veintitrés idiomas, puede enorgullecerse de la existencia de un premio literario que lleva su nombre, e incluso de que la Universidad de Boston haya constituido la «Ana María Matute Collection» con sus manuscritos y otros documentos. Desde 1996 ocupa el asiento K de la Academia, en sustitución de Carmen Conde, segunda mujer que alcanzó tal distinción. En 1997 volvió al primer plano de la actualidad, tras años de silencio, con la publicación de la monumental novela *Olvidado rey Gudú*.

744. ITALIANAS

Las dos escritoras italianas de mayor relieve y repercusión universal en la literatura del siglo XX deben su reconocimiento a sus retratos costumbristas de familias italianas. Las sagas familiares de Elsa Morante, como *Menzogna e sortilegio* (1948) o *La Storia* (1974), han sido muy populares en Italia.

Por su parte la poeta y novelista Natalia Levi Ginzburg construyó un delicado y sencillo universo literario en el que retrató a la mujer moderna y su vida familiar. Entre sus obras destacan: *Le voci della sera* (1961) y los ensayos autobiográficos *Lessico famigliare* (1963).

745. ISABEL ALLENDE (n. 1942)

Sobrina del presidente chileno Salvador Allende, Isabel Allende inició su carrera literaria como periodista. Cubrió con insospechada audacia los conflictos sociopolíticos que asolaron Chile, hasta que hubo de exiliarse del país, a raíz del golpe de estado militar que depuso al presidente socialista.

En 1982 se estableció en Caracas, donde escribiría su primera novela: *La casa de los espíritus*. La novela, enmarcada en el realismo mágico, relata la historia de una familia latinoamericana que vive sumida en las turbulencias políticas y económicas de su país.

Uno de los temas recurrentes de sus últimas novelas es la yuxtaposición entre lo público y lo privado, de lo que dejará constancia en sus obras *De amor y de sombra* (1984), *Eva Luna* (1987) y la colección de relatos *Cuentos de Eva Luna* (1990).

Regresó a Chile en 1988, cuando se devolvió la democracia al pueblo y pudo elegirse a un nuevo presidente en libertad. Actualmente reside en Estados Unidos.

746. JOYCE CAROL OATES (n. 1938)

Esta asombrosamente prolífica escritora ha publicado decenas de historias cortas, novelas, colecciones de poesía y ensayos sobre temas tan dispares como la época victoriana y el boxeo.

Nacida en el interior del estado de Nueva York, en 1960 se licenció en la Universidad de Syracuse, y más tarde completó un máster en literatura inglesa en la Universidad de Wisconsin. Su primer libro, el volumen de historias cortas *Por la puerta del norte*, apareció en 1963. En 1964 escribió su primera novela, *La estremecedora caída*, y en 1969 ganó el premio Nacional del Libro por *ellas*. Desde entonces ha producido un caudal constante de libros, incluso mientras ejerció de profesora en varias universidades, incluyendo la de Princeton. Entre sus obras más logradas se cuentan: *Las Diosas y otras mujeres* (1974), *Bellefleur* (1980), *Porque es amargo y porque es mi corazón* (1990) y *Confesiones de una pandilla de niñas* (1993).

Sus historias, a menudo violentas y mórbidas, analizan las zonas más sombrías de la mente humana y el lado oculto de la sociedad contemporánea.

747. ANNE RICE (n. 1941)

Auténtico fenómeno de ventas, esta prolífica escritora convierte en *best-seller* todo lo que toca y sus obras son esperadas con ansia por la numerosa pléyade de fans que le rinden culto. En sus inicios, antes de que el estrellato la alcanzara, tanteó la novela erótica, a cuyo género pertenecen *Regreso al Edén* y la trilogía de la *Belleza durmiente*, publicadas bajo los seudónimos Anne Rampling y A. N.

Roquelaure, respectivamente. Ha escrito numerosas obras de ficción bajo su auténtico nombre, que van desde *El grito en el cielo*, la historia de un castrado durante el Renacimiento italiano, hasta *Todos los santos*, relato sobre una saga familiar, que transcurre en la Nueva Orleans del siglo pasado. Sin embargo, su interminable filón comercial se debe a sus obras de temática sobrenatural. Los cuatro títulos de sus «Crónicas vampirescas», que incluyen la célebre *Entrevista con el vampiro*, giran alrededor de la historia del vampiro Lestat, y lo cierto es que no hay forma de describir la popularidad que han alcanzado. No ha vacilado en dirigir su atención a otros temas, como el de la magia negra, en la que se inició con *La hora de las brujas*, y sobre el que ha escrito una igualmente impresionante colección de *best-sellers*, partiendo de la historia de una familia de brujas.

748. MONTSERRAT ROIG (1945-1992)

Novelista y ensayista catalana, Montserrat Roig ejerció también el periodismo colaborando en varios diarios de tendencia catalanista y en la televisión catalana con las entrevistas emitidas en su espacio *Protagonistes*. Su lenguaje literario fermentó paralelamente a la putrefacción del franquismo, tesitura que le permitió actuar con mayor libertad, y promover el uso del catalán.

Mujer enérgica y carismática, en sus años de universitaria (se licenció en Filosofía y Letras) no sólo enarboló una ideología de vigoroso compromiso político, sino que despuntó en el panorama literario. En 1971 obtuvo el premio Víctor Català por *Molta roba y poc sabó*, obra paradigmática con la que se afianzó como abanderada de la generación desarraigada, la de posguerra y cuya literatura combina las técnicas realistas con la indagación psicológica. Sus publicaciones alcanzaron gran éxito, no sólo sus novelas, género en el que obtuvo el prestigioso premio Sant Jordi por *El temps de les cireres* (1977), sino también sus incursiones en el ensayo histórico (donde pondría de manifiesto un voluntarioso nacionalismo), incluso en el teatro.

Su prematura muerte en 1992 dejó un doloroso vacío en las letras catalanas.

749. ALMUDENA GRANDES (n. 1960)

Escritora española, nacida en Madrid. En 1989 ganó el premio de novela erótica La Sonrisa Vertical gracias al libro *Las edades de Lulú*. Antes de alcanzar el éxito literario se licenció en Geografía e Historia y estuvo vinculada al mundo editorial. La prosa de Almudena Grandes descansa sobre un lenguaje natural y desenvuelto, carente de la inhibición que se presupone a la prosa femenina.

Abanderada de una generación que ha crecido paralelamente al desarrollo audiovisual, su discurso está impregnado de imágenes vivas que han motivado las sucesivas adaptaciones cinematográficas de sus libros: Bigas Luna rodó *Las edades de Lulú* (1990) y Gerardo Herrero *Malena es un nombre de tango* (1994), su tercera novela. En 1999 ha publicado *Atlas de geografía humana*.

OCTAVA PARTE

ARTE Y ESPECTÁCULOS

EL REPARTO

750. CARIÁTIDES

Las cariátides son unas columnas griegas que datan del año 500 a. C., talladas en forma de mujer. Se emplearon como soportes de techos y de travesaños, que descansaban sobre las cabezas de las figuras femeninas. Las columnas se construyeron en memoria a la derrota de Caria y de las mujeres que fueron esclavizadas después de ella.

751. LISÍSTRATA

En el año 411 a. C., el vigésimo año de la guerra del Peloponeso, los espectadores del teatro griego asistieron por vez primera a una protesta antibelicista comandada por mujeres. *Lisístrata*, la obra maestra de Aristófanes, relata los sucesos que protagonizaron las mujeres de Atenas y de Esparta, cuando se negaron a mantener relaciones sexuales con sus esposos hasta que no acabara aquella interminable guerra. La táctica resultó más que efectiva: la guerra terminó y los matrimonios se reconciliaron. A primera vista, parece que la obra aplauda la iniciativa femenina; sin embargo, Lisístrata, la líder de la revuelta atribuye el mérito de su inteligente estrategia a sus consejeros masculinos. La realidad fue que durante aquella guerra las mujeres lo pasaron mal: consumidas por su frustración sexual, tuvieron que soportar que sus hombres se saciaran acudiendo a prostitutas o, directamente, satisfaciéndose los unos a los otros. Por si fuera poco, la obra ridiculiza a la mujer por su glotonería y su embriaguez; las viejas no salieron mucho mejor paradas: se las trató de ninfómanas repulsivas.

752. CARMEN

La *Carmen* de George Bizet es la ópera de una joven insolente que se muestra como tal desde que aparece en escena hasta que muere en el último acto. Carmen no teme enfrentarse a los hombres, de hecho, no le teme ni a la mismísima muerte. Y muere como muere, antes que permitir que un hombre determine su destino.

753. NORA HELMER

La obra de teatro del dramaturgo Henry Ibsen *Casa de muñecas* (1879) relata los conflictos emocionales que le producen a una mujer los abusos de su esposo. Nora Helmer vive apartada del mundo por su marido, Torvald, hasta que un día reúne la voluntad suficiente para abandonarlo. La historia da comienzo algunos años después de que Nora haya falsificado la firma de su padre, en un desesperado intento por conseguir el dinero necesario para afrontar la enfermedad que aqueja a su esposo. Uno de los empleados de Torvald está al corriente de la falsificación, y amenaza a Nora con explicarle a Torvald la verdad; de modo que Nora acabará confesándolo todo a su esposo. El empleado sigue con su extorsión, amenaza a Torvald, quien, furibundo, carga las culpas sobre su esposa. Finalmente, el brutal y despiadado castigo que Torvald está infligiendo a su mujer conmoverá al empleado, quien abandonará sus perversos planes. Consciente del fracaso de su matrimonio, Nora decide, finalmente, dejar a su marido.

ALGUNAS DANZAS CURIOSAS

754. ARTISTAS DE LA ANTIGÜEDAD

En el temprano año de 1200 a. C., las primeras músicas profesionales trabajaban en Egipto, Asiria y Babilonia. Los archivos históricos de Atenas registraron, en el año 50 d. C., a más de tres mil mujeres dedicadas a la música. Sin embargo, a partir del año 300, el número cayó en picado, hasta el punto de que muchos hombres llegaron a pelearse en plena calle por contratar a alguna de las que todavía quedaban.

755. SILBANDO EN EL TRABAJO

Las estatuas griegas datadas alrededor del año 500 a. C. representan a las trabajadoras danzando alrededor de una mujer que toca la flauta. En los siglos sucesivos la canción emergería como un género exclusivamente femenino tanto en África como en Europa.

756. BHARATA NATYA

Se trata de una complicada danza clásica india, que, en ocasiones, se ha comparado con el ballet occidental. Sus orígenes la emparentan con la religión: fue creada por el dios hindú Brahma como un rito de devoción para sus acólitos; en realidad, el Bharata Natya es un dominio exclusivo de la mujer. Esta impetuosa danza está concebida para ser interpretada por una mujer, que debe seguir los enérgicos pasos de un ritmo complejo. Mientras lo hace debe matizar el compás con movimientos de brazo y cabeza, combinados con una precisa expresión corporal y facial, que deben transmitir la emoción que suscitaría la narración.

757. KABUKI

Modalidad de teatro japonés que en sus orígenes fue una danza. La invención del *kabuki* se atribuye a una mujer, Okuni, que vivió entre los años 1573 y 1614. En 1603 Okuni empezó a colaborar con un comediante, y ambos se iniciarían en la representación de una suerte de danza teatral arraigada en la mímica, que, a menudo, partía de temas religiosos. Okuni fue conocida por salir al escenario vestida como un sacerdote, y dos espadas embutidas en su faja. Su afición por interpretar a sacerdotes, además de otros muchos per-

sonajes masculinos, motivó que el *kabuki* se estandarizara como una forma de baile en que las mujeres caracterizaban a hombres, y los hombres a mujeres.

758. «EN POINTE»

La danza *en pointe* apareció a comienzos del siglo XIX como un rasgo distintivo del ballet romántico. En aquella época el ballet aspiraba a evocar un mundo sublime poblado de ninfas alegres y hermosas. La bailarina fue el eje de la fantasía, y la danza *en pointe*, con zapatillas de punta, debía transmitir una sensación de ingravidez. Para ello, la bailarina aparecía en escena *en pointe* y simulaba flotar a través de un paraíso etéreo.

Sin embargo, la escenificación de aquella ilusión óptica tenía poco de paradisíaco para la bailarina. La danza *en pointe* requiere un intenso control de la mente y el cuerpo, y resulta perjudicial para la salud. Así, las bailarinas que sobresalieron durante el romanticismo sólo pudieron mantener tal posición pagando un elevado precio físico.

Actualmente, las bailarinas no sólo padecen la deformación crónica de sus pies, sino que pagan cientos de dólares por las delicadas zapatillas que les infligirán un daño irreversible.

ARTISTAS DE CALIDAD

759. GUAN DAOSHANG (1262-1319)

Calígrafa y pintora, Guan Daoshang sigue siendo la artista más célebre que jamás haya dado China, su país.

760. PINTORAS DEL RENACIMIENTO

Las bellas artes experimentaron un gran florecimiento durante el Renacimiento, época en que aparecieron numerosas artistas, que acercaron el arte al sexo femenino. Excluidas del aprendizaje académico, las mujeres tuvieron la posibilidad de aprender participando en los debates estéticos. Algunas de las creadoras de entonces procedían de familias de artistas, como Lavinia Fontana (1552-1614) y Artemisia Gentileschi (1590-1642), pero la mayoría provenían de familias nobles, donde el arte era sólo una de las muchas asignaturas que formaban parte de su educación.

Asimismo, las cortes reales también institucionalizaron el arte como disciplina para la mujer, tal y como hizo Enrique VIII cuando encargó a Lavinia Bening Teerling, una artista flamenca, que pintara una serie de miniaturas. Todo ello contribuyó a que hacia el final del Renacimiento el trabajo de las mujeres en las profesiones artísticas se convirtiera en algo común.

761. PROPERZIA DE ROSSI (c. 1490-1530)

Es una de las primeras artistas europeas que se recuerdan. Esta escultora boloñesa obtuvo una gran popularidad y, a consecuencia de ello, la envidia de sus colegas masculinos.

762. EMMA STEBBINS (1815-1882)

En 1873 Stebbins instaló su escultura *El ángel de las aguas* en la fuente de Bethesda Water del Central Park de Nueva York. Con el paso del tiempo, se convertiría en su trabajo más conocido.

763. GRANDMA MOSES
(Anna Mary Robertson, 1860-1961)

A pesar de que no se inició en la pintura hasta los setenta y siete años, Grandma Moses efectuó la primera exposición de sus cuadros en el Museo de Arte Moderno (MOMA) de Nueva York dos años después.

764. CAMILLE CLAUDEL (1864-1943)

Una de las más ilustres escultoras que haya dado Francia, su carrera se asocia inevitablemente a la del también escultor A. Rodin. En 1883 Claudel posó para él como modelo, y poco a poco su talento la fue acercando al artista, con quien colaboró hasta 1885, año de su emancipación profesional. Se hizo un nombre como escultora, pero su tortuosa relación con Rodin salpicó muchos de sus trabajos. En 1895 exhibió algunas de las que se consideran sus mejores esculturas (*La Valse*, *La Vague* o *Clotho*) en la exposición del Salón de París, con la que cautivó a la bohemia francesa. A esa época pertenece su obra cumbre *L'âge mur*, una obra de abrumadora fuerza expresiva, dedicada a su ruptura con Rodin. Poco después de alcanzar su cumbre artística, su inestable equilibrio se quebró: empezó a destruir todo lo que hacía. Los trastornos mentales y manías persecutorias retorcieron su psique, y llegó a enviar cartas amenazadoras, tanto a Rodin como al mismo inspector de Bellas Artes de Francia. Su enajenación corrió paralela al silenciamiento de sus virtudes, y motivó su encierro en un hospital psiquiátrico, en el que moriría desquiciada.

Tras su muerte su figura recuperó el prestigio acallado.

765. KÄTHE KOLLWITZ (1867-1945)

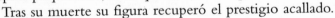

En 1919 la pintora e impresora Käthe Kollwitz se convirtió en la primera mujer en ser aceptada como miembro de la Academia Prusiana de las Artes. Su obra abordó el sufrimiento humano que ocasionó el cataclismo político-económico que sacudió Europa durante la primera mitad del siglo XX.

899. ARANTXA SÁNCHEZ VICARIO (n. 1971)

Es la menor, la única mujer y la que mayores triunfos ha obtenido de una saga de tenistas española. Tiene un palmarés muy nutrido; alcanzó su primer gran triunfo en 1989, cuando siendo todavía menor de edad, se convirtió en la primera tenista española en ganar el prestigioso torneo de tenis Roland Garros. El mérito de su victoria se realzaría entre 1994 y 1998, años en los que repitió el título. En 1992 consiguió la plata olímpica en los dobles femeninos de los Juegos Olímpicos de Barcelona, formando pareja con Conchita Martínez. Y en 1994 logró otro memorable triunfo al imponerse en el Open de Estados Unidos, el torneo más importante del país.

766. MARÍA GUTIÉRREZ BLANCHARD (1881-1932)

Una de las más brillantes pintoras españolas, su obra se vio eclipsa-
da por maestros coetáneos como Picasso, Dalí, Miró o Gris. Este último dejó una honda huella en el pincel de Blanchard tras conocerse en París, ciudad en la que la pintora se estableció, atraída por
la efervescencia del cubismo.

Tras su periplo parisino volvió a España e impartió clases de dibujo en Salamanca. En 1910 consiguió la Segunda Medalla en la
Exposición Nacional de Madrid por su obra *Ninfas encadenando a
Sileno,* que evidencia la influencia de Anglada Camarasa. De regreso en París logró una estimulante acogida en el Salón de Otoño, y
en 1922 abrió su propio taller. Murió en la capital francesa.

767. GEORGIA O'KEEFE (1887-1986)

En 1916 la obra de Georgia O'Keefe fue exhibida por vez primera en la galería Alfred Stieglitz de Nueva York. Atrás quedaban siete décadas de dedicación al arte, en las que se ganó el reconocimiento y la admiración como una de las artistas más brillantes del
siglo xx.

768. TINA MODOTTI (1896-1942)

Nacida en Udine, Modotti fue una mujer emprendedora. Siendo
apenas una adolescente, llegó a Hollywood, donde se convertiría en
una musa del cine mudo. Sin embargo, su inquietud y su radical
compromiso social la llevaron a abandonar el mundo del cine. Así,
a comienzos de los años veinte empezó a dedicarse a la fotografía,
y pronto auspició un género al que se conoce como reportaje social.

Su carrera se tambaleó durante el período posrevolucionario
mexicano, época en la que tuvo numerosos amantes; fue la musa del
célebre pintor Diego Rivera. Desde entonces, su actividad como
fotógrafa alcanzó proyección internacional. La fama le creó incertidumbre: de nuevo se planteó la veracidad de su denuncia y, harta

de intervenir en las cosas desde fuera, resolvió involucrarse en las causas sociales de la política. Sin embargo, antes de poder hacerlo fue acusada del asesinato de Juan Antonio Mella, con quien se la había relacionado sentimentalmente. La sospecha no quedó así: un año más tarde las siniestras pesquisas policiales culminaron en su expulsión de México, por su supuesta participación en el asesinato del presidente Pascual Ortiz.

Modotti viajó a Holanda, se refugió en Alemania y, finalmente, se instaló en Moscú. Desde la lejanía del Este decidió enrolarse a las Brigadas Internacionales e ir a España a luchar por la causa republicana. Allí conocería a otros dos célebres corresponsales de guerra: al escritor Ernest Hemingway y al fotógrafo Robert Capa. Despues de la guerra regresó a México, donde murió en extrañas circunstancias: los médicos dictaminaron que a causa de un ataque cardíaco; la prensa acusó al estalinismo.

769. DOROTHEA LANGE (1895-1965)

Nacida en New Jersey, Estados Unidos, esta fotógrafa es recordada por las inolvidables fotografías que captó durante la depresión de los años treinta. Algunas de sus más admiradas instantáneas son *La cola del pan de los ángeles blancos* y *La madre emigrante*, en las que plasmó el desgarrado sufrimiento de los *Dust Bowls* (bolas de polvo), nombre con el que se conocía a los emigrantes. En 1939 Lange publicó aquellas fotografías en una colección que se tituló *Un éxodo americano*. Igualmente conmovedoras, aunque quizá menos conocidas, fueron también sus fotografías de principios de los cuarenta, en las que retrató el hacinamiento de los japoneses americanos en los campos de concentración.

Lange realizó también diversos reportajes fotográficos para la revista *Life*, entre los que destacaron *Las aldeas mormonas* y *El campesino irlandés*.

770. MARGARET BOURKE-WHITE (1904-1971)

Como eminente fotoperiodista, Bourke-White fue la primera fotógrafa de Occidente que fotografió el corazón de la sociedad industrial soviética. Durante la segunda guerra mundial, mientras trabajaba para la revista *Life*, se convirtió en la primera corresponsal de guerra en cubrir las noticias de la primera línea de fuego. A lo largo de su dilatada carrera retrató toda suerte de injusticias sociales, tanto en su país como en el extranjero. Sus fotografías dirigieron la atención del público hacia la miseria en América Latina, las atrocidades de los campos de concentración nazis o la brutalidad del *apartheid* en Suráfrica.

En suma, como pionera en su profesión, no sólo añadió un nuevo eslabón a la aceptación social de la mujer, sino que contribuyó a incrementar el reconocimiento de la fotografía.

771. MARÍA MARTINS (1906-1973)

Vivió en el siglo XX, pero el espíritu de esta artista brasileña fue propio del Renacimiento. Destacó como escultora, ceramista, grabadora y concertista de piano. Tuvo una privilegiada formación: estudió dibujo y pintura en la Academia de Bellas Artes de Río de Janeiro y escultura en París, Nueva York y Bruselas. Entre 1936 y 1939 se consagró por entero a la cerámica, primero en Japón y posteriormente bajo la tutela del célebre escultor Oscar Jespers. En 1957 le fue concedido el primer premio en la modalidad de escultura en el marco de la Bienal de São Paulo. Por aquel entonces ya había logrado rendir a la crítica y al público de Estados Unidos, donde sus exposiciones de Washington y Nueva York gozaron de gran acogida.

Su talento puede apreciarse en la decoración de los jardines del Palacio de Alvorada, en Brasilia, en las salas del MOMA de Nueva York o en la Corcoran Gallery de Washington.

772. FRIDA KAHLO (1919-1954)

Su obra refleja las dolorosas secuelas físicas que soportó a raíz de un accidente de circulación que sufrió en su juventud. Sus pinturas reflejan también su pasión por el célebre muralista Diego Rivera, su amante durante muchos años.

En 1953, un año antes de morir, le fue dedicada una gran retrospectiva en la Ciudad de México.

773. MARUJA MALLO
(Ana María González Mallo, 1909-1995)

Una de las pintoras españolas más relevantes del siglo, su trayectoria, al igual que la de María Blanchard, está marcada por la vanguardia pictórica parisina. Descubrió la capital francesa becada por la Junta de Ampliación de Estudios en 1934, seis años después de haber expuesto en España por vez primera, en una muestra que organizó Ortega y Gasset.

La pintura de Mallo, vanguardista y sugerente, fue excelentemente acogida a nivel internacional: se le dedicaron retrospectivas tanto en Europa como en Estados Unidos. Mallo contribuyó singularmente a la valoración de la pintura surrealista en España. En ese terreno logró algunas de sus obras más destacables como *Arquitecturas minerales* o *La mujer de la cabra*. A sus inicios pertenecen *Verbenas*, *Basuras* y *Cardos*.

774. LEONORA CARRINGTON
(1917-1996)

Aunque nació en Lancashire (Gran Bretaña), Carrington desarrolló su carrera en México, convirtiéndose en una de las pintoras más brillantes del país. Tuvo una formación cosmopolita: estudió en Londres, Italia, Alemania y Francia.

Tras su periplo europeo, llegó a México, donde en la década de 1840 se planteó una creación de ascendencia surrealista, que se tradujo en una suerte de experimentalismo pictórico. Conforme pasó el tiempo su obra tendió hacia pinturas menos abigarradas, en las que se distinguió por una depurada técnica.

775. DIANE ARBUS (1923-1971)

Nacida bajo el nombre de Diane Nemerov, Arbus creció en el seno de una próspera familia neoyorquina: su padre era el propietario de unos grandes almacenes de la Quinta avenida. A los catorce años conoció a Allan Arbus y a los dieciocho se casó con él; pronto se convertirían en una célebre pareja de fotógrafos de moda. Arbus siguió cultivando la fotografía de moda hasta 1959, año en que estudió junto a Lisete Model, quien la persuadió de que diera un vuelco en su orientación artística que la llevaría a realizar las fotografías que le valieron la posteridad. La primera exposición de sus nuevos trabajos formó parte de un proyecto al que Arbus tituló *Ritos, modales y costumbres americanos*, que se presentó en 1967 en el Museo de Arte Moderno, dentro de la instalación «Nuevos Documentos». Inmediatamente, los críticos elogiaron sus oscuras y conmovedoras imágenes de Estados Unidos.

Cuatro años después, se suicidó.

UNA MECENAS

776. PALOMA O'SHEA (n. 1937)

Es quizá la única representante de una estirpe de profesionales, los mecenas artísticos, cuyo referente inevitable es la dinastía de los Médicis, y cuya repercusión mediática parece haberse silenciado. Es hija de una adinerada familia vasca y está casada con el poderoso empresario cántabro Emilio Botín, presidente del Banco de Santander. En 1972 fundó el Concurso de Piano de Santander, un certamen que, gracias a su labor, adquiriría rango internacional. Posteriormente, a partir de 1981, dirigió la sección musical del Ateneo de Santander, cargo que todavía hoy ostenta.

Es la única mujer española que ha tenido el honor de ser distinguida con el premio internacional Montblanc de la cultura.

ARTES APLICADAS

777. LIBROS ILUMINADOS

Aunque tradicionalmente se ha atribuido a los monjes la autoría de los libros «iluminados», lo cierto es que el laborioso trabajo de las monjas de los conventos medievales tiene mucho que ver con las producciones iluminadas más renombradas de la época. En las páginas de *El apocalipsis español*, un libro escrito en el año 970 que actualmente se conserva en la catedral de Gerona, se hallan los primeros ejemplos de iluminaciones suscritos por mujeres. Las autoras de tales creaciones han permanecido en el anonimato.

778. EL TAPIZ DE BAYEUX

Los mejores tapices de la Edad Media fueron creados por mujeres de ascendencia noble que fueron educadas en conventos. Éstas, y las monjas que las instruyeron en el arte del bordado, produjeron, desde el anonimato, el valioso tapiz de Bayeux en el que se representan escenas de la batalla de Hastings en el siglo XI.

779. ARTESANÍA NAVAJO

Los navajo, durante siglos una tribu de cazadores nómadas, se establecieron como agricultores coincidiendo con el desembarco de los españoles en el suroeste del continente americano. Pronto las mujeres asumieron las responsabilidades de la tribu, y sus tareas incluían desde la construcción de edificios, hasta la elaboración del pan.

Sus habilidades artesanas perduran como unas de las más brillantes del arte autóctono, gracias, especialmente, a las canastas de mimbre y a sus cerámicas, que incorporan característicos diseños geométricos, así como por las alfombras de lana que las han hecho famosas.

Los navajo no dispusieron de lana hasta que los españoles introdujeron las ovejas en el país; y, en lugar de sacrificarlas para aprovechar su carne, se dedicaron, sorprendentemente, a trabajar su lana. Con el tiempo, las mujeres elevaron a la consideración de arte la elaboración de mantas: nunca creaban dos que fueran iguales.

780. JANE Y MARY PARMENTIER

Estas dos arquitectas son recordadas por el singular diseño que crearon para una casa sita en su Inglaterra natal: tenía dieciséis lados. La famosa construcción, que data de 1795, se abre desde un núcleo octogonal.

781. GERTRUDE JEKYLL (1834-1932)

Arquitecta paisajística, Jekyll trazó las bases estilísticas del diseño de jardines, creando un patrón que fue muy imitado. Su estilo, informal y fluido, se distinguió por la ornamentación que incorporó en las formas y en los colores, como hizo en Hestercomb, Inglaterra. Jekyll dio a conocer sus hallazgos en varios libros, entre los que se incluyen: *Madera y jardín* (1899) y *Color en el jardín florecido* (1908).

782. ELSIE DE WOLFE (1865-1950)

Decoradora de interiores estadounidense que vivió entre los siglos XIX y XX, De Wolfe ignoró los dictados de la decoración victoriana, de las maderas oscuras y de la proliferación de ornamentos y los sustituyó por espacios abiertos y luminosos. Las señas de identidad de su diseño fueron el uso de colores pálidos, los materiales ligeros y el empleo de espejos.

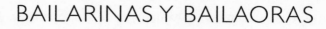

BAILARINAS Y BAILAORAS

783. LA BELLA OTERO
(Carolina Rodríguez, 1868-1965)

Bailarina española, vivió intensamente y cultivó todo tipo de disciplinas artísticas. Era hija de una inusual pareja formada por una gitana y un empresario griego, que recorrió medio planeta al son de múltiples espectáculos musicales. Siendo una adolescente huyó con un efímero pretendiente; posteriormente, en Barcelona, contrajo matrimonio con un cantante. Pese a no tener una voz refinada, su temperamento y su expresividad la convirtieron en una de las *vedettes* más laureadas del siglo. Su propuesta lúdica, una pintoresca mezcla de pantomima, piruetas y repertorio de canciones populares, entusiasmó al gran público.

Su fama es en parte deudora de su participación en distintos festivales filántropicos organizados durante la primera guerra mundial, que la acercaron a algunas de las personalidades más influyentes del siglo. Eduardo VII de Inglaterra, el zar Nicolás I o Alfonso XIII fueron algunos de los monarcas con quienes se relacionó. Sin embargo, tras disfrutar del éxito, acabó sus días arruinada a causa de su adicción al juego.

784. ISADORA DUNCAN (1877-1927)

Su innovador trabajo ejerció una profunda influencia en las bailarinas y las coreografías modernas, especialmente en Europa. Nacida en San Francisco, apenas estudió ballet durante su infancia, aunque fue instruida en las técnicas de baile convencionales.

En 1899 se trasladó a Europa con su familia, y propugnó una forma de danza que abolía las fórmulas tradicionales en el ballet y el teatro, suplantándolas por improvisaciones inspiradas en la naturaleza y en el arte griego. Supo aunar a la perfección la danza con su pasión por la música clásica, y, a menudo, bailó descalza al son de las melodías de ilustres compositores.

Hacia el final de su vida se volvió algo excéntrica, y murió ex-

trañamente, por estrangulación, mientras conducía: el largo pañue-
lo que llevaba anudado al cuello se enredó en una de las ruedas de
su descapotable.

785. LA ARGENTINA
(Antonia Mercé, 1890-1936)

Nacida en Buenos Aires en el seno de una familia dedicada a la
danza, la Argentina era ya una reputada bailarina con sólo once
años: fue la «première danseuse» de la Ópera de Madrid. Siendo todavía una adolescente, abandonó el ballet para estudiar danza española tradicional. Fue instruida por su madre, y con dieciocho años
ya viajaba en giras internacionales, en las que mostró su incomparable talento para la danza española. Convencida de que las casta-
ñuelas eran un componente clave de sus actuaciones, se consagró a
perfeccionar su técnica.

Está considerada como la mejor bailarina de danza española de
todos los tiempos.

786. JOSEPHINE BAKER (1906-1975)

Esta bailarina estadounidense, que obtuvo su primer triunfo en París, fue una mujer atrevida y libertina, aunque su trasfondo es conmovedor. Fue una animadora habitual del célebre escenario parisino del Folies-Bergère, en el que aparecía con collares de perlas y
una falda de plátanos.

En 1930 actuó en el Ziegfield Follies de Nueva York, vistiendo
un bikini que anunciaba los generosos escotes que Jean-Paul Gau-
tier diseñaría para la gira musical de Madonna, *Blond Ambition*. Y
aunque a Baker siempre le gustó la provocación, su personaje era
más sensible de lo que pudiera parecer. Sus actuaciones en París se-
pultaron parte de las murallas raciales imperantes, y, con el tiempo,
se convertiría en la primera artista negra en alcanzar el estrellato en
Francia. Poco después se convirtió en una celebridad universal, e
hizo giras internacionales. Pasó la segunda guerra mundial en Francia, donde colaboró con la Resistencia francesa como si de una

ciudadana más se tratara. En 1954 adoptó al primero de los doce niños de distintas nacionalidades que formarían su familia, a la que bautizó como la «tribu del Arco iris». De forma consciente y deliberada, Baker quiso demostrar que todas las razas y nacionalidades podían convivir en paz.

787. RUBY KEELER (1910-1993)

Ruby Keeler inició su carrera profesional como bailarina de claqué en Nueva York, gracias a su participación en la producción de George M. Cohan, *El despertar de Rose O'Reilly*. Sus éxitos en los escenarios de Broadway, los clubes nocturnos y los espectáculos de Ziegfield, la condujeron a Hollywood.

Con dieciocho años llegó a Los Ángeles donde pronto se convirtió en la primera bailarina de claqué en alcanzar el estrellato cinematográfico. Se casó con Al Jolson, y entre sus grandes películas se cuentan: *La calle 42*, *Los buscadores de oro de 1933* y *Desfile de candilejas*; además mantuvo una dilatada unión profesional con Busby Berkeley.

Con sesenta años regresó a Broadway por la puerta grande, gracias a la obra: *No, no, Nanette*.

789. CARMEN AMAYA (1913-1963)

Bailarina de familia gitana, quizá sea el paradigma de esa estirpe de bailaoras que proliferaron en España en los años treinta. Su temperamento y su arte la convirtieron en un mito del flamenco. Su padre, el guitarrista José Amaya «el Chino», se apercibió en seguida del talento de su hija, y la educó en el baile desde muy jovencita. A los cuatro años ya la exhibía en los cafetines de Barcelona y debutó junto a su padre en el Teatro Español.

En 1929 formó el Trío Amaya, junto a su hermana María y su tía «la Faraona». Tras triunfar en España durante más de un lustro, Carmen inició una exitosa gira por América. Recorrió el continente durante varios años, y a su regreso conquistó también Europa actuando en las principales capitales.

Su figura, su cabellera azabache y sus rasgos gitanos despertaron la atención del mundo del cine, arte en el que también cosechó grandes éxitos. En 1963, poco antes de fallecer en el castillo de Begur (Costa Brava), filmó la película *Los Tarantos*, que fue nominada a los Oscar como mejor película extranjera.

789. MARGOT FONTEYN
(Margaret Hookham, 1919-1991)

Bailarina inglesa, disfrutó de una larga carrera convertida en una de las más grandes figuras del ballet de todos los tiempos.

Fonteyn combinó su depurada técnica con una mezcla de elegancia y profesionalidad. Discípula de Vera Volkov debutó en el Sadler's Wells Ballet (más tarde Royal Ballet) en 1934. En las décadas de 1940 y 1950, trabajó al lado del coreógrafo Frederick Ashton, en producciones como *Variaciones Sinfónicas*, *La Cenicienta*, *Silvia* u *Ondina*, entre otras muchas. Además de formar parte del cuerpo de baile del Royal Ballet, Fonteyn también actuó por todo el mundo como artista invitada en los espectáculos de otras muchas compañías. Dio los últimos pasos de su carrera actuando junto a Rudolf Nureyev, junto a quien cosechó grandes éxitos.

790. TANJORE BALASARASWATI (1920-1984)

A los cuatro años ya se había iniciado en el aprendizaje de la Bharata Natya, una compleja modalidad de baile hindú, concebida exclusivamente para la mujer. A los siete inició sus giras por la India, y poco después ya viajaba por todo el mundo. Obtuvo un gran renombre y sigue estando considerada como la mejor bailarina de Bharata Natya de su tiempo.

791. LOLA FLORES
(Dolores Flores Ruiz, 1921-1995)

La gitana más carismática y temperamental de España nació en Jerez de la Frontera (Cádiz). La llamaron Dolores Flores Ruiz, y como tal recorrería los bares de Jerez exhibiendo su voz con sólo diez años. A los quince ya formaba parte de la compañía de variedades Mary Paz y en 1940, tras convencer a su padre de que el porvenir estaba en Madrid, intervino en la película *Martingala* cantando una copla y empezó a desarrollar sus aptitudes para el baile.

Saltó a la fama entre 1944 y 1951, cuando recorrió España junto a Manolo Caracol representando el musical *Zambra*, aunque el reconocimiento popular le llegó en 1954, a raíz del estreno de la película *La Faraona*. El filme era una suerte de plataforma concebida para que Lola luciera su gran talento: así lo hizo, y poco después del estreno ya era considerada la mayor figura del arte flamenco gitano. Desde entonces se la conocería también como «la Faraona» o como «la Lola de España». De hecho, el cine fue el medio que la lanzó al estrellato, pero en adelante la clave de su popularidad sería el cante, su verdadera vocación, y su genio. Murió en Madrid en 1995.

COREÓGRAFAS Y COMPAÑÍAS

792. ANNA PAVLOVA (1882-1931)

Seguramente la bailarina de mayor prestigio que haya existido jamás, su fama empezó a gestarse tras su interpretación en *La hija del faraón*. Su huella en el mundo de la danza se debe tanto a su estremecedora delicadeza y a su equilibrio interpretativo, como a su asombrosa capacidad de renovación de la danza clásica, cuando las innovaciones de Isadora Duncan y de Fokin parecían insuperables. Pronto emprendió giras por Europa cosechando ovaciones por doquier; aunque su primera apoteósis le llegaría de la mano de Diáguilev, a las órdenes de quien interpretó *Las sílfides*. En 1913 bailó en Rusia por última vez y se estableció en Londres donde fundó su propia compañía.

Su interpretación de *La muerte del cisne* figura como una de las máximas cotas de la historia de la danza.

793. IDA RUBINSTEIN (1885-1960)

Fue bailarina durante seis años del Ballet Ruso, donde trabajó bajo la dirección del maestro Serge Diáguilev. Cuando lo abandonó para formar su compañía, hubo quien interpretó su gesto como un desafío a Diáguilev. Sea como sea, su compañía se consolidó y produjo trabajos para Bronislava Nijinska y Léonide Massine, entre otras.

794. MARY WIGMAN (1886-1973)

En 1919 Mary Wigman desafió las convenciones del ballet de su Alemania natal, después de dar sus primeros recitales. Su innovadora práctica de una danza libre se extendió por todo el mundo, y se convirtió en una estrella de culto. Recorrió Estados Unidos primero sola, y luego en compañía de su famoso «grupo femenino de danza».

795. MARIE RAMBERT (1888-1982)

Originaria de Polonia, en 1920 Rambert fundó su propia escuela de ballet en Londres. Más tarde formó una compañía que utilizó su escuela como una plataforma de talentos, de la que seleccionó a distintos bailarines y coreógrafos. Después de numerosos cambios de nombre, la compañía se denominó, simplemente, Ballet Rambert en 1935.

La contribución de Rambert al ballet se debe a su labor como directora de la compañía, aunque no se consideraba coreógrafa. Rambert tenía un sexto sentido y se sirvió de su profundo conocimiento para producir las obras de coreógrafos de la talla de Frederick Ashton y Anthony Tudor. Luego demostraría tener la misma intuición para descubrir a bailarines de excepción. Su compañía contó, entre otros, con talentos como Celia Franca y Peggy van Praagh.

796. MARTHA GRAHAM (1893-1991)

El impacto de Marta Graham en la danza moderna y en las artes en general fue excepcional. Su innovadora y distintiva técnica influyó notablemente en numerosos bailarines y coreógrafos, como Merce Cunningham o Paul Taylor, por citar sólo a dos de ellos. En cualquier caso, sus contribuciones técnicas a la danza significan sólo una mínima parte de un legado mucho más complejo. La subyugante profundidad y amplitud de su danza le valió el reconocimiento unánime de la crítica, que elogió su inteligencia. Dedicó especial atención a la mujer, creando obras sobre las vidas de escritoras como Emily Dickinson y las hermanas Charlotte y Emily Brontë. De hecho, en la gran mayoría de sus obras las mujeres son la encarnación de la moral o de la conciencia.

797. HANYA HOLM (1898-1992)

Nacida en Alemania, Holm estudió danza en el instituto Dalcroze de Frankfurt, y en 1921 se unió a la compañía de Mary Wigman. Durante la década siguiente Wigman sería su mentora, y la alentó a que abriera la Escuela de danza Mary Wigman en Nueva York. Holm no tardó en abrirse camino como coreógrafa y profesora. En cinco años fundó su propia compañía de danza moderna, y en 1940 se dedicó al teatro musical, ejerciendo de directora y de coreógrafa de algunos de los grandes éxitos de Broadway: *Bésame, Kate, My fair lady* y *Camelot*.

Desde 1960 simultaneó su trabajo en Broadway con la enseñanza, impartiendo clases en distintas escuelas y universidades norteamericanas.

798. KATHERINE DUNHAM (n. 1912)

Mujer versátil, esta afroamericana no sólo fue bailarina, coreógrafa y profesora de danza, sino que también se dedicó a la antropología y a la sociología. Su formación le permitió incorporar su bagaje a la creación de una danza enraizada en las tradiciones africanas y haitianas (incluso hizo un trabajo de campo etnográfico en Haití). Además concibió su compañía de danza como un instrumento de reforma social con el que denunciar las barreras raciales. Su danza tuvo una gran repercusión, no sólo por recorrer los estados del Sur con la compañía, sino por su inmensa popularidad, que le permitió conectar con todo tipo de audiencias.

Dunham fundó diversas escuelas de danza en lugares tan diferentes como Manhattan, Haití o el este de San Luis.

799. ANNA SOKOLOW (n. 1915)

Después de formarse en la Escuela de Ballet Norteamericana, y actuar durante casi una década en la compañía de Martha Graham, Sokolow fundó en México el primer grupo de danza moderna en 1939. Sokolow sobresalió como coreógrafa durante la década de 1940, momento en que proclamó que los bailarines necesitaban educarse en la experimentación, tildando de cobardes a quienes no asumían riesgos. Y ella fue la primera en predicar con el ejemplo, explorando en su trabajo cuestiones relativas a la cultura mexicana y a la judía. En 1961 abordó el espinoso tema del nazismo y de los campos de concentración, en su provocadora obra *Sueños*.

800. ALICIA ALONSO (n. 1921)

En 1948 esta bailarina fundó su propia compañía de ballet en su Cuba natal. Aquella compañía, llamada en su día Ballet de Alicia Alonso, pasaría a convertirse con el tiempo en el Ballet Nacional de Cuba. A pesar de haberse formado como bailarina en la Escuela Norteamericana de Ballet y de haber actuado tanto en Broadway como en el Teatro Americano de Ballet, Alonso se proclamó revolucionaria cuando, en 1959, Fidel Castro llegó al poder en Cuba. Además abrió también una escuela de ballet en La Habana, aunque sus compromisos no le impidieron bailar. Alonso continuó actuando tanto en su país como en el extranjero, y formó una pareja extraordinaria junto a Igor Youskevitch, bailarín y profesor ruso.

801. TWYLA THARP (n. 1941)

Twyla Tharp desempeñó un papel fundamental en el despertar del interés por la danza en Estados Unidos, durante las décadas de 1960 y 1970. Su formación fue ecléctica: había estudiado ballet, danza moderna y popular, además de música e incluso repiqueteo con el bastón. Su coreografía es el reflejo de su heterogénea formación y ha atraído a audiencias cada vez más amplias. Tharp también ha colaborado como coreógrafa tanto en Broadway como en algunas películas.

802. MEREDITH MONK (n. 1943)

Las creaciones de Meredith Monk propugnan la incorporación del espacio en el proceso creativo. De hecho, Monk tiene tan arraigado el vínculo que debe existir entre la danza y el espacio de la representación, que, a menudo, se ha negado a actuar en localizaciones que no conocía previamente. En algunos de sus trabajos también ha involucrado a los espectadores, instándoles a que sigan a los bailarines de un emplazamiento a otro, o directamente invitándoles a que suban al escenario para participar en la función. Monk ha enfatizado el texto, la imagen, la iluminación y el sonido para potenciar sus espectáculos, y hoy es especialmente conocida por componer la música de sus piezas.

803. PIONERAS DE LA COREOGRAFÍA

En 1947 las norteamericanas Virginia Sampler y Valerie E. Bettis se convirtieron en las primeras coreógrafas en crear una obra de danza moderna para una compañía de ballet clásico.

REINAS DEL ESCENARIO

804. UNA JOVEN SOPRANO SE VA AL OESTE

En 1850 la soprano británica Anna Hunt Thillon (1819-1903) se convirtió en la productora de la primera ópera representada en San Francisco.

805. EVA LE GALLIENNE (1899-1991)

Actriz, directora y productora norteamericana nacida en Inglaterra, en 1923 fundó el Teatro de Repertorio Cívico, con el objetivo de poner al alcance del público tanto los grandes clásicos como las nuevas producciones, a un precio asequible. Inició su temprana carrera en Estados Unidos, y siendo muy joven alcanzó su madurez interpretativa en papeles como el de Julie en *Liliom* (1921), o haciendo de princesa Alejandra en *El cisne* (1923). Al frente del Teatro de Repertorio Cívico, dirigió y actúo en producciones de toda índole, a lo largo de los siete años de historia de la compañía. Escribió *A los 33* (1934) y *Con un corazón tranquilo* (1953).

806. NÚRIA ESPERT (n. 1933)

Núria Espert es una de las actrices y directoras teatrales españolas con mayor proyección internacional, y ello gracias a su temperamento sobre el escenario y a un virtuosismo interpretativo que funde la herencia del teatro clásico griego con los dramas contem-

poráneos. En 1969 su compañía fue distinguida con el premio especial del Festival Internacional de Arte Dramático de Belgrado, un prestigioso galardón.

Ha sido una excelente directora e intérprete lorquiana: en 1986 estrenó en Londres *La casa de Bernarda Alba* y logró transformar, gracias a su dirección, a dos actrices británicas, Glenda Jackson y Joan Plowright, en sendas viudas andaluzas. Si bien se reconoce a sí misma como una mujer de teatro, su contribución a la ópera (*Madame Butterfly*, *Carmen* o *Rigoletto*) y, esporádicamente, al cine también ha sido unánimemente elogiada.

807. ARIANNE MNOUCHKINE (n. 1938)

Es la directora francesa que dirige el Téâtre du Soleil, una compañía que se ha hecho célebre por la originalidad de sus espectáculos. Mnouchkine ha estado detrás de producciones como: *1789* (1970), *1793* (1972), *La edad de oro* (1975), *Mephisto* (1979) y *Norodon Shihanouk* (1985).

ACTRICES

808. ARMANDE Y MADELEINE BÉJART
(1642-1700 y 1618-1672, respectivamente)

Hermanas y actrices francesas, auspiciaron, tanto juntas como por separado, el nacimiento del teatro ilustrado francés. Armande fue la musa de la gran mayoría de personajes femeninos a los que dio vida el mayor dramaturgo de la historia de Francia: Molière. Anteriormente había formado parte, junto a su hermana, de una compañía de teatro familiar. Quizá la singularidad de aquel triunvirato fue que vivió bajo la sospecha de que Armande era, en realidad, hija de Molière. El infundio no pudo ser probado, y la compañía de Molière fue creciendo como la espuma. Madeleine tuvo cierta responsabilidad, pues además de ser una de las predilectas del autor sobre el escenario, se hizo con los fondos y el amparo legal necesarios para que la compañía pudiera salir a flote.

A la muerte de Molière, Armande tomó el relevo en la dirección de la compañía, y contrató a Guerin d'Estriche, un eminente actor con el que acabaría casándose.

809. MARÍA IGNACIA IBÁÑEZ (1745-1771)

Actriz española, murió prematuramente tras dejar un rastro biográfico ambiguo. Nació en Madrid, pero triunfó en Cádiz, ciudad que le brindó una efusiva acogida. Su fama le permitió relacionarse con el mundo ilustrado madrileño, por el que se sentía fuertemente atraída; de hecho, nunca se ha esclarecido del todo si en realidad no eran las letras lo que constituía su auténtica vocación. Sea como sea, el caso es que, entre las plumas de prestigio de la capital, le cautivó especialmente la de José Cadalso, cuya obra *Sánchez García* interpretó sobre el escenario. Su vínculo con Cadalso se estrechó profesional y sentimentalmente, hasta el punto de que, según ciertas interpretaciones, el escritor se apoyó en el presumible talento literario de María Ignacia para concluir sus obras. Ibáñez murió en 1771.

810. BÁRBARA Y TEODORA HERBELLA LAMADRID (1812-1893 y 1821-1896, respectivamente)

Constituyen un singular caso en el mundo de la interpretación teatral, pues no sólo eran hermanas sino que compartieron apellido artístico: cambiaron Herbella por Lamadrid. Iniciaron su trayectoria siendo muy jóvenes y tras debutar en Andalucía dieron el salto a Madrid, donde fueron reclutadas por el Teatro Príncipe. Mientras Bárbara sobresalió en el repertorio de autores como Zorrilla y García Gutiérrez, Teodora hizo lo propio en obras de Tamayo y Baus y Larra.

Ambas fueron actrices de reconocido talento, pero fue Bárbara quien se llevó el aplauso de la crítica, y hoy en día está considerada como a una de las primeras grandes actrices españolas. Bárbara

pasó sus últimos años ciega y postrada en una silla de ruedas, mientras que Teodora se dedicó al ejercicio de la cátedra de Declamación del Conservatorio de Madrid.

811. SARAH BERNHARDT
(Henriette Rosine Bernard, 1844-1923)

Su sensibilidad dramática y su extraordinaria voz convirtieron a esta actriz francesa en una estrella internacional. Inició su carrera en la Comédie Française en 1862, y pasó al Odeón en 1869. Tras actuar en *Kean*, *Le passant*, *Zaire* y un sinfín de obras más, inició una imparable ascensión. En 1888 abandonó la Comédie Française para formar su propia compañía, con la que recorrió Europa, Inglaterra y Estados Unidos. Tras haber interpretado toda suerte de personajes, entre ellos a la Margarita de *La Dama de las camelias*, dirigió el teatro de la Renaissance en 1893. En 1899 arrendó el edificio en el que abriría el teatro Sarah-Bernhardt.

A pesar de que en 1915 le fue amputada una pierna, continuó actuando hasta su muerte.

812. ELEONORA DUSE (1858-1924)

Duse nació en Italia y siendo una niña se inició como actriz actuando en compañías ambulantes. A los veinte años ya despuntó actuando en la obra de Zola *Thérèse Raquin en Nápoles*. Poco tiempo después consiguió la fama gracias a sus interpretaciones en obras de Alejandro Dumas hijo, Verga e Ibsen.

En 1886 fundó la Compañía Dramática de la ciudad de Roma, su propia compañía. Viajó largamente al frente de ésta, y en 1893 estrenó en Nueva York, en el que fue su debut en Estados Unidos. Al año siguiente se inició una relación de cinco años junto al célebre dramaturgo italiano Gabriele D'Annunzio, quien le dedicó cuatro de las cinco obras que escribió durante ese lapso.

La historia terminaría por reservarle un lugar de honor entre las más brillantes actrices dramáticas.

813. MINNIE MADDERN FISKE
(Marie Augusta Davey, 1864-1932)

Nacida en Nueva Orleans, Fiske se inició como actriz desde niña, y con el tiempo se convirtió en una de las más grandes actrices teatrales que jamás haya dado Estados Unidos. Su carrera no sólo se limitó a la interpretación, fue directora y escribió guiones, e incluso promocionó las obras de otros autores, por ejemplo, Henrik Ibsen. En 1882 debutó en Nueva York, y en 1890 se casó con Harrison Fiske, máximo responsable y director del Teatro de Manhattan. Participó en el reparto de la obra de su esposo *Hester Crewe*, que él mismo dirigió, y en otras producciones, sobresaliendo en *Tess de Urbenville*. También se la vio sobre el escenario en obras como *Casa de muñecas*, *Rosmersholm*, *Fantasmas*, *Los pilares de la sociedad* y *Hedda Gabler*. Fue una abnegada defensora del teatro de Ibsen en Estados Unidos, y del realismo en general.

En 1930 se subió por última vez a un escenario de Nueva York, interpretando *Esta vida grandiosa*.

814. MARÍA GUERRERO (1867-1928)

Una de las grandes actrices españolas, en 1886 debutó sobre el escenario del Teatro Princesa de Madrid en la representación de una obra de José Echegaray. Su andadura se inició bajo el padrinazgo de Teodora Lamadrid, y pronto su talento para la tragedia y su desenvoltura sobre el escenario le abrieron las puertas de las grandes compañías de teatro de todo el mundo; en París trabajó con la gran Sarah Bernhardt.

Tras casarse con Fernando Díaz de Mendoza, ambos formaron su propia compañía, y recorrieron América Latina, donde cosecharon innumerables éxitos y cautivaron en especial al público argentino; fue tal su acogida en ese país, que el gobierno quiso encomendar a María la dirección de una escuela de declamación.

Entre las interpretaciones que la encumbraron destacan: *Tierra baja* del autor catalán Àngel Guimerà, *La loca de la casa* de Pérez Galdós, *Don Juan Tenorio* de Zorrilla y *La malquerida* de Jacinto Benavente.

815. MARGARITA XIRGU (1888-1969)

Gran dama del teatro español, Margarita Xirgu empezó a despuntar siendo muy joven en el Teatro Romea de Barcelona, y en 1911 fue contratada por el Principal de la misma ciudad, donde obtuvo un éxito apoteósico representando la obra de Ch. M. Donnay, *La educación del príncipe*. Fue una actriz de extraordinaria versatilidad y fue aclamada en los teatros de Madrid y Barcelona.

Cautivó a miles de espectadores, incluido García Lorca, quien vio en ella una ejemplar intérprete de sus personajes. Interpretó con igual fortuna otros géneros, desde el teatro clásico español a la comedia, pasando por el vodevil; parecía que no hubiera frente alguno que se le resistiera. A finales de la década de 1930 vivió en América del Sur: recorrió el continente cosechando clamorosos éxitos y contribuyó a la difusión de escritores ya consolidados interpretando obras de Lorca, Casona y Alberti. El cine le abrió sus puertas, pero su mundo era el teatro.

816. STELLA ADLER (1901-1992)

Hija del gran actor judío Jacob Adler, Stella Adler llevaba el teatro en sus venas. En 1931 se incorporó a la compañía de teatro de Harold Clurman y prontó despertó el interés del público por sus interpretaciones en producciones como *Despierta y canta* (1935) y *Paraíso perdido* (1941). No obstante, su carrera de actriz terminó en 1945, año en que intervino en *Él, el pasmarote*; después de aquella función se embarcó en la fundación de una escuela de interpretación: en 1949 fundó el Conservatorio Stella Adler. En su nueva faceta como profesora de interpretación, Adler superó incluso los logros que había alcanzado como actriz.

817. AMPARO RIVELLES (n. 1925)

Una de las grandes damas del teatro español, Amparo Rivelles heredó sus cualidades interpretativas de la saga de actores de la que procedía. Su predilección por el escenario no fue obstáculo para que también conquistara la fama en el celuloide, y en las décadas de 1940 y 1950 se convirtió en uno de los rostros habituales del cine español. A esa época pertenecen: *La fe* (1947), *La calle sin sol* (1948) o *La herida luminosa* (1956). En 1958 se trasladó a México, donde trabajó en el cine, el teatro y la televisión. A su regreso a España, se ganó la admiración de público y crítica teatral: logró uno de sus mayores éxitos teatrales participando en *La Celestina*. Desde los ochenta ha combinado su carrera teatral con actuaciones en el cine y en televisión.

818. MARLENE DIETRICH
(Maria Magdalena von Losch, 1901-1997)

Nacida en Alemania, Dietrich se inició como actriz participando en vodeviles, hasta que en 1923 se pasó al cine. En 1930 alcanzó la fama gracias a su interpretación de LolaLola en la película de Josef von Sternberg *El ángel azul*. Los seis años que siguieron a aquel triunfo los pasó trabajando para la Paramount en Hollywood junto a Sternberg, quien la convirtió en un mito (aquella tentación que ni un solo hombre, y pocas mujeres, podían resistir) en películas como *Morocco* y *El diablo es una mujer*. Exótica, erótica... tuvo energía para iluminar con su presencia un total de cincuenta y tres películas. Durante la segunda guerra mundial llegó a actuar para las tropas estadounidenses; en los años cincuenta, cuando su carrera cinematográfica comenzó a declinar, actuó en el music-hall.

819. DOLORES DEL RÍO
(Dolores Asunsolo Martínez, 1905-1983)

Fue la primera actriz mexicana en conquistar Hollywood. Nació en el seno de una familia acomodada que fue desposeída por la Revolución. Tras contraer matrimonio con Jaime Martínez del Río, un hombre acaudalado, tuvo ocasión de conocer al productor de Hollywood, Edwin Carewe, quien se llevaría a la pareja a Hollywood. Él fue un guionista secundario y Dolores participó en producciones en las que interpretó papeles de mujer exótica. Posteriormente se unió a Cedric Gibbons, famoso director y productor de la Metro Goldwyn Mayer. A su lado la carrera de Dolores en Hollywood empezó a declinar.

Hizo las maletas y en México fue una de las musas del director Emilio Fernández, en películas como *María Candelaria* (1943). Su rostro acaparó las portadas y las pantallas de su país, hasta su muerte en 1983.

820. ANNA MAGNANI (1908-1973)

De origen modesto, debutó como cantante y actriz en espectáculos de variedades. A comienzos de los años treinta tenía su propia compañía teatral. Su consagración cinematográfica la constituye *Roma, ciudad abierta*, de Roberto Rossellini (1945), a la que siguieron, entre muchas otras, *Bellísima*, de Luchino Visconti (1951) o *La carroza de oro*, de Jean Renoir (1952). Su última gran película es *Mamma Roma*, de Pier Paolo Pasolini (1962). Se retira a mediados de los sesenta, aceptando sólo pequeños papeles como en *Roma*, de Federico Fellini (1972).

Magnani, idolatrada hasta su muerte por su público, encarnó a la perfección el papel de mujer del pueblo, obstinada, generosa y valiente.

821. HATTIE MCDANIEL

Hattie McDaniel pasó a la historia como la primera afroamericana (antes que cualquier hombre) en ganar un Oscar de Hollywood. McDaniel ganó el Oscar a la mejor actriz de reparto en 1939 gracias a su memorable interpretación de la criada negra, «mammy», en *Lo que el viento se llevó*.

822. IMPERIO ARGENTINA
(Magdalena Nile del Río, n. 1906)

Versátil intérprete, abordó con similar fortuna la canción y el baile. Hizo sus pinitos como actriz en su ciudad natal, Buenos Aires, aunque siendo todavía muy joven se trasladó a Madrid, donde desarrollaría su carrera.

Argentina fue la primera diva del cine español y un caso de admirable adaptación en la transición del cine mudo al sonoro. Su fama debe mucho a su participación en las películas de otro de los grandes del cine español, Florián Rey, con quien protagonizó *Nobleza baturra* (1935) y sendas versiones de *La hermana San Sulpicio*. Con el tiempo sucumbió al éxito y se avino a participar en producciones que gozaron de buena aceptación popular. En 1986 volvió al cine de la mano de J. L. Borau en *Tata mía*.

En 1989 fue galardonada con un premio Goya honorífico por la Academia del Cine Español.

823. MARÍA FÉLIX (n. 1915)

Seguramente, la mayor actriz que haya dado el cine mexicano. María Félix estudió arte dramático en la Escuela de Teatro de Guadalajara y debutó en el cine a principios de la década de 1940. Consiguió fama durante la segunda guerra mundial, permitiendo al cine mexicano incrementar su, hasta entonces, escasa repercusión internacional.

Sus facciones angulosas, sus ojos rasgados y sus marcados labios la convirtieron en la vampiresa más famosa de América Latina. Tras alcanzar la fama en el cine mexicano, partió rumbo a España e Italia, donde protagonizaría filmes de gran éxito: *Mare Nostrum* y *Mesalina*, que la consagraron como arquetipo de mujer fatal. Francia también sucumbió a su belleza, y sedujo, entre otros, a Jean Renoir, quien diseñaría un papel a su medida en *French Can Can*. Buñuel tampoco se resistió a su embrujo y la dirigió en *La fiebre sube a El Pao* (1959).

Se retiró del cine a principios de la década de 1970, tras contraer matrimonio en terceras nupcias con un acaudalado financiero, pero en 1987 volvió a la pantalla en *Eterno esplendor*, del director J. H. Hermosillo.

824. LOLA GAOS
(Dolores Gaos y González-Pola, 1921-1993)

Actriz española, debutó en el cine en 1949. El rostro de Lola Gaos, de facciones angulosas, fue uno de los más perturbadores de las décadas de 1960 y 1970. En la pantalla dio vida a una mujer de extracción popular, adusta y tortuosa. El director aragonés Luis Buñuel contribuyó a trazar ese perfil en películas como *Viridiana* (1961) y *Tristana* (1969). A pesar de quedar encasillada en esa tipología de personajes, sus intervenciones en *Mi querida señorita* (1971) y *Furtivos* resultaron igualmente memorables. Murió en 1993 sumida en la miseria.

825. SARA MONTIEL
(María Antonia Abad Fernández, n. 1928)

María Antonia Abad Fernández estudió en Orihuela, y pronto sus ambiciones la llevaron a un concurso de aspirantes a actrices, en el que venció. Contratada por el productor Vicente Casanova de Cifesa intervino en *Te quiero para mí* (1944), con el sobrenombre de María Alejandra. A finales de los años cuarenta inició su colaboración junto a José Luis Sáenz de Heredia, quien la dirigió como secundaria en tres películas.

Resuelta a escalar la resbaladiza rampa de la fama, voló a México donde entre 1951 y 1954 rodó trece películas, que le brindaron la oportunidad de trabajar a las órdenes de tres prestigiosos directores de cine norteamericanos: *Veracruz* (1954), de Robert Aldrich, *Dos pasiones y un amor*, de Anthony Mann (1956), y *Yuma* (1957), de Sam Fuller.

Volvió a España en loor de multitudes y obtuvo un clamoroso éxito con *El último cuplé* (1957), un filme romántico, al que siguieron *La violetera* (1958), *La reina del Chantecler* (1962) y *Varietés* (1970).

Poco a poco dejó el cine y prosiguió su carrera de cantante y estrella de revista.

826. JEANNE MOREAU (n. 1928)

En 1948 entró en la Comédie Française y en 1952 en el Théâtre National Populaire bajo la dirección de Jean Vilar. Durante los años cincuenta alternó el teatro con esporádicas apariciones en el cine, pero a finales de la década se convirtió en una de las actrices favoritas de los directores de la *nouvelle vague*. Así, protagonizó *Ascensor para el cadalso* (1957), *Los amantes* (1958), *El fuego fatuo* (1963) y *¡Viva María!* (1965), de Louis Malle; *Jules y Jim* (1961) y *La novia vestía de negro* (1967), de François Truffaut, y *La bahía de los ángeles* (1963), de Jacques Demy. También trabajó, entre otros, con Orson Welles, *El proceso, Campanadas a medianoche* e *Una historia inmortal*, Buñuel, *Diario de una camarera*, Antonioni, *La noche* o Losey, *Eva*.

Ya consagrada como gran dama del cine francés, en las decadas de 1970 y 1980 compaginó el teatro con breves actuaciones cinematográficas. En 1978 realizó la notable *Lumière*, sobre el mundillo de las actrices.

827. BRIGITTE BARDOT (n. 1934)

Esta actriz francesa se convirtió en un mito sexual a raíz de su aparición, en 1956, en la película *Y Dios creó a la mujer*, dirigida por Roger Vadim, entonces su esposo. Emulada y admirada, trabajó con los mejores cineastas franceses de la época, y su popularidad fue objeto de estudio por parte de la escritora Simone de Beauvoir. Participó en películas como *La verdad* (Clouzot, 1960), *El desprecio* (Godard, 1963) o *Viva María* (Malle, 1965).

A finales de los setenta abandonó su carrera de actriz. Desde entonces se ha consagrado a la lucha por los derechos de los animales.

828. VANESSA REDGRAVE (n. 1937)

Nacida en el seno de una familia de actores británica, en 1958. Redgrave debutó en los escenarios junto a su padre, Michael Redgrave, en la obra *Una ráfaga de sol*. Sus interpretaciones más notables incluyen a la Rosalind del *Como gustéis* de Shakespeare, a la Nina de *La Gaviota*, a Jean en *Lo mejor para Miss Jean Brodie*, su debut en Broadway como la Ellida de *La dama del mar* (1976) y la Lady Torrance de *Orfeo*. Más recientemente (1995) interpretó a Vita Sackville-West, en *Vita y Virginia*, un espectáculo en el que compartía cartel con Eileen Atkins.

Además de su trabajo en el teatro, Redgrave ha intervenido en numerosas películas y series de televisión.

También se la conoce por sus controvertidas opiniones políticas: ha declarado públicamente su apoyo a los antisionistas de Palestina.

829. CARMEN MAURA
(Carmen García Maura, n. 1945)

No era previsible que esta dinámica mujer española acabara convirtiéndose en actriz: estudió Filosofía y Letras, y fue directora de una galería de arte. Sin embargo, su trayectoria daría un vuelco significativo cuando, tras sus apariciones en el cine, el teatro y la televisión, sus actuaciones adquieren una nueva dimensión a su paso por el Centro Dramático Nacional.

En 1977 inició su carrera cinematográfica interviniendo en la película *Tigres de papel*, de Fernando Colomo, junto a quien rodaría varias películas. En la década de 1980 protagonizó las películas de Pedro Almodóvar *Pepi, Luci y Bom y otras chicas del montón* (1980), *Entre tinieblas* (1983), *¿Qué he hecho yo para merecer esto?* (1984), *La ley del deseo* (1987) y *Mujeres al borde de un ataque de nervios* (1988), por la que fue elegida mejor actriz europea del año. En la década de 1990 trabajó en *Cómo ser mujer y no morir en el intento* (1991), de Ana Belén; *Chatarra* (1991), de F. Rotaeta; *La reina anónima* (1992), de G. Suárez, etc.

Ha encarnado como pocas actrices un estereotipo de mujer abrumada por su circunstancia. Ha ganado en dos ocasiones el premio Nacional de Cinematografía, en 1988 y 1991, y en los últimos años ha intervenido en numerosas películas en España y en Francia.

830. MARISOL
(Josefa Flores, n. 1947)

Actriz y cantante española, niña prodigio. Marisol dio muestras de su talento para el cante y de una sorprendente fotogenia en la película *Un rayo de luz* (1961), que le valió el premio a la mejor interpretación en el prestigioso festival de cine de Venecia. Marisol intervino en varias producciones más, y cuando sus curvas empezaron a insinuar a la incipiente mujer, los productores moldearon la imagen de sus personajes en películas como *Carola de día, Carola de noche* (1969). Sin embargo, tantos años en la brecha acabaron por cansarla y se retiró tempranamente.

Tras pasar una temporada lejos de las cámaras, en 1980 apareció de nuevo en escena, recuperando su vocación de cantante: su disco *Galería de perpetuas canciones de mujeres* fue un éxito rotundo. En los últimos años ha reducido sus apariciones públicas.

831. ÁNGELA MOLINA (n. 1955)

Hija del célebre cantante y actor Antonio Molina (1928-1992), esta actriz española dio sus primeros pasos en el cine de la mano de Luis Buñuel.

Estudió ballet clásico, baile flamenco, danza española y arte dramático en la Escuela Superior de Madrid. Su descubridor fue Luis Buñuel, quien la dirigió en *Ese oscuro objeto del deseo* (1977), película que la llevó a trabajar en Italia y en Francia, siendo una de las primeras actrices de la democracia que se ganó una reputación internacional. Entre sus películas destacan: *Camada negra* (1977), *El corazón del bosque* (1978) y *Demonios en el jardín* (1982), de Manuel Gutiérrez Aragón; *Las cosas del querer* (1989), de Jaime Chávarri, y *Una mujer bajo la lluvia* (1992), de Gerardo Vera.

Tras unos años de vacilación y silencio, rodó con Pedro Almodóvar *Carne trémula* (1997).

832. VICTORIA ABRIL
(Victoria Mérida Roya, n. 1959)

La carrera de Victoria Abril despegó después de su paso por un concurso de televisión: *Un, dos, tres*. Con anterioridad, Vicente Aranda la había dirigido en *Cambio de sexo* (1976), cuando tan sólo contaba dieciocho años. Desde entonces Abril ha trabajado a las órdenes del citado director, quien ha utilizado su talento dramático en *Amantes* (1991), *La muchacha de las bragas de oro* (1980) o *El Lute, camina o revienta* (1987).

Pedro Almodóvar la consagró como una sobresaliente actriz a finales de los años ochenta con *Átame* (1989), a la que seguirían *Tacones lejanos* (1991) y *Kika* (1993). Asimismo ha rodado en Francia la películas *Felpudo maldito* (1994) de J. Balasko, *La mujer del cosmonauta* (1997) de J. Monet; y en Estados Unidos, *Jimmy Hollywood* (1994) de B. Levinson.

En 1995 protagonizó *Nadie hablará de nosotras cuando hayamos muerto*, de A. Díaz Yanes, papel con el que ganó el premio de interpretación en el festival de San Sebastián y el premio Goya (1996) a la mejor actriz.

833. JODIE FOSTER
(Alicia Christian Foster, n. 1962)

Seguramente haya varias imágenes imborrables en la carrera de Jodie Foster, aunque la primera fue, sin lugar a dudas, la que dejó interpretando el papel de Iris en la película de Martin Scorsese *Taxi Driver*. Foster tenía entonces trece años, aunque ya era una curtida profesional: había intervenido en otras seis películas y en varios anuncios de televisión.

Todavía debería actuar en quince películas más antes de ganar su primer Oscar a la mejor interpretación en 1988 por *Acusados*. En el ínterin se graduó en la Universidad de Yale, donde se convirtió en la obsesión de John Hinckley, el perturbado que en 1981 intentó asesinar al entonces presidente Ronald Reagan, que declaró que con su crimen frustrado sólo pretendía llamar la atención de Foster. Aquel episodio motivó que Foster rechazara determinados proyectos, aunque no resultó ningún obstáculo para que pudiera superar su consideración de estrella infantil, y en 1991 logró aumentar el nivel alcanzado en *Acusados* con *El silencio de los corderos*, papel que le valió el segundo Oscar con tan sólo veintinueve años. Aquel mismo año debutaría como directora con *El pequeño Tate*, una película en la que también participaba como actriz. En 1995 realizó *Nell*, el primer filme financiado por su propia productora: Egg.

834. AITANA SÁNCHEZ GIJÓN (n. 1969)

Joven actriz de brillante carrera, nació en Italia, aunque pronto se trasladó a Madrid, donde inició sus estudios de Arte Dramático. Desde 1998 es presidenta de la Academia del Cine Español, convirtiéndose en la primera mujer que ostenta el título.

Su carrera se inició en televisión, participando en *Segunda enseñanza*, la serie que le abrió las puertas del cine. Trabajó en *Bajarse al moro*, una comedia de Fernando Colomo, en la que su sonrisa y desenvoltura cautivaron a más de un director. Antes de ser absorbida por el celuloide, representó en teatro *La malquerida* de Jacinto Benavente.

Logró notoriedad como actriz en *Remando al viento* (1988), de G. Suárez, *El mar y el tiempo*, de F. Fernán Gómez, o *El pájaro de la felicidad* (1993), de P. Miró. Pero su reconocimiento decisivo llegó al protagonizar en Estados Unidos *Un paseo por las nubes* (1995), de A. Arau. En su filmografía también destacan *Boca a boca* (1995), de M. Gómez Pereira, *Sus ojos se cerraron* (1997), de J. Chávarri, y *La camarera del Titanic* (1997), de Bigas Luna. La presidencia de la Academia no le ha impedido seguir rodando y, tras *Yerma* (1998), ha actuado en *Volaverunt* (1999), de Bigas Luna, papel con el que obtuvo el Goya de 1999 a la mejor actriz.

DRAMATURGAS Y GUIONISTAS

835. APHRA BEHN (1640-1689)

Creció en Surinam, fue conocida como «la Incomparable Astrea» y está considerada como la primera inglesa en hacer una profesión de la escritura. Mujer pintoresca, trabajó de espía en Amberes, y, a pesar de sus sacrificios, no sólo no fue remunerada, sino que terminó siendo encarcelada por deudas. Durante las décadas de 1670 y 1680, Behn desarrolló su carrera literaria, escribiendo cáusticas y dramáticas comedias, entre ellas: *Matrimonio forzoso*, *El vagabundo*, *Falso culpable* y *Los cabezas redondas*. También cultivó la traducción y escribió poesía y novelas. Su pieza no dramática más conocida fue *Oroonoko*, una autobiografía basada en su vida en Surinam.

836. MAE WEST (1893-1980)

Fue explosiva en todos los sentidos. Su nombre conjura instantáneamente imágenes, y sus chistes se han convertido en auténticos tesoros nacionales, aunque a muchos de sus *fans* se les escapa la esencia de su creatividad: antes que nada fue escritora, y no sólo desde sus inicios en el vodevil, sino también a lo largo de su carrera cinematográfica. La dos obras que la consagraron: *Sexo, El estorbo,* y la obra de 1928 *Diamond Lil*, desafiaron los tabúes sociales de la época, algo que West lograría repetir en Hollywood en 1934. Cuando los decadentes estudios Paramount le propusieron que adaptara *Diamond Lil*, West exigió tener la última palabra y un control creativo absoluto. Decidió que Lowell Sherman fuera el director, y eligió a un desconocido llamado Cary Grant como coprotagonista. Al resultado de todo aquello se le tituló *She Done Him Wrong* y se convirtió en un éxito sin precedentes. Sus posteriores guiones incluirían títulos como: *Belleza de los 90*, *Camino de la ciudad*, *Ve al Oeste, jovencito* (1936), *Klondike Annie* (1936), *Cada día es una fiesta* (1939) y *Mi pequeño Chickadee* (1940).

Su película *Klondike Annie* suscitó tal controversia, que los censores la anatemizaron, dañando irreparablemente la carrera de West.

Ironías de la vida, tuvo que ser el magnate de la prensa William Randolph Hearst (el único estadounidense que la superó en ingresos en 1934) quien azuzó a los censores contra ella.

837. LILLIAN HELLMAN (1905-1984)

Nacida en Nueva Orleans, fue una prolífica dramaturga y una defensora de causas progresistas. En 1934 escribió su primera obra: *The Children's Hour.* A partir de entonces, su exploración y su preocupación por lo sombrío, el lado oscuro de la naturaleza humana, marcarán el tono de sus trabajos sucesivos: *La loba* (1939), *Watch on the Rhine* (1941), *Another Part of the Forest* (1946), *Toys in the Attic* (1960). Involucrada en la caza de brujas anticomunista durante la época de McCarthy, en 1952 envió una carta al Comité de Actividades Norteamericanas, informando de que estaba dispuesta a contestar preguntas sobre sí misma y de que se negaba a dar información alguna sobre sus amigos. A aquella carta pertenece una de las frases que la hizo célebre: «No puedo ni permitiré que se recorte mi conciencia sólo para ajustarme a las modas de este año».

Su vida sentimental estuvo unida durante treinta años al escritor de novela policíaca Dashiell Hammett.

838. ALICE CHILDRESS (n. 1920)

Cuando en 1952 estrenó la obra *Dios a través de los árboles*, Alice Childress se convirtió en la primera dramaturga afroamericana a la que se representaba sobre uno de los cotizados escenarios neoyorquinos.

Sus últimas piezas incluyen títulos como *Trouble in mind* (1955), *The wedding band* (1966) y *Wine in the wilderness* (1966).

839. RUTH PRAWER JHABVALA

Es algo así como la pareja silenciosa del equipo que forman Ivory-Merchant, director y productor de cine respectivamente. Jhabvala ha adaptado para la gran pantalla novelas como *Lo que queda del día*, *Maurice*, *Howards End* y *Las bostonianas*. De hecho, el primer trabajo que realizó el binomio Ivory-Merchant fue la adaptación de la novela de Jhabvala *El cabeza de familia*.

COMPOSITORAS Y CANTAUTORAS

840. FANNY MENDELSSOHN (1805-1847)

A pesar de que sus creaciones permanecen inéditas, la compositora alemana Fanny Mendelssohn (hermana de Felix Mendelssohn) escribió alrededor de quinientas obras.

841. ETHEL SMYTH (1858-1944)

En 1898 la compositora Ethel Smyth creó *Fantasio*, una obra para la que también escribió el libreto. Smyth fue una pionera, que compuso un himno para el movimiento sufragista titulado *La marcha de la Mujer* (1916). Tras este paréntesis, prosiguió con sus trabajos en el campo de la música clásica, ganándose el reconocimiento por sus contribuciones a la ópera como *The Boastwain's Mate* (1917). En 1920 fue nombrada dama comandante del Imperio Británico.

842. MA RAINEY
(Gertrude Melissa Nix Pridgett, 1866-1939)

La llamada «madre del blues» no sólo puso su voz al servicio del blues, sino que lo escribió y lo grabó. Su música, característica del blues más temprano, aborda temas tales como el amor, el infortunio y el sufrimiento de la mujer.

843. CHAVELA VARGAS (n. 1919)

Cantante mexicana de tortuosa y dilatada carrera, su música no sólo ha cautivado a diversas generaciones de América Latina, sino que llegó a enarbolar las reivindicaciones de la guerrilla mexicana. Su repertorio combina la canción popular con una lírica combativa y desgarrada inimitable. A mediados de los setenta pareció que su carrera tocaba a su fin, pero tras quince años de ausencia de los escenarios, a principios de los noventa y con más de setenta años, volvió a ocupar los primeros puestos de las listas de ventas gracias a su disco *Volver, volver*. Debe su fama, sobre todo, a «La Macorina», canción que el español Alfonso Comín escribió para ella. Otras canciones como «Mi segundo amor», «El último trago», «Corazón, corazón» o «Flor de azalea», han contribuido al éxito de sus discos.

844. CELIA CRUZ (n. 1919)

La gran embajadora de la salsa de este siglo, la cubana Celia Cruz, ha destacado dentro y fuera de los escenarios por su extraordinaria fuerza y valentía.

Se inició en la música siendo muy joven, y en 1950, tras haber deslumbrado al público en los principales escenarios de Cuba, asumió el liderazgo de una de las orquestas cubanas de mayor reputación y calidad, La Sonora Matancera, con la que inició una exitosa gira por Estados Unidos.

Su carisma, su voz y su falta de prejuicios para expresar su ideología política la convirtieron simultáneamente en un personaje incómodo para el régimen castrista y en un símbolo de la libertad. En 1961 se estableció en Nueva York, ciudad desde la que ha partido una y otra vez para hacer vibrar a medio planeta, en especial a los latinoamericanos.

845. CAROLE KING (n. 1942)

Carole King surtió a la célebre factoría musical Brill Building de Nueva York con un sinfín de *hits* que escribió mano a mano con su esposo, Gerry Goffin, durante la década de 1960. El reconocimiento del dúo fue tal, que cuando los Beatles fueron a Nueva York por vez primera, se aseguraron de conocerlos, y les pidieron consejo para escribir sus canciones.

Algunas de las canciones de King de aquella época son: «Will You Still Love Me Tomorrow», «Take Good Care of My Baby». «Run to Him», «The Loco-Motion», «One Fine Day», «Oh No Not My Baby», «Don´t Bring Me Down», «Pleasant Valley Sunday» y «A Natural Woman», la mayoría de las cuales fueron escritas para otros cantantes. En 1968 la pareja se divorció, y Carole inició una exitosa andadura en solitario como cantautora. A pesar de que publicó varios discos, nunca llegó a alcanzar la gloria de *Tapestry*, su primer LP, el mismo que la lanzó al estrellato en 1971, y que acabaría convirtiéndose en el disco más popular de la década de 1970.

846. JONI MITCHELL
(Roberta Joan Anderson, n. 1943)

Joni Mitchell, cantautora orignaria de Canadá, actuó en clubes de música *folk* en la ciudad de Calgary antes de trasladarse a Nueva York en 1966, donde firmaría con el sello discográfico Reprise. Sus dos primeros discos pasaron desapercibidos, pero el tercero, *Clouds*, salió al mercado en 1969 con los *hits* «Both Sides Now», «Circle Game» y «Songs to Aging Children Come». Poco antes de que el disco saliera a la calle, la versión de «Both Sides Now» de Judy Davis se había clasificado en el *Top ten* de Estados Unidos. Su siguiente disco se tituló *Ladies of the Canyon*, en el que se incluyeron otras dos canciones memorables: «Woodstock» y «Big Yellow Taxi». «Taxi» entró exitosamente en las listas como *single* de lanzamiento, mientras que «Woodstock» apareció poco después avalada por el fenómeno de aquélla y su melodía dejó una huella indeleble que se convertiría en el himno del mítico festival del mismo nombre, en el que Mitchell no compareció.

En 1971 colocó el álbum *Blue* en el número quince de las listas de ventas y al año siguiente colocaría *For the Roses* en el número once. Su excelente acogida todavía llegó más lejos en 1974, cuando el disco *Court & Spark*, entró directamente en el número dos, incluyendo «Help me». Aquel mismo año Mitchell conseguiría su mayor éxito gracias a *Miles of Aisles*, disco que se grabó en directo. En 1975 su disco experimental *Hissing of Summer Lawns* todavía se situó en el número cuatro; aunque ya no ocurriría lo mismo con los sucesivos *Hejira* y *Don Juan's Rekless Daughter*, en los que la nueva faceta de Mitchell se situó en las antípodas de lo comercial. A pesar de ello, ya había dejado muy claro que el éxito comercial no le importaba. Su evolución artística y su incesante capacidad para superarse a sí misma cualitativamente, incluso después de dejar atrás la apoteosis de tiempos pasados, certificaron que prefería hacer algo auténticamente profundo, a seguir combatiendo como una mercenaria para ser una superventas más.

MÚSICOS Y VOCALISTAS

847. BESSIE SMITH (1894-1937)

La emperatriz del blues Bessie Smith se inició en el género de la mano de Ma Rainey «la madre del blues» en 1912, y tres años más tarde compartirían gira. Más adelante, Smith actuaría, ya en solitario, en Atlanta, y a principios de los años veinte empezó a grabar discos, aunque no se conoce la fecha exacta. De lo que no hay duda alguna es de que estuvo grabando para el sello Columbia Records entre 1923 y 1931. De hecho, se dice que las ventas de sus discos salvaron a la compañía de la bancarrota. Sin embargo durante la depresión económica la compañía se hundió, arrastrando a Smith en su caída. En 1933 el sello intentó brindarle una nueva oportunidad, pero no funcionó.

Smith murió desangrada en un accidente de tráfico. Se rumoreó que no había recibido la atención médica requerida por ser negra pero, posteriormente, el rumor no se confirmó.

848. MARIAN ANDERSON (1899-1993)

Esta contralto afroamericana desafió las barreras raciales del enrarecido mundo de la ópera. En 1933 después de que las miembros de la asociación Hijas de la Revolución Americana, todas blancas (DAR), le impidieran actuar en el Congreso, Anderson dio un concierto antológico en el Lincoln Memorial ante más de setenta y cinco mil espectadores. La actitud racista del DAR motivó que Eleanor Roosevelt se diera de baja de la institución en un gesto que tuvo gran repercusión nacional.

En 1955 Anderson marcó otro hito cuando cantó en la ópera *Un ballo in maschera* sobre el escenario de la Metropolitan de Nueva York, convirtiéndose en la primera cantante afroamericana que actuó en él.

849. BILLIE HOLIDAY
(Eleanora Fagan, 1915-1959)

Apareció en escena como la sucesora natural de Bessie Smith. De hecho, Holiday grabó su primer disco (con la compañía Columbia) el mismo año en que Smith grabó el último. Al igual que Smith Holiday también moriría joven (Smith murió a los cuarenta y tres años y Holiday a los cuarenta y cuatro).

Siendo una niña, Holiday decidió, tras escuchar a Smith, que ella también desarrollaría un estilo único por su cuenta. Está considerada por muchos, no sólo como la primera cantante de jazz, sino también como la más grande. Resulta más que ilustrativo el comentario que hizo el periodista Ralph Cooper cuando en 1935 asistió al debut de Holiday en el Teatro Apolo de Harlem: «Esto no es blues; de hecho, no tengo ni idea de lo que es, pero tenéis que escucharla».

850. EDITH PIAF
(Edith Giovanna Gassion, 1915-1963)

Esta cantante francesa vagabundeó por las calles de París exhibiendo su portentosa voz, antes de que el propietario de un cabaret, Louis Leplée, la descubriera en 1930. Éste le cambió su apellido por el de Piaf, una palabra del argot francés que significa «gorrión».

Piaf conseguiría el reconocimiento internacional gracias a su conmovedora voz y a sus melancólicas interpretaciones de canciones que hablaban de amores no correspondidos. «Le trois cloches» y «L'Hymne à l'amour» se cuentan entre ellas, aunque su gran éxito lo consiguió interpretando «La vie en rose».

851. MARIA CALLAS (1923-1977)

Poco después de debutar en la Ópera Nacional de Atenas, Callas, nacida en Nueva York, se reveló como soprano con su interpretación de *Tosca*, con sólo dieciocho años. Cinco años después hizo su debut en Italia, la capital mundial de la ópera, interpretando a La Gioconda en la obra de mismo título. Estuvo actuando durante más de una década en La Scala de Milán (1950-1962), y volvió a Nueva York en 1956, ciudad en la que debutó en la Metropolitan con una memorable interpretación de *Norma*.

852. ELLA FITZGERALD (1918-1997)

Fue la indiscutible maestra en la modalidad del cante jazzístico conocida como *scat* o zape (en la que el vocalista recurre a palabras sin sentido para crear un efecto rítmico y melódico). Ella Fitzgerald alcanzó mucha más popularidad e influencia de la que ningún músico de jazz hubiera podido soñar. Su carrera despegó después de ganar un concurso de talentos celebrado en el Teatro Apollo de Harlem. A lo largo de una carrera de más de sesenta años, grabó con músicos de la talla de Count Basie y Duke Ellington, aunque ante todo fue solista. Sus interpretaciones de temas como «A-Tisket-A-Tasket», «Laura», «How Long Has This Been Going On», entre otras muchas, siguen siendo algunas de las más admiradas de la época dorada del jazz.

853. ALICIA DE LARROCHA (n. 1923)

Brillantísima pianista española, a los trece años dejó constancia de sus extraordinarias dotes como solista en la Orquesta Sinfónica de Madrid, en la que se integró después de haber dejado asombrados a los barceloneses que la habían visto tocar en la Banda Municipal de la ciudad. Desde entonces los galardones y las condecoraciones han ido deshojándose sobre una trayectoria supervisada por el maestro Frank Marshall, y en la que ha despuntado como ninguna otra interpretando piezas de Isaac Albéniz y Enrique Granados. Entre las distinciones que ha alcanzado internacionalmente destacan la de músico del año en el *Musical American Magazine* y dos premios Grammy. En España también ha sido distinguida con el premio Nacional de la Música en 1985 y el premio Príncipe de Asturias en 1994.

854. SARAH VAUGHAN (1924-1990)

Llamada la Divina, Vaughan fue una de las grandes cantantes de este siglo. De niña cantó y tocó el piano en el coro de su parroquia. El éxito le llegaría durante una actuación en el Teatro Apollo de Harlem, antes de que se enrolara en la Earl Hines Band en 1944. Un año después dejaría la banda para formar un grupo junto a Billy Eckstine, otro de los ex integrantes de la Hines. Pronto empezó a grabar en solitario bajo su propio nombre, y el resto ya es historia. Su espléndida trayectoria artística se desarrolló durante más de cuatro décadas.

855. VICTORIA DE LOS ÁNGELES
(Victoria de los Ángeles López, n. 1924)

Es junto a Montserrat Caballé, la soprano de mayor renombre que haya dado la lírica española. Ha sobresalido por la pureza y ductilidad de su voz y por la amplitud de repertorio, que abarca obras de todas las épocas. En 1944 debutó en el Gran Teatro del Liceo de Barcelona, en cuyo conservatorio se había formado; tres años más tarde obtendría su primer reconocimiento internacional: el primer premio en el Concurso Internacional de Arte Lírico de Ginebra, que le abrió las puertas de los grandes escenarios del mundo. Con poco más de veinte años deslumbró al público de Nueva York por la calidad de sus interpretaciones y su perfección técnica. Tras recorrer las mejores salas del mundo cosechando clamorosas ovaciones, sufrió el veto de su teatro, el Liceo, en 1967. En 1979 abandonó la ópera y se dedicó a ofrecer recitales.

Le fue concedido el premio Príncipe de Asturias de las Artes en 1991.

856. LAS HERMANAS ANDREWS

El trío que formaron las hermanas Laverne, Maxine y Patti Andrews durante la década de 1940 logró vender sesenta millones de discos.

857. PILAR LORENGAR
(Pilar Lorenza y García, 1928-1996)

Una de las grandes sopranos españolas de este siglo, estudió y debutó en Barcelona. Su presentación en *El canastillo de las fresas* le reportó el premio Ofelia Nieto para intérpretes líricos en 1957. Cuatro años más tarde obtendría uno de sus mayores éxitos interpretando en Londres *La Traviata*. A partir de 1961 actuó como primera figura de la prestigiosa Ópera de Berlín, tras haber especializado su repertorio en las partituras más complejas de Wagner y Verdi, cuyo *Réquiem* interpretó memorablemente. Fue distinguida con distintos galardones: en 1955 recibió el premio Harriet Cohen tras actuar en los festivales ingleses de Glyndebourne, en 1965 obtuvo el lazo Dama de Isabel la Católica y en 1991 el premio Príncipe de Asturias de las Artes. Murió en Berlín en 1996.

858. PATSY CLINE
(Virginia Petterson Henley, 1932-1963)

Patsy Cline fue incluida en el *Country Music Hall of Fame*, diez años después de su muerte. Durante su trágicamente corta carrera, tuvo tiempo de convertirse en la primera mujer capaz de tender un puente entre la música *country* y la música pop, un giro con el que desafió el intocable trono de la más laureada cantante de *country* estadounidense: Kitty Wells. Sin embargo, a diferencia de la mayoría de las intérpretes de *country*, Cline no era precisamente un angelito. Bebió y alborotó en exceso, y lo hizo frecuentemente.

En 1963 murió en un accidente de aviación.

859. MONTSERRAT CABALLÉ (n. 1933)

Una de las mayores figuras que haya dado la lírica, la soprano española Montserrat Caballé ha recorrido los escenarios internacionales más prestigiosos, cosechando innumerables éxitos. Estudió en el Conservatorio del Liceo de Barcelona y perfeccionó su educación en Italia. Desde que en 1962 debutara en el Gran Teatro del Liceo de Barcelona interpretando *Arabella,* de Richard Strauss, su repertorio abarca toda suerte de óperas: ha interpretado casi dos centenares de obras, aunque las mayores muestras de su virtuosismo las ha ofrecido interpretando *Norma,* de Bellini, *La Traviata,* de Verdi y *Salomé,* de Strauss.

860. LA PRIMERA SILLA

En 1952 Doirot Anthony Dwyer fue elegida primera flauta de la
Orquesta Sinfónica de Boston, convirtiéndose en la primera mujer
en alcanzar el rango de primera silla en una gran orquesta.

861. MERCEDES SOSA (n. 1935)

Sin lugar a dudas, una de las voces más sobrecogedoras de la música latinoamericana de este siglo. En su garganta ha vibrado el compromiso ideológico con temas del asesinado Víctor Jara o de la poeta chilena Violeta Parra, así como de Pablo Neruda. Su música
hermana la tradición folclórica con la denuncia política inconfun-
diblemente contemporánea, sobre una raíz musical que profundiza
en las sambas, las guajiras y las chacareras.

Canciones como «Palomita del valle», «Serenata para la tierra de
uno» o «Gracias a la vida», forman parte ya de la memoria colectiva de este siglo.

862. TERESA BERGANZA (n. 1936)

Es la mezzosoprano española de mayor proyección internacional.
Teresa Berganza nació y se formó en Madrid. A los dieciocho
años dio su primer recital en su ciudad natal, a los diecinueve obtuvo el premio Lucrecia Arana y a los veinte, después de mostrar
su arte en distintas capitales europeas, debutó en el Covent Gar-
den de Londres. Desde entonces su fama y su prestigio no han
cesado de aumentar y, no en vano, se la considera una de las más
brillantes cantantes que ha dado el siglo xx, probablemente sólo
superada por la inigualable Maria Callas. Ha sido primera figura
en las giras de las compañías internacionales de mayor prestigio,
como la Ópera de Viena y La Scala de Milán. Su repertorio ope-
rístico es extraordinario, y su interpretación de Haendel, Bizet o
Rossini, excepcional. Ha recibido numerosas distinciones, entre
ellas la medalla de oro de la sociedad Harriet Cohen de Londres

(1964), el gran premio Internacional del Disco (1966), concedido por la Academia Charles Cross de Francia, y el premio Príncipe de Asturias (1991).

863. MARTA ARGERICH (n. 1941)

Nacida en Buenos Aires, destacó como niña prodigio del piano: a los cuatro años ya pulsaba las teclas con genialidad, y a los ocho su virtuosismo llamaba la atención. Se educó en las mejores escuelas europeas: siendo una adolescente estudió en Viena junto a Frederich Gulda y en Ginebra junto a Madeleine Lipatti, dos reputadísimos maestros. A los dieciséis años, su éxito en los concursos de Ginebra y Bolzano fueron el preludio de lo que sería su carrera: la apoteosis en los escenarios internacionales. Su amplio repertorio conjuga la obra de los clásicos, especialmente Schumann, Liszt y Chopin, con la de contemporáneos como Bartók, Ravel o Stravinski.

Alcanzó uno de sus mayores reconocimientos interpretando la *Sonata para dos pianos y percusión* de Bela Bartók. Su exquisita sensibilidad ha brillado en múltiples actuaciones con la Filarmónica de Berlín.

864. DIANA ROSS & THE SUPREMES

La carrera musical de Diana Ross se inició cuando, en 1950, decidió formar un grupo junto a Mary Wilson y Florence Ballard, dos amigas con las que buscaba piso en Detroit. Decidieron llamarse The Primettes, tras haber conocido a un grupo de muchachos que se hacían llamar los Primes, más tarde conocido como Temptations.

Ballard, primera líder de la banda, rebautizó a las Primettes y decidió que se llamaran Supremes, poco antes de que en 1961 firmaran para la discográfica de Berry Gordy, Motown. Una vez allí, causaron sensación, y grabaron un éxito tras otro durante la década de 1960. Sin embargo, Ross empezó a eclipsar a Ballard como intérprete, y se produjo una escalada de tensión en el seno del grupo. En 1967 Ballard fue sustituida por Cindy Birdsong, quien había sido reclutada de los Bird Belles, la banda de Pati Labelle. Ya bajo el nombre de Diana Ross & The Supremes, el grupo continuó cosechando innumerables éxitos durante varios años.

En 1970 Ross abandonó, aunque las Supremes siguieron actuando durante cerca de una década más. En cualquier caso, los éxitos siguieron abonados a Diana Ross: consiguió nada más y nada menos que 33 números uno entre 1970 y 1985.

865. JOAN BAEZ (n. 1941)

Tan famosa por su compromiso político como por su voz, la cantante de folk Joan Baez ha grabado desde finales de los años cincuenta un repertorio que combina canciones clásicas y originales a partes iguales. Después de ocupar las listas de ventas con sus hits «Mary Hamilton» y «There But for Fortune», su prestigio entre los músicos populares fue en aumento; Bob Dylan, sin ir más lejos, se inspiró en su música para protestar contra la guerra del Vietnam. Baez actuó en el célebre festival de Woodstock, y con el tiempo grabaría discos de enorme aceptación tales como *Diamonds and Rust*.

En los últimos años se ha involucrado en la lucha a favor de los derechos humanos en América Latina.

866. ARETHA FRANKLIN (n. 1942)

En 1967 Franklin alcanzó las listas de éxitos gracias a su canción «I Never Loved a Man», y poco después publicaría su aclamadísima «Respect», que la mantendría en el estrellato, y se convertiría en su éxito por antonomasia. A pesar de haber alcanzado el estrellato con sólo veinticinco años, su ascensión fue tan inesperada como fortuita. A los dieciocho años, habiendo recorrido el circuito estadounidense de música *gospel* de arriba abajo, firmó con la discográfica Columbia Records. Sin embargo, después de ser presentada como el último descubrimiento del productor John Hammond (el mismo que había lanzado al estrellato a Bessie Smith y a Billie Holiday), su carrera declinó. Las cosas no le iban bien, y su contrato estaba a punto de expirar, de modo que Franklin perfeccionó su

técnica vocal y, lo que resultó más importante, tomó la determinación de impedir que siguieran habiendo terceros que interfirieran en su carrera. Así pues, firmó un contrato con Jerry Wixler, entonces vicepresidente de la discográfica Atlantic Records y logró hacerse con el control del estudio y escoger los compositores, los arreglos de las canciones y la manera de cantarlas. Su fenomenal éxito llegó cuando todo estuvo a su cargo.

867. JANIS JOPLIN (1943-1970)

Janis Joplin murió en 1970 a consecuencia de una sobredosis de heroína, poco menos de un mes después de Jimi Hendrix; Jim Morrison les seguiría dos años después. Juntos formarían el triunvirato que gobierna el panteón de las estrellas de rock. La muerte de Joplin (entre los dos *enfants terribles* del rock de los años sesenta) constituye el fiel reflejo de lo que fue su vida.

La crítica de música rock Ellen Willis sitúa a Joplin como «una estrella sólo superada en importancia por Bob Dylan como cantante, compositora, y como símbolo en la historia y la mitología de su generación», y añade que «fue la única mujer que consiguió ese estatus, en un mundo (el de la música) que parecía un club reservado exclusivamente a los hombres; fue la única heroína de la cultura de los sesenta que dejó patente e hizo público que la lucha por la liberación de la mujer tenía muy poco que ver con la del hombre».

868. MARIANNE FAITHFULL (n. 1946)

Entró en el mundo del rock apadrinada por su novio, Mick Jagger, y hubo de luchar incansablemente para sobreponerse a tal circunstancia. A los dieciocho años ya era una cantante conocida en Inglaterra, después de que el manager de los Rolling Stones la descubriera en una fiesta. Su versión de la canción «As Tears Go By», escrita por Jagger y Richards, alcanzó el número nueve en las listas de éxitos, y tras ésta llegaron más *hits* y su relación con Jagger, que contribuyeron a su éxito a partes iguales.

En 1969 escribió la letra de «Sister Morphine» y grabó un *single* con la canción; sin embargo, su compañía discográfica se empeñó en pulirla dos días antes de su publicación, en un intento por preservar la imagen de su estrella del pop. Pero, por entonces, Faithfull tenía problemas con las drogas y poco después de la muerte del miembro de los Stones Brian Jones, intentó suicidarse. Más tarde explicaría que vio en el suicidio la única vía para terminar con su relación con Mick Jagger. Finalmente, «Sister Morphine» aparecería en el disco *Sticky Fingers* (1971) de los Stones, aunque Jagger y Richards se atribuyeron su autoría.

Faithfull retornó en 1979 con el disco *Broken English*, un álbum que obligó a los críticos a tomarla en serio. A aquél le sucedieron los menos exitosos *Dangerous Acquaintances* (1981) y *A Child's Adventure* (1983); sin embargo, en 1987, con su LP *Strange Weather*, puso a la crítica a sus pies: más que de cantante, mereció el trato de poeta. Con *Blazing Away* (1990), un disco en directo, Faitfhull se desmarcó definitivamente del influjo «stoniano», y demostró tener un estilo propio consolidado. En ese mismo año también adaptaría una canción de Kurt Weill, *Seven Deadly Sins*.

En 1994 escribió su autobiografía: *Faithfull*.

869. PATTI SMITH (n. 1946)

Se inició como letrista para Blue Oyster Cult (era la novia de Allen Lanier). Patti Smith se hizo famosa inmediatamente. Al contrario que Marianne Faithfull, en seguida eclipsó a su novio. Empezó a editar discos en solitario a mediados de los años setenta. Morena, delgada y extremadamente andrógina, no fue considerada nunca como un mero objeto sexual. Utilizaba como modelo la equívoca masculinidad de Elvis o Jim Morrison. El primer álbum de su grupo, el Patti Smith Group, *Horses* (1974), fue un gran éxito que situó inmediatamente a Smith en la cresta de la ola. Los años siguientes fueron más difíciles. La crítica se ensañó con su siguiente álbum, *Radio Etiopía* (1976), lamentándose de que Smith se hubiera rendido a las peores influencias de su banda. En 1977 se cayó de un escenario y se rompió el cuello: los médicos dijeron que nunca volvería a actuar. Pero, un año después, volvió con una pequeña

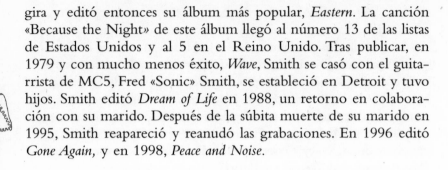

gira y editó entonces su álbum más popular, *Eastern*. La canción «Because the Night» de este álbum llegó al número 13 de las listas de Estados Unidos y al 5 en el Reino Unido. Tras publicar, en 1979 y con mucho menos éxito, *Wave*, Smith se casó con el guitarrista de MC5, Fred «Sonic» Smith, se estableció en Detroit y tuvo hijos. Smith editó *Dream of Life* en 1988, un retorno en colaboración con su marido. Después de la súbita muerte de su marido en 1995, Smith reapareció y reanudó las grabaciones. En 1996 editó *Gone Again,* y en 1998, *Peace and Noise.*

870. ALASKA
(Olvido Gara, n. 1965)

Cantante de origen mexicano, Alaska, una precursora musical, participó en el movimiento contracultural de principios de los ochenta, conocido popularmente como «movida madrileña». Alaska ha sido miembro de formaciones musicales extremadamente influyentes, como Kaka de Luxe, Alaska y los Pegamoides y Alaska y Dinarama. Actualmente, con su proyecto musical Fangoria, prosigue la búsqueda de nuevos sonidos y melodías en clave electrónica. Su actitud irreverente y el halo esotérico del que se ha envuelto han seducido a los medios de comunicación españoles, y Alaska ha dejado su impronta en diversos programas de televisión (*La bola de cristal,* por ejemplo), colaboraciones en revistas de moda, prensa dominical e intervenciones radiofónicas.

Interpretó, a las órdenes de Pedro Almodóvar, un hilarante papel en la no menos hilarante película *Pepi, Luci, Bom y otras chicas del montón* (1980).

871. VIUDAS Y ESPOSAS CÉLEBRES

No resulta fácil estar casada con una estrella de rock, en especial si tú también lo eres; pero resulta todavía más duro si, además, tu marido muere en circunstancias violentas. Yoko Ono, primero mujer y luego viuda de John Lennon, fue considerada culpable de la disolución de los Beatles; y ése es sólo un pecado de los muchos que se le atribuyen. Ono tuvo que sacar fuerzas de flaqueza para ser aceptada como artista, y todavía hoy queda la duda de si realmente lo ha conseguido.

A Courtney Love le ha ido algo mejor: ha llegado más lejos. A pesar de que en un primer momento fue tratada como una groupie en la estela del millonario filón en que se convirtió la banda Nirvana, liderada por su esposo Kurt Cobain, Love se ha convertido, desde el suicidio de Cobain en 1994, en una estrella de múltiples facetas. Su segundo disco al frente de la banda que lidera, Hole, *Live Through This* fue un auténtico éxito de público y de crítica. Aunque de un tiempo a esta parte circulan rumores sobre su estrellato y sobre el precio que le puede costar; todavía está por ver si después de todo sus fans seguirán apoyándola o si, por el contrario, le darán la espalda. En cualquier caso, de lo que no queda duda es de que Hole se lo debe casi todo al carisma de Love, y que gracias a ella existe un nutrido grupo de acólitos que difícilmente la abandonarán.

872. MADONNA
(Madonna Louise Ciccone, n. 1958)

Nacida en Rochester (Estados Unidos), Madonna estudió danza en la Universidad de Michigan. Después de trabajar brevemente en París como telonera de una estrella de la música disco francesa, se trasladó a Manhattan, donde actuó con bandas de *new-wave*: primero como batería en los Breakfast Club, y luego como líder y cantante de los Emmy. Madonna firmó su primer contrato en 1983, cuando la discográfica Sire Records, decidió convertir en LP una maqueta enviada previamente por la banda.

Desde aquel debut Madonna ha permanecido en la cima del pop mundial, a pesar de los escándalos y controversias que la han acompañado. Maestra indiscutible del espectáculo y la provocación, Madonna sigue fiel a sus raíces volviendo, una y otra vez, a la actualidad, con distintas caracterizaciones y distintos estilos musicales.

873. NADJA SALERNO-SONNENBERG (n. 1961)

Con sólo diez años, Nadja Salerno-Sonnenberg debutó como violinista en la Orquesta de Filadelfia. A los veinte consiguió el premio Naumberg de violín, convirtiéndose en la violinista más joven en conquistarlo. A pesar de que su futuro parecía asegurado, Salerno-Sonnenberg ha sembrado la controversia por donde ha pasado. Su indumentaria sobre el escenario, sobre el que ha comparecido en pantalones y exhibiendo actitudes radicales, ha desafiado el conservador mundo de la música clásica y le ha valido una reputación ingrata. Sus movimientos y expresiones faciales durante las actuaciones han provocado toda suerte de descalificaciones; al parecer, entre bastidores, su actitud resulta igual de desconcertante.

Su afición al billar, al tabaco y al whisky constatan lo extravagante que resulta entre los intérpretes clásicos; no obstante, y pese a sus excesos, el mundo entero se ha rendido a su genio.

DETRÁS DE LA CÁMARA

874. NATALIE KALMUS (1892-1965)

En 1915, Natalie Kalmus y su esposo Herbert T. Kalmus inventaron el célebre procedimiento del Technicolor. Kalmus intuyó, mucho antes que su esposo, que el Technicolor podía convertirse en una industria precursora. Meticulosamente perfeccionó la separación de los colores y creó los tonos que distinguieron la pureza de la imagen en Technicolor.

En 1939 Kalmus supervisó el tratamiento del color en dos de los hitos de la historia del cine y de su carrera: *Lo que el viento se llevó* y *El mago de Oz*.

875. MARGARET BOOTH

Margaret Booth ejerció entre 1937 y 1968 el cargo de supervisora de dirección en los estudios de la Metro Goldwyn Mayer (MGM). Al salir del instituto, acuciada por las necesidades económicas, comenzó a trabajar como montadora con D. W. Griffith. Más tarde se incorporaría al estudio de Louis B. Mayer, que en 1924 pasó a llamarse MGM. Era tal el buen ojo que manifestó que el supervisor de producción de los estudios, Irving Thalberg, llegó a proponerle que dirigiera películas, pero Booth declinó la sugerencia.

En 1936, a la muerte de Thalberg, Mayer designó a Booth como supervisora de edición. Durante la transición hacia el cine sonoro, Booth desarrolló un procedimiento de edición del sonido a partir de un sistema de tanteos; sus innovaciones se convirtieron en el manual de cabecera para sus sucesores. A lo largo de su larga carrera en la MGM y de sus posteriores trabajos junto a Ray Stark, estampó su rúbrica en innumerables películas.

DIRECTORAS Y PRODUCTORAS DE CINE

876. PIONERAS EN LA DIRECCIÓN CINEMATOGRÁFICA

Mientras todavía se luchaba por sortear los obstáculos interpuestos entre la mujer y la dirección cinematográfica, Alice Guy Blache (1875-1968) realizó *La col mágica* (1896); desde entonces es considerada como la primera directora de la historia. Blache nació en Francia, y desde muy joven mostró un gran interés por los avances tecnológicos de su tiempo, entre los que se contaba la cámara cinematográfica inventada por los hermanos Lumière. De ésta se sirvió para filmar los primeros de sus varios centenares de cortos y largometrajes.

A principios de los años veinte, las mujeres tenían más libertad en el cine de la que nunca hubieran soñado, pero, con el tiempo, sus aportaciones han sido menospreciadas. Las razones no deben buscarse en que fueran subversivas, sino en el hecho de que su cine abordó, casi exclusivamente, inocuas historias «domésticas».

Las mujeres de aquella época, Mary Pickford entre ellas, fueron obligadas a hacer auténticos malabarismos para no ganarse la antipatía del público. Tanto aquéllas como las directoras posteriores (Dorothy Arzner, Lois Weber o Elaine May) tuvieron que seguir las humillantes reglas del juego para poder preservar su oficio: se las utilizó para promocionar campañas antisufragistas, se les exigió que fueran recatadas en público y que se mostraran complacidas por compartir su trabajo detrás de la cámara con otras mujeres; incluso tuvieron que maltratar convenientemente a sus personajes femeninos. Ida Lupino (1918) declaró públicamente y sin ambages que prefería ser una buena esposa y una modélica madre de familia, a tener que someterse a los dictados de la profesión.

877. MARY PICKFORD
(Gladys Marie Smith, 1894-1979)

Nacida en Canadá, empezó su trayectoria en los escenarios a los cinco años, y a los dieciséis ya se había convertido en la actriz más taquillera del momento, gracias a los papeles de protagonista que interpretó en las películas mudas de D. W. Griffith. En contraste con la imagen de pobre niña huérfana a la que dio vida en el cine, Pickford fue una mujer emprendedora lejos de la cámara. Se comportó como una experimentada mujer de negocios en lo concerniente a la distribución y a la producción de sus películas, terrenos en los que se involucró activamente. Fue junto a Douglas Fairbanks (su segundo esposo) y Charles Chaplin, una de las fundadoras de los estudios United Artists. Pickford dirigió la empresa desde todos sus ángulos, fue propietaria, actriz, directora y productora ejecutiva. Su madre colaboró, y en lugar de los 25 habituales, llegó a exigir para Mary diez mil dólares a la semana y la estipulación del sueldo de Chaplin en relación con el de Pickford. Y claro, fue la primera estrella, masculina o femenina, en hacerse millonaria.

878. LENI RIEFENSTAHL (n. 1902)

Relegada a las sombras de la historia del cine, Riefenstahl es la creadora de filmes como *La luz azul, La victoria de la fe, Día de Libertad, Olympia I y II, Tiefland, Scwarze, Fracht,* además de la hiriente *El triunfo de la voluntad.*

Todavía hoy su lugar en la historia del cine sigue resultando ambiguo, a causa de su relación con los nazis. Hitler reconoció pronto el talento de Riefenstahl y la reclutó de inmediato para proponerle que realizara una serie de películas. Así, antes del estallido de la segunda guerra mundial, *La luz azul, Olympia* y *El triunfo de la voluntad* ya habían merecido distintos premios en Europa. Según explica Riefenstahl, «por aquel entonces Hitler había conseguido un cierto reconocimiento en el mundo y había fascinado a muchísimas personas, entre ellas a Winston Churchill … *El triunfo de la voluntad* mostraba aquello de lo que todo el mundo había sido testigo o de lo que tanto había oído hablar. Todo el mundo se quedó impresionado con aquella película. Soy la única que aprehendió aquella impresión y que supo plasmarla en película». La película es un documento de la admiración que causaban tanto Hitler como sus campañas antes de la guerra; desde entonces, Riefenstahl ha sido despreciada por simpatizante de la causa. No obstante, Riefenstahl siempre ha declarado, en su defensa, que desconocía las atrocidades del nazismo, tanto las anteriores como las que sucedieron durante la guerra. A aquellos que la condenaron les pregunta; «¿Cómo yo, yo sola, podría haber previsto que un día las cosas cambiarían?». Sus películas y sus propias palabras son una advertencia de que «antes de la guerra uno ve las cosas de un modo muy diferente a cómo las ve luego».

879. KINUYO TANAKA (1909-1977)

Al igual que otras muchas directoras, Tanaka inició su carrera cinematográfica como actriz. A principios de los años treinta ya era una estrella; veinte años después, emprendería su corta carrera como directora. En 1953 dirigió su primera película, *Carta de amor,* y dos años más tarde realizó su segunda y última película, *Ha sali-*

do la luna (1955). A pesar de su estatus de estrella y de que contaba con el apoyo del director Yasujiro Ozu (quien la había dirigido en diez películas), nunca encajó en el sistema de estudios japonés.

Kenji Mizoguchi, entonces portavoz de la organización de directores japoneses, declaró, sumándose al manido tópico, que las mujeres no debían hacer películas. Curiosamente, Mizoguchi había dirigido a Tanaka en catorce películas y ambos fueron amantes desde 1947, todo lo cual sólo subraya lo irónico y fútil de la posición de Tanaka. De hecho, su ruptura con Mizoguchi y su retirada de la dirección coincidieron en el tiempo. Después de aquello volvió a la interpretación.

880. PILAR MIRÓ (1940-1997)

Directora de cine, fue la primera mujer en alcanzar la dirección general del ente público Radiotelevisión Española (RTVE), que dirigió entre 1986 y 1989. Mujer enérgica y resuelta, Pilar Miró cursó estudios de Derecho y Periodismo, aunque finalmente orientó sus ambiciones intelectuales hacia el cine: en 1968 se licenció en la especialidad de guión de la Escuela Oficial de Cinematografía. La licenciatura le abrió las puertas de Televisión Española (TVE), donde se incorporó como guionista; por aquel entonces su vocación cinematográfica ya esbozaba las historias de sus futuras películas. En 1983 fue designada directora general de Cinematografía de la emisora, mientras que su filmografía empezaba a tomar cuerpo: *La petición* (1976), *El crimen de Cuenca* (1979) o *Gary Cooper que estás en los cielos* (1981) son algunos de los primeros títulos que contribuyeron a desperezar al cine español del letargo franquista. Su paso por la dirección de TVE fue amargo y su nombre fue puesto en el disparadero bajo acusaciones de escaso fundamento. Al abandonar el ente se consagró al cine por entero, y con *El perro del hortelano* (1995) logró, además de siete premios Goya, la reverencia de la crítica y el público.

881. BARBRA STREISAND (n. 1942)

En 1983 Barbra Streisand se convirtió, gracias a su película *Yentl*, en la primera mujer en producir, coescribir, dirigir, cantar e interpretar una misma película.

En 1991 fue nominada al Oscar a la mejor dirección por su película *El príncipe de las mareas*.

882. EUZHAN PALCY (n. 1957)

No sólo fue la primera directora negra en rodar una película en Hollywood (*Una árida estación blanca*, en 1989), sino que también participó en *La mensajera* (1976), primer filme producido en su Martinica natal. Con sólo diecinueve años se trasladó a París, y encontró a su mentor en François Truffaut. Éste la apoyó en su siguiente proyecto cinematográfico (una película en la que Palcy llevaba soñando desde los catorce años), que finalmente se estrenaría en 1983 bajo el título *El callejón de la caña de azúcar*.

Resuelta a liberar a su cine de cualquier muestra de rencor racial y de la manida forma de referirse a los negros, fue vilipendiada por enfocar su película *Una árida estación blanca* partiendo de la lucha que mantienen los protagonistas (blancos) con el *apartheid*. De hecho, lo que en realidad estaba denunciando era que «sabía que en Hollywood no se haría una película sobre negros a menos que el protagonista fuera un hombre blanco».

883. POR MENCIONAR SÓLO A ALGUNAS...

De un tiempo a esta parte, las mujeres han participado en la producción de las películas de Hollywood, y han logrado centenares de éxitos; éstos son sólo algunos de los más recientes:

Algo para recordar (Lynda Obst)
Algo de que hablar (Paula Weinstein y Anthea Sylbert)
Amigas para siempre (Arlene Sellers)
Atracción fatal (Sherry Lansing)

Clockers (Rosalie Swedlin)
El club de la buena estrella (Janet Yang)
Esperando un respiro (Deborah Schindler)
Forrest Gump (Wendy Finerman)
Kids (Christine Vachon)
Liberad a Willy 2 (Lauren Shuler-Donner)
Sra. Doubtfire (Marcia Garces Williams)
Seven (Lynn Harris)

UNA PRODUCTORA DE TELEVISIÓN

884. LUCILLE BALL (1911-1989)

Lucille Ball no era precisamente una recién llegada cuando en 1951 revolucionó la televisión estadounidense con la telecomedia *Te quiero Lucy*, que interpretó junto a su esposo, Desi Arnaz. Por aquel entonces Ball ya tenía en su haber más de treinta películas.

El éxito de la comedia y la popularidad de Ball alcanzaron pronto cotas espectaculares; mientras que a Arnaz le corresponde la perspicacia de hacerse con la propiedad de las innumerables creaciones en las que participó. Aquella jugada maestra fue crucial para la consolidación del imperio Desilu (nombre de la empresa que ambos fundaron), que en poco tiempo absorbió los estudios RKO y los convirtió en una productora de televisión. Pero más allá de la temprana inversión de Arnaz, fue Ball quien llevó las riendas de la empresa durante las siguientes dos décadas y media. *Te quiero Lucy* se mantuvo en antena hasta 1957; posteriormente, la pareja produjo una comedia mensual de una hora de duración, que se emitió hasta que se divorciaron.

Tras el divorcio, Ball volvió a escena convertida en la nueva presidenta de la empresa: había comprado la parte de su ex esposo. En 1962 empezó con la serie *El Show de Lucy*, que se mantendría en antena hasta 1968. Aquel mismo año vendió Desilu por diecisiete millones de dólares, e inició una nueva telecomedia, *Aquí está Lucy*, que se mantendría en antena hasta 1974. La larga duración de sus tres teleseries, que se emitían los lunes a las nueve de la noche, le aseguró a la cadena televisiva CBS el liderazgo en esa franja horaria durante muchos años.

NOVENA PARTE

DEPORTES Y AVENTURAS

SABALA

48. SOFÍA DE GRECIA (n. 1938)

Hija de Pablo I de Grecia y de Federica de Brunswick, en 1962 se casó con Juan Carlos de Borbón, el rey Juan Carlos I. La reina Sofía encarna el paradigma de la monarca moderna: sus funciones no son totalmente ajenas a los trasiegos políticos y se ha consagrado a impulsar numerosos proyectos e instituciones de carácter filantrópico y social. En todo momento prestó su apoyo al rey en el difícil proceso de la transición española a la democracia. Los reyes tienen tres hijos: Elena, Cristina y Felipe; las dos primeras, infantas de España, han tenido descendencia.

LAS REGLAS DEL JUEGO

885. CURARSE EN SALUD

La medicina convencional postuló, coincidiendo con la llegada del siglo xx, que el cuerpo humano contiene una cantidad de energía finita; de tal modo, cualquier parte del cuerpo podía ser utilizada para absorber la energía del resto. Semejante teoría dio lugar a una pintoresca interpretación que se utilizó para negar el derecho a la educación de las mujeres: si las mujeres «utilizaran la cabeza», entonces absorberían la energía de sus órganos reproductivos, y quién sabe si incluso llegarían a dañarlos irreversiblemente.

Paradójicamente, los médicos de la época únicamente parecían preocupados por la debilidad física de las mujeres blancas en general, y, particularmente, por las de clase alta. Así que con el fin de asegurar la propagación de éstas, se les prescribió que practicaran ejercicio como terapia.

Los defensores de la educación física e intelectual de la mujer estaban convencidos de que el ejercicio propiciaba una circulación equilibrada del flujo energético del cuerpo. Moraleja: si las mujeres ejercitaban sus músculos podrían consumir sus ambiciones académicas.

886. ATLETISMO Y FEMINIDAD

A lo largo de este siglo, las mujeres deportistas han caminado sobre la cuerda floja que separa a las atletas «viriles» de las mujeres femeninas. Así que, sin comerlo ni beberlo, muchas mujeres se han visto obligadas a deshacer la tendenciosa asociación entre deporte y masculinidad para aflojar una cuerda que no podía estar más tensa. Algunas atletas se han negado, simplemente, a caminar sobre la cuerda.

Entre las que se han negado, ninguna ha descollado tanto como Martina Navratilova, quien parecía incapaz de intentar ser alguien que no era. Navratilova fue tachada de antifemenina y de inhumana cuando disfrutaba de su apogeo deportivo; desde entonces, las numerosas descalificaciones que ha debido afrontar por defender su integridad no han hecho más que subrayar su credibilidad.

El caso es que fue tal el incontestable poder que exhibió sobre las pistas de tenis, tantos sus triunfos durante la década de 1980, que parecía que sus logros no podían atribuirse a algo que no fueran las drogas o la tecnología. Además, la firmeza con que Navratilova opinó sobre su homosexualidad hizo que la indignación popular se multiplicara, pero su impertérrito aguante y su integridad le fueron reportando un respeto paulatino, e incluso las disculpas de aquellos que la habían insultado.

Así que, desde de que los escándalos públicos han devaluado la alta competición hasta convertirla en un sumidero de especulaciones, no resulta fácil para una mujer pasar desapercibida. La última en salir a la palestra fue la poderosa jugadora de voleibol y modelo de pasarela Gabrielle Reese, quien suscitó un asfixiante interés mediático como estampa ideal de una belleza compatible con el ejercicio físico.

Al menos parece posible que por vez primera pueda surgir una nueva generación de jóvenes atletas que no tengan que encontrarse en el dilema de optar entre ser mujeres o competidoras.

ATLETAS DE TODA PROCEDENCIA

887. ATALANTA

Una de las grandes heroínas de la mitología clásica, Atalanta, ocupa un lugar entre los invencibles al lado de Perseo, Teseo y Hércules. Su leyenda se inicia cuando su padre, decepcionado por no haber concebido a un hombre, abandona a la niña en la cima de una montaña dejándola morir de frío. Pero he aquí que una osa la devolvió a la vida: encontró a la niña, la amamantó y le dio cobijo.

Un buen día un grupo de cazadores dieron con la niña salvaje, se la llevaron a vivir consigo y le enseñaron a cazar. No pasaría mucho tiempo hasta que Atalanta sumara a su primera proeza (había abatido ya a una pareja de centauros) la célebre cacería del jabalí ca-

ledonio. El jabalí en cuestión había aterrorizado al pueblo caledo-
nio, y el rey, presa de la desesperación, hizo un llamamiento a los
cazadores de Grecia para que acabaran con el temible animal. Un
grupo de intrépidos cazadores, entre los que se encontraba Atalanta, siguieron la pista y pusieron cerco a la feroz criatura. El jabalí
tuvo tiempo de matar a tres hombres antes de que Atalanta lo atra-
vesara con una flecha, y permitiera al hijo del rey que le diera el
golpe de gracia con su propio cuchillo.

Tras la proeza, Atalanta fue reverenciada con todos los honores,
para consternación de los hombres. Algunas leyendas aseguran que
luego zarpó a navegar junto a Jasón y los argonautas; aunque otras
cuestionan esta versión.

También es conocida por haber derrotado a Peleo, el padre de
Aquiles, en un combate de lucha libre, entre otras muchas aventuras. Y es que sus dotes atléticas y su deslumbrante belleza le valieron numerosos pretendientes; ante tal avalancha, declaró que sólo
se casaría con aquel que lograra vencerla en una carrera (estaba
convencida de que no existía nadie en la faz de la tierra que pudiera hacerlo). Muchos trataron de vencer y perdieron, hasta que
uno de sus pretendientes, Melanion, la derrotó, tras competir con
tres manzanas de oro macizo. Mientras estaban corriendo, Atalanta
empezó a distanciarse, pero Melanion lanzó una de sus manzanas
frente a ella y ésta se detuvo para cogerla. Melanion la alcanzó, se
puso a su lado y le lanzó la segunda manzana, obligándola a caer
hacia atrás en su intento por hacerse con ella. Atalanta todavía pudo
alcanzar a Melanion conforme la línea de meta se iba acercando.
Éste dejó rodar la última manzana en la hierba que circundaba el
circuito, distrayéndola cuando debía rebasarla; así la venció. A Atalanta no le quedó otro remedio que casarse con él y entregarle su
vida de libertad y deporte. Con el tiempo alumbró a un niño, Par-
tenopeo, antes de que ella y Melanion fueran convertidos en leo-
nes por haber ofendido a Zeus y a Afrodita.

888. ELEANORA R. SEARS (1881-1968)

En 1910 la prensa proclamó a Sears «mejor atleta norteamericana de todos los tiempos». Sears era hija de un magnate naviero, de modo que pudo disfrutar del tiempo y del dinero necesarios para practicar diversos deportes. No obstante, sus logros deportivos no respondieron tanto a su caudal como a su osadía: casi todos fueron el resultado de apuestas o desafíos.

Fue una de las primeras mujeres en pilotar un coche y un avión, y también la primera en cruzar a nado dos playas extremadamente alejadas la una de la otra, las de Bailey y First, en Newport, Rhode Island. Fue patrona de yate, participó en carreras de fuerabordas, patinó y practicó tanto el béisbol como el fútbol americano. Además entrenó y montó caballos de exhibición, y jugó al polo en un equipo de hombres, algo completamente insólito para una mujer de su tiempo. También jugó al tenis y al *squash* a nivel competitivo.

Conforme envejeció se fue aficionando a las largas caminatas: caminó desde Newport hasta Boston, cubriendo una distancia de casi ciento veinte kilómetros, en diecisiete horas.

889. BABE ZAHARIAS
(Mildred E. Didrikson, 1914-1956)

Los niños con los que jugaba al béisbol la llamaron Babe cuando todavía era una adolescente; con el tiempo Zaharias sería considerada como la más grande de las atletas de su época, al menos así la definió una periodista deportiva: «Fue seguramente la más inteligente, hombre o mujer, que haya dado jamás nuestro país ... nunca conocí a un solo hombre que pudiera abarcar tal variedad de deportes tan bien como lo hacía Babe».

En los Juegos Olímpicos de 1932, Zaharias estableció las plusmarcas mundiales de lanzamiento de jabalina y ochocientos metros lisos. Más tarde sería excluida de la competición *amateur* por aparecer en un anuncio de coches. Tras el escándalo, montó su equipo de baloncesto y se lo llevó de gira. Viajó como miembro del equipo de béisbol de la Casa de David, y también participó en competiciones de billar.

En 1935 ganó, siendo *amateur*, el campeonato de golf femenino de Texas; en los cuatro años siguientes ganó cuarenta títulos. Fue una de las fundadoras de la LPGA (circuito profesional de golf femenino), de la que se convertiría en una de sus primeras estrellas obteniendo cerca de un millón de dólares. También fue toda una campeona de tenis, buceo y bolos.

En 1954 se proclamó vencedora del Open de Golf de Estados Unidos después de que se le hubiera diagnosticado un cáncer.

LO INESPERADO

890. TOREO PRIMIGENIO

Los hallazgos de piezas minoicas del siglo XV a.C. revelan la participación de la mujer en la lidia y la danza con el toro.

El deporte en cuestión consistía en que una persona agarrara las astas de un toro, diera una voltereta sobre el animal y fuera recogida por otras al caer. Al parecer, las mujeres participaban en semejante práctica, ya fuera balanceándose en los cuernos del animal o atrapando a quien lo hacía.

Alrededor del año 500 a.C. las mujeres de Creta participaban también en el salto del toro.

891. MUJERES LUCHADORAS

En la antigua Esparta, alrededor del 500 a.C., chicas y chicos compartían la formación atlética. De hecho, una parte del entrenamiento de aquéllas consistía en luchar desnudas contra los jovencitos.

892. JÓVENES GLADIADORAS

Las renombradas gladiadoras romanas del siglo II se curtieron en la lucha profesional, que practicaron tanto a modo de entretenimiento público como privado. En sus combates, salían a la arena para enfrentarse contra otros grupos de mujeres.

Las mujeres que combatían individualmente también medían sus fuerzas contra enanos.

893. SALTOS EN PARACAÍDAS

En 1913 Georgia Broadwick se convirtió en la primera mujer en lanzarse al vacío en paracaídas.

894. «TOUCHÉ»

Helene Mayer, una alemana de origen judío, ganó la medalla de oro en esgrima durante los Juegos Olímpicos de 1928. Cuatro años después compitió en los Juegos celebrados en Los Ángeles, después de los cuales fue expulsada del club Offenbach de esgrima, donde se entrenaba. El motivo: la purga nazi contra los atletas judíos.

Las cosas no quedaron así: la Unión de Atletas Amateurs amenazó con boicotear las olimpíadas de Berlín de 1936 a menos que los alemanes revocaran su decisión de denegar la participación a los deportistas judíos alemanes. En respuesta a la amenaza de boicot, los nazis invitaron a Mayer a que participara en el equipo de esgrima. Ella agradeció el gesto con una medalla de plata.

MÁS ALLÁ DE LA RED

895. ALTHEA GIBSON (1927)

Creció en el barrio neoyorquino de Harlem jugando al baloncesto y al pádel. En 1939 ganó un torneo de pádel, fascinando al músico Buddy Walker. A través de éste, Gibson conoció a un miembro del prominente club afroamericano de tenis llamado Cosmopolitan, en Harlem (Estados Unidos). Por aquel entonces el club pretendía difundir el tenis entre el mayor número posible de jugadores negros, así que, tan pronto reconoció el talento de Gibson, le ofreció que se hiciera socia. Gibson ganó, con los colores de su nuevo club, diversos torneos individuales patrocinados por la Asociación Americana del Tenis (ATA), íntegramente compuesta por negros (durante la década de 1940, los negros tenían vetado competir contra los blancos). Esas primeras victorias llamaron la atención de otro potencial benefactor: un pudiente médico afroamericano que vivía en Wilmington, Carolina del Norte. Gracias a éste, entre 1946 y 1949, Gibson vivió con su familia, y practicó el tenis en su pista privada.

En 1947 inició su gloriosa década de imbatibilidad en los campeonatos individuales de la ATA, aunque, al principio, estaba convencida de que no tenía nada que hacer contra las temibles jugadoras blancas. Pronto Gibson fue considerada como la gran esperanza afroamericana: era la única negra con posibilidades de acceder a la Asociación de Tenis de Damas de Estados Unidos (USTLA), íntegramente formada por blancas. La Asociación la invitó a dos torneos nacionales en pista cubierta, en los que pasó a los cuartos de final; no obstante, seguía excluida de los prestigiosos campeonatos al aire libre, que estaban financiados, exclusivamente, por los clubes blancos. En 1950 ganó su primer torneo en pista cubierta y quedó finalista en otro. Su juego cautivó a la gran veterana del tenis Alice Marble, quien intercedió en su favor ante la USTLA, y le abrió las puertas que hasta entonces se le habían negado: aquel mismo año Marble consiguió que su flamante pupila participara en el campeonato nacional de tenis estadounidense: Forrest Hills.

Aquello significó un paso vital para superar la barrera racial; aunque pasaría un tiempo antes de que eso ocurriera, cuando Gibson empezó a acumular títulos de *Grand Slam*. En 1956 ya había ganado tanto los campeonatos internacionales de Francia (Roland Garros), como los de Italia; al año siguiente se convertiría en la primera negra en ganar Wimbledon y el Open de Estados Unidos. Repetiría doblete en 1958; posteriormente jugó partidos de exhibición en los intermedios de los espectáculos de los Harlem Globetrotter's, ampliando la repercusión del tenis entre el público afroamericano.

896. LILÍ ÁLVAREZ
(Elia María González-Álvarez y López-Chicheri, 1905-1995)

Es difícil determinar si se trata de la mejor tenista española de todos los tiempos, pero el caso es que fue la primera en disputar una final en el torneo de Wimbledon (Gran Bretaña). Sin embargo, lo más curioso de su biografía es su talento para practicar disciplinas deportivas aparentemente tan dispares como el tenis, el automovilismo (en 1924 ganó un trofeo automovilístico disputado en el Circuito de Cataluña) o el esquí, deporte en el que también obtendría un título tan tardío como imprevisible en 1941.

Pese a todo, su deporte fue el tenis, en el que ya despuntó en su adolescencia: a los trece años obtuvo su primer trofeo en Suiza, poco después se proclamaría campeona de España y en ese mismo año de 1929 ganó el torneo de Roland Garros en la modalidad de dobles. Su máxima hazaña fue su participación en tres finales consecutivas del torneo de tenis más prestigioso del mundo, el de Wimbledon, en 1926, 1927 y 1928. Aquella gesta la mantuvo durante esos tres años en la segunda posición mundial del tenis femenino.

También pasó a la historia por los libros que publicó, entre ellos, *Feminismo y espiritualidad* y *El mito del amateurismo*.

897. BILLIE JEAN KING
(Billie Jean Moffitt, n. 1943)

Cogió una raqueta por vez primera cuando tenía once años, y le bastaron sólo cinco más para alcanzar la decimonovena posición en la clasificación mundial. Entonces empezó a entrenar con la gran Alice Marble, quien, como King, había aprendido a jugar en pistas públicas y fue autodidacta durante largo tiempo. Mientras fue jugadora, Marble perdió la confianza en sus golpes desde el fondo de la pista, lo que suplió convirtiéndose en la primera jugadora en desarrollar el juego de servicio y volea. Al cuidado de Marble, King también fue conocida por su juego de servicio y volea, y en menos de un año ya estaba en el cuarto lugar de la clasificación mundial. En 1961 se coronó como ganadora de Wimbledon (en dobles), alcanzando el primero de los veinte títulos que allí obtendría; seis de ellos los consiguió encadenando tres títulos consecutivos: primero entre 1966 y 1968, y luego entre 1972 y 1974. King ganó también cuatro Open de Estados Unidos, un Open de Australia en 1968, y un Roland Garros (Open de Francia) en 1972. Fue una campeona tanto dentro como fuera de la pista: consagró parte de su tiempo libre a promover la integración de la mujer en el tenis, en particular, y en el deporte, en general. Fue cofundadora del circuitoVirginia Slims (circuito mundial de tenis femenino) y de la Asociación de Tenis de Mujeres, además de ser una de las fundadoras de la fundación Deportes Femeninos.

Asimismo, King fue la máxima defensora del reparto igualitario, para hombres y mujeres, del dinero que daba el tenis; e inventó el Equipo Tennis, una organización fundada con vocación de acabar con el elitismo en el tenis. Aunque quizá el hecho por el que más se la recuerda sea la paliza incontestable que le propinó a Bobby Riggs en el partido benéfico bautizado como «la batalla de los sexos» (1973), y que mereció que la revista *Sports Illustrated* la sacara en portada y la declarara deportista del año. Y es que King no sólo actuó en beneficio propio, sino que fue un auténtico motor por y para las mujeres que la rodearon.

898. MARTINA NAVRATILOVA (n. 1956)

Considerada como la mejor tenista de todos los tiempos, Navratilova comenzó a jugar al tenis a los seis años y obtuvo el campeonato checo a los dieciséis. Jugó por primera vez en Estados Unidos al año siguiente, 1973. Las autoridades comunistas checas la acusaron de haberse «americanizado» y estuvieron a punto de prohibirle participar en el Open de Estados Unidos de 1975. Navratilova decidió no arriesgar su carrera y se quedó en Estados Unidos al término del torneo. En los dos años siguientes ganó seis torneos y en 1978 y 1979 sus dos primeros títulos individuales en Wimbledon. En los primeros años ochenta comenzó su reinado en el tenis mundial, alternando el número uno del ranking con su sempiterna amiga y rival, Chris Evert.

Navratilova ganó de nuevo en Wimbledon en 1982, inaugurando una racha de seis triunfos consecutivos. Ganó también cuatro veces el Open de Estados Unidos, dos veces el Roland Garros y tres el Open de Australia.

En 1990, ya en el ocaso de su carrera, ganó su noveno Wimbledon. Se retiró en 1994 con un récord de 161 títulos individuales de casi veinte millones de dólares.

899. ARANTXA SÁNCHEZ VICARIO (n. 1971)

Es la menor, la única mujer y la que mayores triunfos ha obtenido de una saga de tenistas española. Tiene un palmarés muy nutrido; alcanzó su primer gran triunfo en 1989, cuando siendo todavía menor de edad, se convirtió en la primera tenista española en ganar el prestigioso torneo de tenis Roland Garros. El mérito de su victoria se realzaría entre 1994 y 1998, años en los que repitió el título. En 1992 consiguió la plata olímpica en los dobles femeninos de los Juegos Olímpicos de Barcelona, formando pareja con Conchita Martínez. Y en 1994 logró otro memorable triunfo al imponerse en el Open de Estados Unidos, el torneo más importante del país.

900. CONCHITA MARTÍNEZ (n. 1972)

Tenista española, encarna junto a Arantxa Sánchez Vicario la época más gloriosa del tenis femenino español. Conchita Martínez debutó en el circuito profesional en 1988 y desde entonces forma parte de la elite del tenis mundial. En 1992 consiguió la medalla de plata en dobles femeninos de los Juegos Olímpicos de Barcelona, formando pareja con Arantxa Sánchez Vicario, y en 1994 ganó el torneo de Wimbledon, un éxito que hasta esa fecha sólo había estado al alcance de Lilí Álvarez.

EN EL CAMPO DE GOLF

901. PATTY BERG (n. 1918)

Sus padres la convencieron de que probara suerte en el golf cuando tenía catorce años, preocupados por la pasión deportiva de una niña que ya era demasiado mayor para seguir jugando de «pasadora» en el equipo masculino de fútbol americano de su barrio. A los dieciséis años se proclamó campeona *amateur* de golf en Minnesota. En los siete años siguientes Berg sumaría veintinueve títulos, convirtiéndose en la golfista más conocida de Estados Unidos. En 1940 ya era profesional; de hecho, sólo tenía veintidós años cuando empezó a trabajar para la compañía deportiva Wilson, para promocionar un complejo de clubes de golf que llevaban su nombre. Así, precozmente consolidada, repartió su tiempo entre los partidos de exhibición y algunos cursillos de entrenamiento acelerado; todo ello además de participar en los pocos torneos profesionales femeninos del momento.

En 1941 sufrió un accidente de circulación, aunque se reincorporó a la competición dos años más tarde: en 1943 volvía a pisar el césped, y ganó el Open del Oeste, y todos los torneos americanos en los que compitió. Poco después se enroló en la Marina y prestó allí sus servicios hasta el fin de la segunda guerra mundial. En 1946 volvería de nuevo al golf y se alzaría con el Open de Estados

Unidos. Dos años después participaría en la fundación de la Asociación Femenina de Golf Profesional (LPGA).

Tras once años compitiendo en el circuito de la Asociación, Berg acumuló treinta y nueve títulos y se convirtió en líder mundial de beneficios. A lo largo de su carrera se volcó de lleno en apoyar el golf, especialmente el femenino, y fue conocida por ayudar a las jóvenes golfistas. Hoy en día uno de los premios anuales de la LPGA lleva su nombre y se concede como distinción a las contribuciones al golf femenino.

902. LA REINA DEL GOLF

A Hisako Higuchi Matsui, la deportista más famosa que haya dado nunca su país, Japón, se la conoce como «la Reina». En 1976 Matsui se consagró como golfista al vencer el Open de Europa y el Campeonato Nacional de Japón, triunfos que refrendaría al lograr el título de la LPGA al año siguiente.

En 1981 la afición de las mujeres japonesas al golf se tradujo en una cifra de doscientas jugadoras de elite, la mayoría de las cuales compitieron en el circuito profesional de Estados Unidos.

SOBRE EL HIELO Y LA NIEVE

903. SONJA HENIE (1912-1969)

Sonja Henie no sólo fue una de las más grandes campeonas de la historia del patinaje, sino que además destacó por ser una sagaz mujer de negocios. Empezó su formidable y millonaria carrera siendo todavía una niña, cuando ganó el campeonato de patinaje de Noruega, con sólo diez años. A los once compitió en sus primeros Juegos Olímpicos, y a los trece ganó el primero de los diez campeonatos del mundo que conquistaría sucesivamente. En los Juegos Olímpicos de 1928 ganó la primera de las tres medallas de oro consecutivas que conseguiría, estableciendo un hito que todavía ninguna patinadora ha llegado a igualar.

En 1936 abandonó su carrera profesional, y divulgó su talento en su propio espectáculo de patinaje sobre hielo, que montó en Hollywood; además de en las diez películas que rodó con la Twentieth Century Fox.

Cuando murió, su fortuna superaba los cuarenta y siete millones de dólares.

904. SUZY CHAFFEE (n. 1947)

Esquiadora desde los tres años, Chaffee fue la capitana del equipo de esquí con el que su país, Estados Unidos, se presentó a las Olimpíadas de 1968. Su indiscutible contribución al deporte se inició cuando se convirtió en la pionera del esquí de estilo libre, una modalidad que se profesionalizó en 1971. Por aquel entonces todavía no se había constituido la especialidad femenina en la práctica de aquella modalidad, de modo que cuando Chaffee entró en el circuito profesional no le quedó otro remedio que competir contra hombres. Ganó tres campeonatos del mundo consecutivos (1971-1973), una hazaña que espoleó a muchas mujeres a descubrir el esquí libre. En 1973 se creó finalmente una división femenina, según se dice porque la superioridad de Cheffee avergonzaba a sus adversarios masculinos.

En 1976 Chaffee se convirtió en nuevo miembro del Comité Olímpico de Estados Unidos. Desde su nuevo cargo persistió en su defensa del esquí de estilo libre, para que fuera declarado un deporte olímpico. En 1988 el esquí de estilo libre se incorporó a los Juegos Olímpicos como deporte de exhibición, y en 1992 ya lo hizo a nivel oficial.

905. BLANCA FERNÁNDEZ OCHOA (n. 1963)

Esta deportista española, hermana del esquiador Francisco Fernández Ochoa, consiguió la victoria en el Campeonato del Mundo de Esquí de 1985, en la modalidad de eslalon. Su éxito hizo despertar el interés por un deporte sin tradición en España. El caso es que aquel logro no se quedó en flor de un solo día y Blanca engrosó su palmarés con sendas medallas en los Juegos Olímpicos de Sarajevo y en los de Calgary, además de otras competiciones internacionales.

En 1992, tras hacerse con la medalla de bronce en los Juegos Olímpicos de Invierno de Albertville, anunció su retirada.

906. EL SALTO MÁS LARGO

En 1975 la esquiadora noruega Anita Wold voló por encima de todas las mujeres que hasta entonces habían practicado el salto de esquí: Wold alcanzó los 97,77 m en la estación de Okura, durante los Juegos Olímpicos de Sapporo, en Japón.

EN LA PISTA

907. WILMA RUDOLPH (1940-1994)

Víctima de la polio en la infancia, Rudolph empezó a andar a los ochos años, con la ayuda de una prótesis en la pierna.

Pero, de forma inaudita, a los dieciséis años era una estrella del baloncesto y del atletismo en su escuela, y miembro del equipo olímpico de atletismo de Estados Unidos. Tras contribuir a la medalla de oro del equipo de relevos 4 × 100 estadounidense en los Juegos Olímpicos de 1956, compitió en el equipo del Colegio del Estado de Tennessee. En 1959 ganó la primera de las cuatro carreras de cien metros lisos disputada al aire libre y al año siguiente estableció sendas plusmarcas mundiales: en 100 y 200 metros lisos. Ese mismo año se llevaría tres medallas de oro en los Juegos Olímpicos.

En 1962 se retiró prematuramente de la competición y se volcó en la supervisión de la Fundación Wilma Rudolph, que patrocinó competiciones de atletismo para niños y promovió su práctica entre los que vivían en condiciones más miserables.

908. JACKIE JOYNER-KERSEE (n. 1962)

Destacó en baloncesto y atletismo, mientras estudiaba en la escuela superior. Su talento quedó constatado por sus consecutivas victorias en los pentatlones universitarios estadounidenses de 1983 y 1984. Este mismo año obtuvo la medalla de plata de pentatlón en la Olimpíada de Los Ángeles, y al siguiente alcanzaría las mejores marcas del año en salto de longitud y en pentatlón. En 1986 pulverizó la plusmarca mundial de pentatlón, marca que rebasaría, sin oposición, poco más tarde. En 1987 rompería la de salto de longitud, y fue nombrada atleta femenina del año por la Asociación de Periodistas de su país. En 1988 se llevó dos medallas de oro más bajo el brazo (salto de longitud y heptalón) en los Juegos Olímpicos de Seúl; y en 1992, en Barcelona, volvió a ganar el decatlón, además de obtener la medalla de bronce en salto de longitud.

909. INCREMENTANDO LA VELOCIDAD

En 1992 los investigadores anunciaron que la velocidad de las corredoras aumentaba en una proporción mucho más elevada que la de los hombres. Según sus pronósticos, las mujeres alcanzarían la paridad con los hombres en las carreras de maratón a partir de 1998.

GIMNASTAS

910. CLARA M. SCHROTH (n. 1920)

Miembro de los equipos olímpicos norteamericanos que participaron en los Juegos de 1948 y 1952, esta gimnasta ganó treinta y nueve campeonatos nacionales entre 1941 y 1952. Se la considera como la mejor gimnasta de la época, una época radicalmente distinta a la actual. Para empezar porque Schroth hubo de compaginar, a lo largo de toda su carrera deportiva, su ocupación matutina de secretaria con sus entrenamientos vespertinos.

Compitió también en pista cubierta y en campo, y ganó en triple salto en los campeonatos en pista cubierta americanos celebrados en 1945.

911. UNA ACROBACIA ARCHIFAMOSA

En 1972 la gimnasta rusa Olga Korbut ejecutó el primer salto mortal sobre las barras paralelas asimétricas.

912. EL DIEZ PERFECTO

La gimnasta rumana Nadia Comaneci hizo historia repetidas veces en las dos semanas escasas que duraron los Juegos Olímpicos de 1976. Durante su participación en aquellas olimpíadas la atleta rumana ejecutó una sucesión de ejercicios perfectos que dejaron estupefactos tanto al público como a sus competidoras. Comaneci logró lo que nunca antes había logrado ningún atleta en ninguna otra disciplina: hacerse con el esquivo, y hasta entonces inalcanzable, diez. Con sólo catorce años, Comaneci revalorizó la concepción de la gimnasia femenina a los ojos del mundo entero.

EN EL AGUA

913. UNA NOBLE NAVEGADORA

En 1876 lady Anna Brassey y su tripulación zarparon a bordo del yate *Sunbeam* y navegaron hasta completar la vuelta al mundo.

914. GERTRUDE EDERLE (n. 1906)

En 1926 Gertrude Ederle se convirtió en la primera mujer en consumar una proeza que hasta entonces era patrimonio exclusivo de cinco hombres: cruzar a nado el Canal de la Mancha. Ederle cubrió la distancia que separa Francia de Inglaterra en catorce horas y treinta y un minutos, superando en dos horas el récord vigente. Originaria de Nueva York, de regreso a su ciudad natal desfiló ante una enfebrecida multitud de dos millones de personas.

Poco después, causaría auténtica sensación lanzándose al ruedo del vodevil: recorrió Estados Unidos llevando consigo una piscina plegable. Sin embargo su vida no fue un camino de rosas. Pagó muy cara la hazaña del Canal, y a consecuencia de ello se quedó sorda y tuvo un colapso nervioso en 1928. Además pasó cuatro años inmovilizada debido a una lesión en la espalda. Lejos de arrojar la toalla, Ederle se recuperó y en 1933 inició su carrera más brillante: la de profesora de natación de niños sordos.

915. PATRICIA MCCORMICK (n. 1930)

La temeraria saltadora de trampolín Patricia McCormick desarrolló audazmente los saltos más arriesgados y peligrosos justo cuando se acababa de decretar la exclusión de las mujeres en las competiciones internacionales de tal modalidad. Lamentablemente, McCormick padeció las secuelas de su osadía. En 1951, mientras repartía inexplicablemente su tiempo en entrenar ocho horas al día, llevar el cuidado de su casa, y en comprar y cocinar para su familia, acudió al médico completamente exhausta. Las exploraciones de su médico no sólo dieron con el previsible diagnóstico de fatiga, sino que a éste se le añadieron múltiples hematomas en la espalda, la mandíbula desencajada, magulladuras en piernas y brazos, desgarros en el cuero cabelludo, cicatrices en la espalda y sendas fracturas en los dedos y las costillas.

Sin embargo, ninguna de aquellas lesiones, cuyo cuadro requería un reposo inmediato, la disuadió de seguir en la brecha. En 1952 fue dada de alta, y siguió saltando. No le fue nada mal: aquel mismo año obtuvo dos medallas de oro (en trampolín y en plataforma) en los Juegos Olímpicos. Repitió la hazaña en los Juegos siguientes, convirtiéndose en el primer saltador en la historia, mujer u hombre, capaz de ganar consecutivamente dos olimpíadas.

916. ESQUÍ ACUÁTICO

En 1970, cuando sólo tenía diecisiete años, Sally Younger estableció el récord del mundo de velocidad en esquí acuático, alcanzando los ciento cincuenta kilómetros por hora.

917. UNA RESISTENCIA FUERA DE LO COMÚN

En 1978 Diane Nyad estableció un asombroso récord mundial al completar a nado la distancia más larga jamás recorrida, la que separa a las islas Bahamas del estado norteamericano de Florida: ciento sesenta kilómetros, nada menos. Nyad invirtió veintisiete horas en completar el recorrido.

918. UNA INTRÉPIDA MARINERA

En 1978 la navegante británica Naomi James fue la primera mujer en completar en solitario la vuelta al mundo por mar.

¿UN MUNDO DE HOMBRES?

919. JANET GUTHRIE (n. 1938)

Antes de pilotar automóviles, Janet Guthrie fue una de las primeras mujeres en ser seleccionada por la NASA como aspirante a astronauta.

Guthrie, que había obtenido la licencia para piloto de automóviles con sólo diecisiete años, se especializó en Ciencias Físicas en la Universidad de Michigan. Sin embargo, en 1964 su carrera dio un giro inesperado hacia las carreras de automóviles: aquel mismo año aprobó el examen para conductores noveles de fórmula Indy-500. No obstante, no pudo clasificarse para disputar la carrera de la temporada, y se conformó con competir en la carrera de NAS-CAR, en la que obtuvo el tercer puesto. En 1977 Guthrie debutó en la fórmula Indy-500: era la primera mujer en conseguirlo; también fue elegida «principiante del año». Una vez en la carrera, tuvo que abandonar por un problema mecánico. Al año siguiente volvió a participar, y, en su segunda carrera, alcanzó una nada desdeñable novena posición. Tras clasificarse para once carreras de fórmula Indy, ganó un total de 84.608 dólares en premios. Guthrie alcanzó su mejor resultado en la última gran carrera en la que intervino: fue quinta en Milwaukee en 1979.

920. KATHY KUSNER (n. 1940)

En 1968, tras un interminable año de sacrificios, Kusner se convirtió en la primera mujer en obtener una licencia de «jockey». En noviembre de 1967 había formulado su primera solicitud en Maryland (Estados Unidos), y al ser rechazada declaró públicamente: «El montar a caballo es más un juego de técnica y habilidad que de fuerza bruta. Es lo mismo que jugar al ajedrez con hombres, de modo que no considero rendirme tan pronto en esta batalla». El caso es que la licencia de Kusner no se tramitó hasta que un juez reconoció que la aspirante había sido discriminada.

En 1969 Kusner obtuvo su primer triunfo en la carrera de Pocono Downs. En contra de lo que pudiera augurar aquella victoria, sus problemas de sobrepeso acabaron fulminantemente con su carrera: pronto excedió el peso máximo para competir.

EN EL AIRE

921. LA PRIMERA EN VOLAR

Harriet Quimby fue la primera mujer en obtener la licencia para pilotar aviones. Le fue concedida en 1911 por el aeroclub de Estados Unidos.

922. RÉCORDS ELEVADOS

En 1923 la piloto acrobática francesa Adrienne Bolland estableció un récord: realizó noventa y ocho vueltas sobre su propio eje en cincuenta y ocho minutos. Ese mismo año la piloto Bertha Flier estableció el récord de altitud jamás alcanzado por una mujer, al elevarse a más de cinco mil metros de altura.

923. AMELIA EARHART (1897-1937?)

Mucho se ha hablado de los sacrificios que realizó la pionera del pilotaje femenino, Amelia Earhart, para alcanzar su sueño; sin embargo, nada se ha dicho de la convicción con que defendió los viajes comerciales en avión.

Su interés por la aviación comercial se remonta a 1927, cuando se convirtio en representante de ventas y accionista de un aeropuerto comercial. Earhart fue la cofundadora de las líneas aéreas de Boston y Maine, ambas pioneras en el terreno de la aviación comercial. Todo ello precedió al matrimonio de Amelia con el editor George Palmer Putnam, quien desempeñó un papel decisivo en las últimas aventuras aéreas de su esposa.

En cualquier caso, la pasión por las nubes sólo circuló por la sangre de ella.

924. LAS NOVENTA Y NUEVE

Amelia Earhart sembró la semilla de las Noventa y Nueve, una asociación femenina de pilotos. En 1927 escribió a su colega de vuelo
Ruth Nichols: «¿Te parecería viable formar una asociación integrada por mujeres que desean volar?». Tras la declaración de intenciones, ambas se cartearon y estudiaron el proyecto, hasta que en 1929
la organización se formó aprovechando la celebración de un encuentro aéreo de mujeres.

Amelia Earhart fue la primera presidenta de la Asociación, tras
ser designada unánimemente por el resto de asociadas. Otras pioneras que formaron parte de aquella junta fueron: Clara Trench-
mann, que trabajaba para la compañía de servicios aéreos Curtis;
Jacqueline Cochran, quien estuvo al frente del Servicio Aéreo de
Mujeres durante la segunda guerra mundial, supervisando las aptitudes de cientos de mujeres; y Olive Anne Beech, propietaria de la
compañía Beech Aircraft.

925. UNA AVENTURA DE ALTURA

En 1934 la estadounidense Jeanette Piccard se convirtió en la primera mujer que osó introducirse en la estratosfera a bordo de un
globo de hidrógeno. Piccard elevó su zepelín de algo más de cincuenta y tres metros de longitud, a más de diecisiete mil metros de
altitud.

926. AUTOPROPULSADA

La estadounidense Lois McCallin estableció todo un récord de resistencia a bordo de *El águila*, un avión autopropulsado con peda-
les, de 41,7 kg de peso.

LA BATALLA DE LA ESCALADA

927. SUBIENDO A PIE

En 1837 lady Jane Franklin escaló el monte Wellington de Nueva Zelanda, convirtiéndose en la primera mujer en ascender sus mil doscientos metros de altitud.

928. ANNIE SMITH PECK (1850-1935)

Tan infatigable sufragista como escaladora, en 1895 escaló el monte Matterhorn. Dos años más tarde se convertiría en la primera mujer capaz de escalar el monte Orizaba, en México; y en 1902 participó en la fundación del Club Alpino para montañeros. En 1911, cuando coronó el monte peruano de Corupuna, desplegó una pancarta en la cima en la que podía leerse: «El voto para la mujer».

929. FANNY BULLOCK WORKMAN
(1859-1925)

Al igual que su marido, Workman era científica y alpinista, y ambos organizaron un total de siete expediciones a través del noroeste del Himalaya, durante las que trazaron mapas e hicieron fotos de la cumbre del Karakorum. Asimismo registraron su altura, la oscilación de temperatura y los movimientos glaciares. Workman estableció un sinfín de marcas de altura, hasta entonces inconcebibles para toda escaladora; además descendió junto a su esposo por el glaciar Kalberg, en el Himalaya.

Junto a su inseparable colega Annie Scott Peck, Workman reivindicó el sufragio femenino y, cómo no, desplegó una pancarta a favor del voto en uno de los picos más altos del Himalaya.

En 1925 legó a favor de los colegios de Radcliffe, Wellesley y Byrn Mawr.

930. LA CUMBRE DEL ÉXITO

Junko Thaei fue la única que logró alcanzar la cima de las quince
integrantes de la expedición japonesa que en 1975 se propuso conquistar el Everest. Su hazaña la convirtió en la primera mujer en la
historia capaz de alcanzar la cima, a más de ocho mil metros de altura.

931. ARACELI SEGARRA (n. 1970)

Alpinista española, Araceli Segarra pasará a la historia como la segunda mujer en coronar la cumbre del Everest, el pico más alto del
Himalaya (8.848 metros).

Es fisioterapeuta pero desde su proeza, que consumó con sólo
veintiséis años, le han llovido toda suerte de ofertas profesionales;
en la actualidad colabora en un programa radiofónico catalán. La
hazaña no sólo hizo derramar ríos de tinta en la prensa internacional, sino que además fue filmada paso a paso en una película, *Everest*, concebida para su exhibición en salas con proyectores de tres
dimensiones. Por el momento no se plantea repetir la experiencia.

DÉCIMA PARTE

MUJERES SALVAJES

EL SALVAJE OESTE

932. REGLAMENTO

Las mujeres que administraron los ranchos y que condujeron el ganado, en el antiguo Oeste americano, elaboraron un código sobre cómo y dónde utilizar el revólver. Las disposiciones de aquéllas fueron diametralmente opuestas al credo pistolero de los vaqueros, pues se formularon en previsión de los posibles peligros a los que se exponía la mujer en un rancho:

1. Se disparará a los extraños.
2. Dispara primero, pregunta después.
3. Si disparas a un hombre por la espalda, raramente te devolverá el disparo.
4. Amenaza a los hombres de muerte, incluso cuando no pretendas asesinarles.
5. Si un hombre no te deja otra opción, mátalo.

933. BELLE STARR
(Myra Belle Shirley, 1848-1889)

La «reina bandida», que vestía alternativamente con harapos masculinos o con vestidos de terciopelo, robó infinitos caballos y sedujo y rechazó a numerosos amantes. Starr dirigía una banda en Oklahoma (estado al que se conocería más tarde como Territorio Indio), y fue condenada junto a Sam Starr, un cherokee de quien tomó su apellido, por ladrona de caballos, lo que la mantuvo a la sombra durante algún tiempo.

En otras ocasiones formó equipo junto al famoso bandido James el Joven, el más malo de los chicos malos del lejano Oeste; e incluso dio cobijo al fugitivo Jesse James. Belle Starr robó las cabezas más cotizadas del ganado del Oeste, hasta que un cazador de recompensas se cruzó en su camino en 1889.

934. CALAMITY JANE
(Martha Jane Canarray, 1852?-1903)

Compañera de Wild Bill Hickok, la figura de Calamity Jane perdurará como una de las legendarias estampas del salvaje Oeste. Se hizo pasar a menudo por hombre, y alardeaba de haber tenido múltiples ocupaciones, tan variopintas como tratante de pieles, capataz de ganado, rastreadora de indios para el coronel Custer, buscadora de oro, conductora de carros, ranchera, tabernera y correo del Pony Express.

Resulta difícil distinguir el mito de la realidad en un personaje como el suyo, aunque de lo que no queda ninguna duda es de que se ganó una reputación de pendenciera y bebedora, que se conoció hasta en el último de los salones del lejano Oeste.

Cuando murió, fue enterrada al lado de Hickok, en el cementerio Boot Hill de Dakota del Sur.

935. LA ÚLTIMA DE UNA CASTA EN DECLIVE

En 1899 la famosa bandida del salvaje Oeste Pearl Hart dio el último golpe a una diligencia en Estados Unidos.

BANDIDAS

936. NIEH YIN-NIANG (n. c. 700)

Esta guerrera china aprendió a empuñar la espada gracias a las lecciones que le impartió una monja. Con el tiempo se convertiría en una suerte de Robin Hood, ajusticiando a criminales y defendiendo a los pobres y a los oprimidos.

937. MARY FRITH (1584?-1659)

Esta criminal disfrazada fue la primera delincuente profesional de la historia de Inglaterra. Mary Frith se vistió de hombre para cometer sus asaltos en los caminos; sus delitos le valieron distintos apodos como «querida saqueabolsas» o «la reina del desgobierno».

938. MADAME HON-CHO-LO (n. c. 1600)

A la muerte de su esposo, esta pirata china no tuvo escrúpulos en sucederle en sus negocios, como bucanera fluvial. Sus explosivos modos y su genio furibundo le valieron el sobrenombre de «el terror del Yangtze».

939. PIRATAS ASOCIADAS

En los inicios del siglo XVIII, Mary Reade y Anne Bonney tendieron emboscadas y saquearon los buques comerciales que fondeaban en las aguas de las Antillas. Mary Reade inició su carrera de marinera disfrazada de hombre, al servicio de la Armada Británica (antes ya había dado cuenta de sus habilidades transformistas haciéndose pasar por hombre en el ejército). Cuando descubrió su auténtica vocación, se sumó a la expedición de un grupo de piratas que navegaban rumbo a las Antillas. Entre ellos estaba Anne Bonney, una pirata irlandesa que también se había disfrazado de hombre para ser acogida por aquella partida de miserables. El caso es que Reade y Bonney unieron sus fuerzas y se asociaron para sembrar el pánico y el terror en las Antillas. Finalmente, en 1720 fueron capturadas y condenadas a la horca, pero ambas lograron eludir la ejecución alegando la misma causa: estar embarazadas. Al ser excarceladas, huyeron.

940. EL CASO DEL COLLAR DE DIAMANTES

En 1785 la condesa Jeanne de la Motte protagonizó uno de los fraudes más famosos de la historia. Le suplicó a su amante, el cardenal Louis-René-Édouard, que se hiciera con un collar de diamantes para María Antonieta, con el objeto de ganarse el afecto de la entonces reina de Francia. El ingenuo Louis-René obró en consecuencia y acudió a un joyero francés, que le procuró un collar elaborado con quinientos diamantes, convencido de que el cardenal y su amante actuaban bajo autorización real. La condesa contrató a una prostituta para que se hiciera pasar por la reina, y, después, se quedó con el collar.

Tras el timo, se perdió el rastro de las joyas. Se barajaron varias hipótesis al respecto: según una de ellas, el esposo de la condesa las encerró bajo llave en algún lugar de Londres. En vista de que las joyas no habían sido pagadas, el cardenal y la condesa fueron enjuiciados por fraude. Rohan fue enviado al exilio y La Motte azotada, marcada con un hierro incandescendente y condenada a cadena perpetua. Pero ocurrió que la condesa logró fugarse de la prisión y se retiró a Gran Bretaña, donde escribiría sus memorias.

Aquel episodio contribuyó al desprestigio de la aristocracia, poco antes de la inminente Revolución francesa.

941. SOPHIE LEVY LYONS (1848-1924)

Lyons consiguió que el mundo entero la conociera por sus flagrantes estafas y por sus asaltos a bancos. Con el tiempo, demostró una gran capacidad para convertir su turbio pasado en un lucrativo negocio: se consagró como una de las primeras cronistas de sociedad de Estados Unidos.

942. ASALTADORA DE TRENES

La malhechora norteamericana May Churchill fue uno de los cerebros que planearon el legendario asalto al *Parisian-American Express* en 1901. Se la conoció por varios sobrenombres, tales como

May Lambert y Chicago May; algunos se refirieron a ella como a «la reina de los tejones».

943. BONNIE PARKER (1910-1934)

Acompañada por su incondicional compañero, el tejano Clyde Barrow, Bonnie Parker culminó una vertiginosa trayectoria criminal. Ambos pasaron un par de años, durante la Depresión, en un torbellino de muertes y asaltos de bancos. Antes de conocer a Barrow en 1930, Parker trabajó de camarera, escribió poesía y asombró con su provocadora forma de fumar.

La carrera delictiva de la pareja se inició en diciembre de 1932, robando coches, asaltando gasolineras y restaurantes y atracando bancos, por el sureste de Estados Unidos. Durante su periplo el dúo dejó un reguero de doce cadáveres, la mayoría de ellos policías. Finalmente, en mayo de 1934, el ex ranger de Texas Frank Hamer dio con ellos cerca de Arcadia (Louisiana). Bonnie y Clyde fueron abatidos por la policía, en su desesperado intento por sortear un coche patrulla, durante la emboscada que les tendió Hamer.

ASESINAS

944. LAS HERMANAS PAPIN

En el siglo XIX esta pareja de hermanas francesas trabajaron como sirvientas en la misma casa. No se sabe si fue por exceso de trabajo o por aburrimiento, pero el caso es que asesinaron a la esposa y a la hija de su patrón, ante la mirada de pánico de éste.

945. LIZZIE ANDREW BORDEN (1860-1927)

Lizzie Borden, la más famosa de las asesinas estadounidenses que emplearon el hacha, fue absuelta en 1892 de los asesinatos de su padre y su madrastra. Una semana después del descubrimiento de los cuerpos (ambos habían sido golpeados hasta la muerte), la policía arrestó a Borden, y se abrió un asombroso proceso judicial. A pesar de que no se la declaró culpable, Borden vivió hasta el fin de sus días confinada al trato de proscrita en su pueblo natal. La cuestión de cómo hizo lo que hizo (no tanto el hecho en sí mismo) sigue siendo una incógnita que el tiempo no ha resuelto. El crimen ha sido recordado en libros y películas, ha inspirado una célebre poesía infantil, una ópera e incluso en 1948 el ballet de Agnes de Mille lo adaptó en la obra *La leyenda de la caída al río*.

946. MARY LA TIFOIDEA (Mary Mallon, 1870-1938)

Portadora del tifus, pese a no desarrollarlo hasta su madurez, Mary Mallon trabajó de cocinera en Nueva York, aun sabiendo que podía transmitir la enfermedad. Cuando se supo que estaba enferma, no dudó en acudir a sobrenombres para conseguir nuevos trabajos como manipuladora de alimentos.

Finalmente, en 1903 se registró un brote de tifus en Nueva York. Cuando se dio con su paradero, se negó a recibir el tratamiento pertinente para frenar la enfermedad. En vista de ello, se resolvió encerrarla en un centro reglamentario de Nueva York, en el que estaría desde 1914 hasta 1938, año de su muerte.

947. ALICE MITCHELL (1873-?)

Nacida en el seno de una familia acomodada de Memphis, Alice Mitchell tuvo una enternecedora relación adolescente con Freda Ward, dos años menor que ella. Mitchell persuadió a Ward de que debían darse muerte la una a la otra en caso de que algún día fueran separadas, convenciéndola de que la devoción mutua era perfecta. Mitchell cumplió con su parte del trato en 1892. Contando entonces diecinueve años, se le prohibió que viera o hablara con su amada. Como si su dolor no fuera ya lo suficientemente desgarrador, Ward le devolvió el anillo de compromiso que Alice le había regalado. En vista de ello, Alice Mitchell seccionó la garganta a Freda Ward.

948. AILEEN WUORNOS

La prensa amarilla se refirió a ella como a la primera asesina en serie, y Aileen Wuornos nunca ha superado el sensacionalismo que envolvió su caso. Prostituta de profesión, Wuornos sostiene que gozó de una clientela estable y segura, hasta que la «tormenta del desierto» obligó a zarpar rumbo al golfo Pérsico a la mayoría de soldados que la frecuentaban. Fue entonces cuando se vio obligada a recorrer las calles del estado de Florida en busca de nuevos clientes. Wuornos adquirió una pistola para su protección. Posteriormente declaró que sus crímenes (iniciados en 1989 y que se sucedieron durante un año hasta que fue atrapada en 1991) se produjeron cuando el sadismo de uno de sus clientes la obligó a sacar su pistola en defensa propia. Al parecer, después de aquello, Wuornos se dijo que dispararía contra todo cliente que la amenazara.

Durante el proceso judicial, su declaración de defensa propia fue ignorada. El jurado no consideró que su primera víctima la hubiera vejado sexualmente, ni que tuviera un comportamiento violento acorde con la reacción de Aileen. Y mientras todo ello ocurría, los abogados y funcionarios que participaron en el proceso se dedicaron a intentar vender a su primera asesina en serie a las fauces de Hollywood.

A pesar de que confesó haber dado muerte a siete hombres, Wuornos reiteró que no era una asesina en serie (que hubiera matado a varios hombres no significaba que lo fuera). A diferencia de lo que sucedió con el témpano que era Ted Bundy, con el autómata Jeffrey Dahmer o con el psicótico conocido como Hijo de Sam, Wuornos cometió sus crímenes sin premeditación, y demostró no tener ninguno del amplio abanico de síntomas patológicos asociados al asesino en serie.

El jurado debate todavía si Wuornos es o no una asesina en serie, o si, por el contrario, su caso constituye la frontera que debe distinguir a los asesinos en serie masculinos de los femeninos.

949. JOAN LITTLE (n. 1954)

Tras ser arrestada y encarcelada por atracar tiendas en 1974, Joan Little mató a un vigilante carcelario que estaba abusando sexualmente de ella. Aquel delito hizo correr ríos de tinta en todos los periódicos de Estados Unidos.

REINAS PERVERSAS

950. DOS ATALÍAS Y UNA JEZABEL

El nombre de Jezabel, una princesa fenicia del siglo IX a.C., pervive todavía hoy como un emblema de lascivia e inmoralidad. La mujer de Ajab, el rey de Israel, persiguió cruelmente a los profetas hebreos e impuso el culto a Baal a los devotos judíos. Su hija, Atalía, se casó con el rey de Judea, y después de que tanto éste como el hijo que tuvieron en común murieran, asesinó a todos sus nietos, en lo que fue una sangrienta estrategia para preservar el trono. Tan irreverente con los postulados del judaísmo como lo había sido su madre, Atalía fue ejecutada por orden del sumo sacerdote por haber deshonrado el trono que ocupaba.

Cuatro siglos más tarde otra Atalía se convirtió de nuevo en reina de Judea, a la muerte de su hijo. Ésta persiguió al profeta Elías, y decretó que sus súbditos rindieran culto a Baal. Al igual que su predecesora, procedió a la ejecución de todos sus nietos para preservar la corona de la ambición de aquéllos. Sin embargo, uno de ellos sobrevivió y organizó una insurrección que terminó con la ejecución de Atalía en el año 437 a.C.

951. FREDEGUNDA Y BRUNEQUILDA

Las reinas del trono franco, Fredegunda de Neustria (actualmente una región francesa)·y Brunequilda de Austrasia (repartido actualmente entre Francia, Bélgica y Alemania), se enfrentaron en una agotadora lucha por el poder, plena de intrigas y asesinatos. Fredegunda murió en el año 597, y será recordada como una de las reinas más sanguinarias que jamás hayan existido en Europa. Entre sus víctimas se contaba la hermana de Brunequilda. Ésta, por su parte, gobernó efímeramente la totalidad de territorios que integraban Neustria y Austrasia, hasta que se vio prematuramente forzada a huir a Borgoña. Allí continuó ejerciendo la demagogia hasta que fue capturada por Clotario II. Éste ejecutó a la octogenaria Brunequilda atándola a las patas de un caballo salvaje.

952. ELFRIDA (m. 970?)

Viuda del rey sajón Edgar, Elfrida urdió el asesinato de su hijastro, el rey Eduardo el Mártir. Una vez que se deshizo de él, tuvo a su propio hijo y lo colocó en el trono vacante, en Wessex, Inglaterra.

953. MARÍA TUDOR (1518-1558)

Hija de Enrique VIII y de Catalina de Aragón, la reina María I gobernó Inglaterra e Irlanda de 1553 a 1558. En 1555 reinstauró el catolicismo y proclamó el protestantismo como herejía. No halló mejor forma de fomentar el catolicismo que perseguir sanguinariamente a los protestantes. Se calcula que alrededor de trescientos de ellos fueron ejecutados durante su reinado, lo que le valió el sobrenombre de María la Sanguinaria.

954. MARÍA ANTONIETA (1755-1793)

La extraordinariamente despreciada esposa del rey Luis XVI de Francia fue vilipendiada por su exhibicionismo y libertinaje, en un tiempo en que la población vivía inmersa en la miseria. Conocida tanto como Madame Déficit y Madame Veto, la reina provocó la furia de sus súbditos por su extraordinaria codicia y por el trato despectivo que les deparó. María Antonieta fue la perfecta caricatura de todos los males inherentes a la monarquía, y se convirtió en una de las más formidables villanas de la Revolución francesa. Finalmente, pagó su traición con la guillotina.

955. ASHRAF PALEVI (n. 1919)

Hermana gemela de Mohammed Reza Palevi, el sha de Irán, Ashraf ha sido conocida como el «genio perverso del sha», como el «poder oculto tras el trono» y como «la pantera negra» de Irán.

Se asegura que, junto a su madre, a la que se conoce como la emperatriz viuda, ejerció un control brutal y casi absoluto sobre el gobierno de su hermano en Irán. Poco antes de la muerte de su padre, éste la hizo llamar para decirle que debía convencer a su hermano de «que no se asustara», y le confesó que «sé que tú puedes ser fuerte … quiero que siempre seas fuerte por tu hermano».

El padre de Ashraf ya había confesado abiertamente, cuando sus hijos eran todavía niños, que hubiera preferido que Ashraf hubiera sido el varón y su débil hermano, la mujer.

MENTES ENFERMAS

956. INÉS DE CASTRO (1320-1355)

Símbolo del triunfo del amor sobre la muerte, protagonizó uno de los episodios más asombrosos de la historia. De Castro, la amante y, posteriormente, la esposa de Pedro, el heredero del rey Alfonso IV de Portugal, fue ejecutada por este último en 1355. Cuando dos años después Pedro accedió al poder, hizo trasladar el cuerpo de su esposa al monasterio de Alcobaça para que pudiera recibir los honores y el homenaje que el rey Alfonso le había denegado.

957. JUANA I LA LOCA (1479-1555)

Hija de los Reyes Católicos, su madre la designó heredera, tras la muerte de sus hermanos Juan (1497) e Isabel (1498), y el hijo de ésta, Miguel (1500). En 1496 se casó con Felipe el Hermoso, hijo de Maximiliano y archiduque de Austria, y en 1502 fue jurada, junto a él, princesa heredera.

Al morir Isabel la Católica, su esposo Fernando quedó como gobernador único de Castilla, pero una facción de la nobleza castellana acudió a Felipe el Hermoso para que le relevara en el trono. En 1505 la concordia de Salamanca convino que Felipe, Juana, entonces ya notoriamente trastornada, y Fernando reinarían conjuntamente sobre Castilla.

Sin embargo, un año después, en virtud de la concordia de Villafáfila, Felipe quedó como rey efectivo, Juana fue declarada incapacitada y Fernando se trasladó a Aragón. El acuerdo tuvo alcance, puesto que la muerte de Felipe y la enajenación de Juana motivaron la vuelta al trono de Fernando en 1506, donde permaneció hasta que en 1516 Carlos V asumió el poder en nombre de su madre.

Recluida en Tordesillas, Juana fue rehabilitada por el ejército comunero que, en vano, intentó devolverla al poder.

958. LA CONDESA NADASDY
(Elizabeth Báthory, 1560-1614)

Conocida como la condesa sangrienta, esta húngara estaba convencida de que los baños de sangre en los que se sumergía le procurarían la eterna juventud. Así pues, para alcanzar su fin, asesinó a seiscientas diez doncellas para llenar su bañera de sangre.

959. LA CASTIGLIONE
(Virginia Oldoini, 1837-1899)

Una de las mujeres más fascinantes de la historia de Italia, su biografía está plena de amantes, de intrigas y de influencias políticas. Procedente de una familia toscana de larga estirpe, en 1854 se casó con Francisco Verasis, conde de Castiglione, un enérgico defensor de Víctor Manuel II, el futuro rey de Italia y Cerdeña, uno de los artífices de la unificación italiana, e íntimo colaborador de Cavour y de Napoleón III. Precisamente la Castiglione fue enviada a París por Cavour, precedida de una gran notoriedad por su deslumbrante belleza y por la opulencia en que vivía. Su influencia sobre el emperador Napoleón III resultó decisiva para la firma del pacto entre Francia y Cerdeña.

Pero no sólo participó en la construcción de las nuevas fronteras europeas; por su salón parisino desfilaron los políticos más destacados de la época, como Thiers o el duque de Aumars, quienes se comprometieron en sus confabulaciones políticas: Aumars estuvo a su lado cuando ésta alentaba la causa orleanista.

Con el tiempo su influencia política se desvaneció, y acabó siendo célebre por las personalidades a las que reunió en su alcoba: Víctor Manuel II, el duque de Chartres o el banquero Laffite fueron sólo algunas.

960. ILSE KOCH (1907-1967)

Esta alemana fue condenada a cadena perpetua por las atrocidades que promovió y cometió en los campos de concentración nazis. Entre sus depravadas extravagancias se contaba la de coleccionar lámparas confeccionadas con piel humana.

961. EVA BRAUN (1912-1945)

Amante de Hitler, Eva Braun se ganó la infamia eterna por ser la amante de la mismísima encarnación del mal. Compañera y, según algunos, consejera del dictador nazi durante la segunda guerra mundial, Braun contrajo matrimonio con él cuando las tropas rusas ponían cerco a Alemania. Al día siguiente, frente a la inminente derrota, Braun se suicidó junto a Hitler y su círculo íntimo, ingiriendo unas cápsulas de cianuro en el búnker de la cancillería de Berlín.

962. MUERTE EN DIRECTO

El 15 de julio de 1974 Chris Chubak, presentadora de un magazine matutino del canal de televisión de Florida WXLT-TV, logró mantener a los espectadores de su programa, *Seacost Digest*, frente al televisor anunciando en antena: «Siguiendo la política que caracteriza a este canal, de acercaros a vuestros salones las noticias en vivo más ricas en sangre y en vísceras, preparaos para presenciar un nuevo suicidio». Chubak desenfundó una pistola, apuntó a su cabeza y puso fin a su vida, en directo y a un palmo de la cámara.

ESPÍAS Y ASESINAS

963. LUCUSTA

Lucusta vivió en Roma en el siglo I y se ganó la vida como asesina profesional. Entre sus clientes se contaron Agripina, quien recurrió a sus servicios para envenenar a Claudio, y Nerón, quien hizo lo propio para envenenar a Británico.

Su turbia carrera acabó cuando el emperador Galba la ejecutó.

964. MARY SURRATT
(Mary Eugenia Jenkins, c. 1820-1865)

Mary Surratt regentaba la pensión de Washington en la que John Wilkes Booth y sus cómplices urdieron el asesinato del presidente de Estados Unidos, Abraham Lincoln. El hijo de aquélla había trabado amistad con Booth cuando servía de correo militar para la

Confederación. Una vez cometido el asesinato, Surratt fue acusada y condenada como conspiradora, y en 1865 murió en la horca, a pesar de que el gobierno no había logrado esclarecer algunas cuestiones sobre su incriminación.

En cambio, su hijo, cuya participación era conocida, no fue arrestado hasta 1866. Y aun así, la falta de pruebas motivó que en 1868 fuera puesto en libertad. La cuestión de si Mary Surratt pagó con su vida el crimen de su hijo y sus cómplices o de si, por el contrario, participó activamente en el asesinato de Lincoln, probablemente no se resolverá jamás.

965. BELLE BOYD (1844-1900)

Espía confederada durante la guerra civil, Belle Boyd trabajó de mensajera tanto para el general Beauregard como para el general Jackson. En 1862 le envío una valiosa información a Jackson que permitió a éste reconquistar una de las ciudades tomadas por los unionistas.

En 1865 fue capturada y encarcelada por el ejército unionista.

966. UNA ASESINA ANÓNIMA

En 1881 una mujer cuyo nombre no trascendió logró consumar un asesinato que muchos otros habían intentado: el del zar Alejandro II de Rusia. Al parecer, la asesina, que era miembro de la Narodnaya Volya (La voluntad del pueblo), lanzó una bomba al carruaje en que viajaba el zar.

967. MATA-HARI
(Margarita Geertruida MacLeod, 1876-1917)

De origen holandés, esta seductora sin escrúpulos fue educada en un convento. En 1895, a los dieciocho años, se casó con Campbell MacLeod, un militar alemán con el que vivió en Java y Sumatra hasta 1902. El matrimonio resultó un fracaso y se divorció de Mac-

Leod, cambió su nombre por el de Mata Hari y se marchó a París. Allí adoptó la identidad de bailarina javanesa, y se ganó la vida actuando en impúdicas representaciones de danza dirigidas a clientelas exclusivas. En 1907 el ejército alemán la reclutó y entrenó para el espionaje. Su popularidad entre los hombres le vino muy bien durante la primera guerra mundial, cuando sus relaciones íntimas con los oficiales aliados le permitieron obtener valiosas informaciones para los alemanes. Arrestada y acusada de espionaje por los franceses, fue ejecutada por un pelotón de fusilamiento en octubre de 1917.

GUERRERAS

968. PENTESILEA (1187 a.C.)

La leyenda griega cuenta de esta reina amazona que sobresalió por el coraje y la destreza que exhibió durante la guerra de Troya. Fue asesinada durante el asedio de Troya por Aquiles, quien lamentaría haber dado muerte a una mujer tan bella e intrépida. Según Plinio, Pentesilea fue quien inventó el hacha de combate.

969. AMAZONAS

El historiador griego Heródoto escribió acerca de las amazonas, guerreras del Cáucaso, que asediaron Atenas en dos ocasiones. Del reino amazón se decía que estaba asentado en el oeste del Tíbet y que era tanto su poder, que ni siquiera Alejandro Magno pudo conquistarlo. Según la leyenda, las guerreras amazonas sólo aceptaban la presencia masculina una vez al año: les convocaban para que contribuyeran a la propagación de la raza y luego los mataban; en caso de descendencia sólo mantenían a las mujeres.

Se dice también que las amazonas acostumbraban a seccionarse el seno derecho para perfeccionar su destreza en el manejo del arco y la flecha.

970. BOADICEA (m. 62)

Reina de la tribu celta de los icenios, Boadicea (o Budicca) lideró la sublevación de un ejército de doscientos mil hombres en contra de la dominación de Roma sobre Gran Bretaña, en el siglo I. Boadicea alentó la rebelión una vez muerto su esposo, quien había legado parte de su fortuna al emperador romano Nerón. Descontentos, los romanos atacaron a Boadicea, violaron a las hijas del pueblo y esclavizaron a sus nobles, a medida que consumaban la anexión del reino. Sin embargo, Boadicea lanzó a su enfurecido ejército campo a través, y prendió fuego a los campamentos militares romanos y a ciudades como Colchester o Londres, en las que dio muerte a cerca de setenta mil romanos allí asentados. Incluso aplastó a la novena legión en el campo de batalla, antes de que el gobernador provincial Suetonio Paulino le diera alcance y la derrotara.

Murió antes de ser trasladada a Roma y exhibida en un desfile triunfal; según algunas versiones, se envenenó.

971. REINA NZINGA MBANDE NGOLA (1582-1663)

Esta despiadada guerrera africana luchó contra los negreros portugueses, cuyo tráfico amenazaba con destruir a su pueblo, los matamba de Ndongo. En un primer momento Mbande negoció un armisticio con los portugueses, pero más tarde estableció una alianza con los holandeses y echó por tierra cualquier atisbo de pacto con los lusitanos. No obstante, los portugueses terminaron por derrotarla, y tuvo que retirarse a la selva tropical, desde donde armó una guerrilla que resistió durante dieciocho años.

Famosa por su brutalidad, se rumoreaba que ejerció el canibalismo con los vencidos y que incluso promovió el infanticidio entre sus guerreras con el fin de impedir las limitaciones que sus ocupaciones maternales suponían para la guerra.

En el siglo XIX algunos investigadores europeos constataron que los ejércitos femeninos africanos luchaban mejor que los masculinos.

972. LAKSHMI BAI (c. 1835-1858)

Reina de los jhansi, Bai hubo de empuñar su espada cuando los colonizadores británicos quisieron aprovecharse de la muerte de su esposo para anexionar su reino al Imperio. Bai reclutó un ejército de catorce mil hombres, que lucharon en la sublevación de los cipayos, se hizo su propio uniforme y luchó junto a sus soldados. La ferocidad que demostró en la lucha hizo que se ganara una aterradora reputación. Antes de que un húsar inglés la matara en un duelo cuerpo a cuerpo, conquistó la ciudad de Gwalior.

Los británicos la consideraron como la «más peligrosa de las líderes rebeldes».

973. PROHIBIDO EL PASO

En 1897 Augusta Main fue detenida por asalto y homicidio frustrado. Main era propietaria de una granja en Berlin (Nueva York), y fiel a sus principios, prohibió el acceso de hombre alguno a su propiedad. Así, cuando necesitaba ayuda para el mantenimiento de la granja, simplemente solicitaba los servicios de «jovencitas fornidas». Un día agredió a un vecino, por lo que tuvo que comparecer ante la ley. Durante el relato de los hechos declaró que «nunca veía hombres o perros pero que suspiraba por matarlos».

TRANSFORMISTAS

974. HATSHEPSUT (m. 1482 a.C.)

A pesar de que su padre, Tutmosis I, dispuso que Hatshepsut le sucediera en su trono, ésta reinó primero supliendo a su hermanastro, para luego hacer lo propio como regente de su hijo ilegítimo. En el año 1503 a.C decidió reclamar su pleno derecho al trono y se autoproclamó reina absoluta de Egipto, convirtiéndose de tal modo en la primera mujer en alcanzar la distinción de faraona. Para dar legitimidad al título, se proclamó hija de Amón. Ataviada con las insignias faraónicas e investida como Su Majestad, reinó durante más de veinte años.

975. CATALINA DE ERAUSO (1592-1635)

A los cuatro años fue abandonada en un convento de San Sebastián, de donde huyó, vestida de hombre, a los quince. Con el nombre de Alonso Díaz Ramírez de Guzmán se embarcó y llegó a Perú, luchó en las guerras de Chile y Perú y obtuvo el grado de alférez. Se enfrentó a bandoleros y asesinos, y apuñaló a su hermano sin saberlo. Mantuvo el equívoco sobre su género hasta que un duelo desveló su condición femenina.

Después de confesar su identidad a un obispo, fue enviada a España, donde el rey le otorgó una pensión.

Catalina volvió a América y murió en extrañas circunstancias. Ella misma resume así su vida: «Soy mujer. Me entraron en un convento, tomé el hábito. Estando para profesar, me salí. Fuime a tal parte, me desnudé, me vestí de varón para siempre. Me corté el pelo, partí allá y acullá. Me embarqué, aporté, trajiné, luché, maté, herí, maleé, correteé…».

976. CHARLEY PARKHURST (1812-1879)

Parkhurst se hizo pasar por hombre y trabajó conduciendo diligencias durante la fiebre del oro en California. Los gajes de un oficio tan arriesgado como el suyo la obligaron, en cumplimiento de sus obligaciones, a matar, como mínimo, a un hombre que pretendía asaltarla.

977. MURRAY HALL (m. 1901)

Murray Hall mantuvo su condición femenina en secreto hasta que se le manifestó un tumor en el pecho cuando contaba setenta años.

Formó parte de la maquinaria política del Tammany Hall, y será recordada por sus excesos en el consumo de whisky y tabaco, además de por su afición al juego y a las mujeres. Su primera esposa la abandonó harta de ver cómo se le iban los ojos tras las mujeres.

978. BILLY TIPTON (m. 1989)

Pianista y saxofonista, Tipton se vistió de hombre para poder formar parte de alguna de las bandas de música *swing* masculinas que proliferaron desde la década de 1930. Tras adoptar una identidad masculina, Tipton consagró su vida a la música y llegó a fundar un trío. Contrajo matrimonio y adoptó a los hijos de su esposa.

Su sexualidad sólo pudo ser descubierta a su muerte, en 1989; y, aun entonces, hasta su esposa negó conocer la verdadera sexualidad de su marido.

HEROÍNAS Y MÁRTIRES

979. DUQUESA DE ALBA (María del Pilar Teresa Cayetana de Silva y Álvarez de Toledo, 1762-1802)

Decimotercera duquesa de una estirpe de aristócratas españoles. Debe su fama a su deslumbrante belleza y a sus relaciones con el célebre pintor aragonés Francisco de Goya. En 1775 se casó con José Álvarez de Toledo, marqués de Villafranca y duque de Medinasidonia, de quien enviudó, sin descendencia, en 1796. Aunque se ha dicho que sirvió de modelo para el cuadro *La maja desnuda* de Goya, se probaría la falsedad del rumor, si bien es cierto que el pintor la retrató en varias ocasiones.

A su muerte, en 1802, se difundió el bulo de que había sido envenenada por la reina, quien, al parecer, la despreciaba. Finalmente se procedió a la exhumación de su cadáver y los rumores de envenenamiento se desvanecieron, aunque se hallaron sospechosas señales de mutilación.

980. JOSEFA ORTIZ DE DOMÍNGUEZ (1764-1829)

Conocida como «la Corregidora», fue, junto a Leonora Vicario, una de las abnegadas heroínas que consagraron su vida a conseguir la independencia de México. Ortiz de Domínguez actuó de enlace entre los paladines de la independencia mexicana, lo que le costó tres años de reclusión en el convento de las dominicas de Santa Catalina de Siena. Su delito consistió en sugerir a Hidalgo que adelantara la fecha de proclamación de la independencia.

981. AGUSTINA DE ARAGÓN
(Agustina Zaragoza y Doménech, 1790-1858)

Mujer valerosa y enigmática, fue heroína de la guerra de la Independencia. Su intervención resultó decisiva durante el sitio de Zaragoza, pues no sólo hizo llegar provisiones a los soldados, sino que juró que no se rendiría a los franceses. Al parecer, Palafox le concedió un grado militar y una pensión vitalicia de 1.200 reales.

Después de recibir el reconocimiento por su heroísmo en la guerra, se casó con un militar a quien siguió en su destino en Melilla, donde el rastro de Agustina se perdió.

982. LEONA VICARIO (1789-1842)

Nacida al otro lado del océano, en plena revolución francesa, Leona Vicario se educó en la abundancia, aunque no dudó en renunciar a sus privilegios y entregarse a la causa de la revolución mexicana. Su esmerada formación y su altruismo se manifestaron en su aportación a la causa insurgente y en su apoyo al ejército forjado desde la precariedad que combatió en favor de un México libre.

Abominó del Antiguo Régimen y fue la columna vertebral de la resistencia, enviando munición, comida, dinero y enseres al frente, y socorriendo a los presos malheridos. Más tarde se casó con Andrés Quintana Roo, otro de los héroes de la revolución, y se amaron en clandestinidad, acechados por el ejército realista.

En 1813 fue liberada por colaboradores insurgentes, tras pasar cuarenta y dos días entre rejas. Murió en 1842.

983. MARIANA PINEDA (1804-1831)

Heroína española nacida en Granada, tierra de García Lorca, quien dio su nombre a una de sus más célebres piezas teatrales.

Poco después de enviudar de un terrateniente, Pineda fue detenida por su supuesta complicidad en la evasión del liberal Fernando Álvarez de Sotomayor. Posteriormente, le fue incautada una bandera en la que había bordado la consigna liberal «Ley, Libertad e Igualdad». Apresada y sentenciada, tras negarse a denunciar a sus compañeros, fue ejecutada en medio de una gran conmoción popular.

984. HILDEGARD RODRÍGUEZ (1914-1933)

La joven española Hildegard creció bajo la firme tutela de su madre, Aurora Rodríguez, quien le proporcionó una metódica educación y le dio muerte a los diciocho años, cuando ya había despuntado como escritora y conferenciante.

Hildegard tendió siempre a la autonomía: a los catorce años se había afiliado al Partido Socialista y pronto ejerció una crítica radical, que formuló en el libro ¿Se equivocó Marx?

Ante la opresiva vigilancia de su madre, Hildegard decidió viajar a Londres, donde su amigo H. G. Wells, con quien había trabado amistad por correspondencia, la esperaba. Sin embargo, poco antes de partir, su madre la encañonó y le negó el futuro.

985. ANA FRANK (1929-1945)

Poco se sabe de Ana Frank, más allá de que los nazis la asesinaron, pero no destruyeron el *Diario* que escribió, un estremecedor legado. Frank había emigrado con sus progenitores, judíos como ella, a Holanda, huyendo de la Alemania nazi. El diario relata las circunstancias por las que pasó junto a su familia, mientras permanecían ocultos en una buhardilla de Amsterdam, en el agónico intervalo de tiempo que va del 12 de junio de 1942 al 1 de agosto de 1944.

El diario de Ana Frank dio a conocer la visión de la niña del horror nazi. Después del holocausto, el diario llegó a manos de Otto Frank, el padre y el único superviviente de la matanza.

Fue publicado por primera vez en 1946 alcanzando una difusión universal. Con el tiempo ha sido llevado en infinidad de ocasiones al cine y, en especial, al teatro.

MUJERES DE RIESGO

986. LADY GODIVA (m. 1080)

Lady Godiva persuadió a su esposo Leoforico, el conde de Mercia, para que redujera las tasas que se aplicaban en Coventry (Inglaterra). El conde accedió a la propuesta, aunque lo hizo a condición de que su esposa recorriera desnuda, y a plena luz del día, el mercado del pueblo. Lady Godiva recorrió a caballo las calles de Coventry cubierta con su larga cabellera. En vista de ello, el conde redujo las tasas sin rechistar.

Fue además responsable de construir y fundar sendos monasterios en Coventry y en Stowe.

987. LILLIAN GISH (1893-1993)

Lanzada a la fama en 1912 por el director de cine D. W. Griffith, Gish protagonizó numerosas películas, hasta culminar su carrera de actriz en 1987 con *Las ballenas en agosto*. Gish podía enorgullecerse de rodar sin especialistas las escenas de riesgo de algunos clásicos del cine mudo en los que apareció, tales como *El nacimiento de una nación* (1915) o *Los huérfanos de la tormenta* (1921).

No era infrecuente en los inicios del cine, pero Gish parecía deleitarse en tales desafíos. Se prestó jubilosa a poner su cabeza bajo la hoja de una guillotina, a estirarse boca abajo sobre un bloque de hielo o a hacer cualquier cosa que la película requiriera. La audacia y la osadía que demostró como actriz contrastaron con los personajes, a menudo afligidos y desamparados, que interpretó.

988. PROFESIONES ARRIESGADAS

Betty Danko fue el paradigma de la mujer que vivió, durante la edad de oro de Hollywood, entregada a un oficio extremadamente peligroso. En 1939 mientras interpretaba uno de los números de bruja perversa en *El mago de Oz*, en el que debía expulsar bocanadas de humo, el exceso de pólvora que utilizó el asistente técnico le produjo gravísimas quemaduras.

En otra de sus películas, en la que doblaba a Patsy Kelly, fue herida por los zarpazos y las mordeduras de un león con el que debía compartir escena.

989. A TRANCAS Y BARRANCAS

Jean Criswell, especialista en Hollywood durante la década de 1940, accedió a rodar una escena en la que tenía que asirse al rabo de un toro y permitir que la arrastrara a través del campo. Por aquel entonces los honorarios medios de una especialista no superaban los treinta y cinco dólares al día, de modo que Criswell pensó que los ciento cincuenta que le estaban ofreciendo eran una buena recompensa. Junto a Criswell debía de haber otra mujer encargada de montar al toro y mantenerlo bajo control, y a Criswell le pareció seguro. El caso es que después de varias tomas, la domadora terminó cayéndose del toro y éste arrastró el cuerpo de Criswell hasta que se cansó de llevarlo a rastras. El caso pasó a la posteridad, y hoy en día forma parte de la historia del cine; al menos por dar cuenta de alguien que realmente había sudado su sueldo.

BROCHE LÍRICO

990

Divina Elisa, pues agora el cielo
con inmortales pies pisas y mides,
y su mudanza ves, estando queda,
¿por qué de mí te olvidas y no pides
que se apresure el tiempo en este velo
rompa del cuerpo, y verme libre pueda,
y en la tercera rueda
contigo mano a mano
busquemos otro llano,
busquemos otros montes y otros ríos,
otros valles floridos y sombríos…

(Fray Luis de León, poeta y preclaro feminista, 1572)

991

«¡Qué tengo de ser tan desdichado andante, que no ha de haber doncella que me mire que de mí no se enamore…! Que tenga de ser tan corta de ventura la sin par Dulcinea del Toboso, que no la han de dejar a solas gozar de la incomparable firmeza mía … para mí sola Dulcinea es la hermosa, la discreta, la honesta, la gallarda y la bien nacida, y las demas, las feas, las necias, las livianas y las de

SABALA

644. MARUJA TORRES
(María Dolores Torres Manzanera, n. 1943)

Brillante periodista española. Mujer polifacética y cinéfila empedernida, ya desde muy joven expresó su vocación por la palabra escrita, que en sus comienzos exhibió como mordaz cronista de la pintoresca vida de la farándula española. Trabajó con Elisenda Nadal, directora de la revista cinematográfica *Fotogramas*, quien advirtió su talento y la incorporó al cuerpo de redacción de la publicación.

Sin embargo, y pese a simultanear su devoción por el celuloide con el periodismo rosa, su compromiso se radicalizó a finales de los años sesenta, cuando inició su dilatado periplo como corresponsal de guerra.

En 1980 se trasladó a Madrid, donde colaboró en el periódico *Diario 16* y, posteriormente, en *El País*, desde cuyas columnas ha hostigado con singular ironía la vida política y social española. También ha simultaneado su obra narrativa con el periodismo, con obras como *¡Oh, es él!* (1986), *Amor América* (1993) o *Un calor tan cercano* (1997), y su más reciente *Mujer en guerra* (1999), crónica de sus experiencias como corresponsal.

peor linaje» (Miguel de Cervantes, *El ingenioso hidalgo don Quijote de la Mancha*, 1604-1615).

992

… Tú esperas a la noche, entre la misteriosa selva;
tú, a flor de cielo, ves nacer, una a una,
las estrellas … ¡tú, luz como una triste rosa,
desangras tu alma vaga en la luz de la luna!

(Juan Ramón Jiménez, *La soledad sonora*, 1911)

993

Cuerpo de mujer, blancas colinas, muslos blancos,
te pareces al mundo en tu actitud de entrega.
Mi cuerpo de labriego salvaje te socava
y hace saltar el hijo del fondo de la tierra…

Pero cae la hora de la venganza, y te amo.
Cuerpo de piel, de musgo, de leche ávida y firme.
¡Ah los vasos del pecho! ¡Ah los ojos de ausencia!
¡Ah las rosas del pubis! ¡Ah tu voz lenta y triste!…

(Pablo Neruda,
Veinte poemas de amor y una canción desesperada, 1924)

994

BALADA

Él besó a la otra
a orillas del mar.
Resbaló en las olas
la luna de azahar.

¡Y no untó mi sangre
la extensión del mar!

(Gabriela Mistral, 1889-1957)

995

AMANTE

Solamente tú y yo (una mujer al fondo
de ese cristal sin brillo que es campana caliente),
vamos considerando que la vida… la vida
puede ser el amor, cuando el amor se embriaga;
es sin duda morir cuando se está dichosa;
es, segura, la luz, porque tenemos ojos.

(Carmen Conde, 1907)

996

MÁS RÁPIDA QUE LA FIEBRE

Más rápida que la fiebre
Nadas en lo oscuro

Tu sombra es más clara

Entre las caricias

Tu cuerpo es más negro
Saltas

A la orilla de lo improbable
Toboganes de cómo cuándo porque sí
Tu risa incendia tu ropa
Tu risa

Moja mi frente mis ojos mis razones
Tu cuerpo incendia tu sombra
Te meces en el trapecio del miedo
Los terrores de tu infancia

Me miran

Desde tus ojos de precipicio

Abiertos

En el acto de amor

Sobre el precipicio

Tu cuerpo es más claro

Tú sombra es más negra

Tú ríes sobre tus cenizas

(Octavio Paz, 1914-1997)

997

TÚ Y SEVILLA

A Sevilla le echo los requiebros
que te echo a ti. Se ríen
mirándola, estos ojos que se ríen
cuando te miran.

Me parece
que, como tú, ella llena el mundo,
tan pequeño y tan mágico con ella, digo,
contigo, ¡tan inmenso,
tan vacío sin ti, digo, sin ella!

¡Sevilla, ciudad tuya,
ciudad mía!

(Juan Ramón Jiménez, abatido por la muerte de Zenobia,
Diario de un poeta recién casado, 1917)

481

998

PASIÓN

¿Qué es una mujer desnuda?
Una ola, un bloque de mármol,
un puñado de tierra,
un cráter para mirar el infierno.

(Susana March, 1918)

999

MAYO

Nunca Poe, ni Bécquer, ni el mismo Lovecraft
pudieron compararse a la voz de mi madre
describiendo piadosa y minuciosamente
castigos ejemplares y horrores deliciosos.

(Ana Rosetti, *Devocionario*, 1985)

1000

Érase una niña
como digo a usté
cuyos años eran
ocho sobre diez.
Esperen, aguarden,
que yo les diré.

Ésta (qué sé yo
cómo pudo ser)
dizque supo mucho,
aunque era mujer,
Esperen, aguarden,
que yo les diré.

Porque como dizque,
dice no sé quién
ellas sólo saben
hilar y coser…
Esperen, aguarden,
que yo les diré.

Pues ésta, a hombres grandes
supo convencer;
que a un chico, cualquiera
lo sabe envolver.
Esperen, aguarden,
que yo les diré.

Y aun una santita
dizque era también
sin que le estorbase
para ello el saber.
Esperen, aguarden,
que yo les diré.

Pues como Patillas
no duerme, al saber
que era Santa y Docta
se hizo un Lucifer.
Esperen, aguarden,
que yo les diré.

Pues con esto, ¿qué hace?
Viene y tienta a un Rey
que a ella la tentara
a dejar su Ley.
Esperen, aguarden,
que yo les diré.

Tentóla de recio,
mas ella, pardiez,
se dejó morir

antes que vencer.
Esperen, aguarden,
que yo les diré.

No pescunden más
porque más no sé
de que es Catarina
para siempre. Amén.

(Sor Juana Inés de la Cruz,
Villancicos a Santa Catarina de Alejandría, 1691)

1001

«Nadie me hará sentir humillada sin mi consentimiento» (Eleanor Roosevelt).

BIBLIOGRAFÍA SELECTA

Alic, Margaret, *Hypatia's: A History of Women in Sciencie from Antiquity through the Nineteenth Century,* Beacon Press, Boston, 1986.

Anderson, Bonnie S., y Judith P. Zinsser, *A History of Their Own: Women in Europe from Prehistory to the Present,* Harper & Row, Nueva York, 1988.

Covey, Alan, *A Century of Women,* TBS Books, Atlanta, 1994.

D'Emilio, John, y Estelle B. Freedman, *Intimate Matters: A History of Sexuality in America,* Harper & Row, Nueva York, 1988.

Ehrenberg, Margaret, *Women in Prehistory,* University of Oklahoma Press, Norman, 1989.

Green, Rayna, *Women in American Indian Society,* Chelsea House, Nueva York, 1992.

Greenspan, Karen, *The Timetables of Women's History,* Simon & Schuster, Nueva York, 1994.

James, Edward T., *et al., Notable American Women 1607-1950,* Belknap Press of Harvard University Press, Cambridge, Mass, 1971.

Jordan, Rosan A., y Susan J. Kalcik, *Women's Folklore, Women's Culture,* University of Pennsylvania Press, Filadelfia, 1985.

Kessler-Harris, Alice, *Out to Work: A History of Wage-Earning Women in the United States,* Oxford University Press, Oxford, 1982.

King, Margaret L., *Women of the Renaissance,* University of Chicago Press, Chicago, 1991.

Morgan, Robin, *Sisterhood Is Global: The International Women's Movement Anthology,* Doubleday, Nueva York, 1984.

Olsen, Kirstin, *Chronology of Women's History,* Greenwood Press, Westport, Conn, 1994.

O'Neill, Lois Decker, *The Women's Book of World Records and Achievements,* Anchor Press, Nueva York, 1979.

Pomeroy, Sarah B., *Goddesses, Whores, Wives, and Slaves: Women in Classical Antiquity,* Schocken Books, Nueva York, 1995.

Read, Phyllis J., y Bernard L. Witlieb, *The Book of Women's Firsts,* Random House, Nueva York, 1992.

Sicherman, Barbara, y Carol Hurd Green, *Notable American Women: The Modern Period,* Belknap Press of Harvard University Press, Cambridge, Mass, 1980.

Stanley, Autum, *Mothers and Daughters of Invention: Notes for a Revised History of Technology,* Rutgers University Press, New Brunswick, N. J., 1993.

Stephenson, June, *Women's Roots: Status and Achievements in Western Civilization,* Diemer, Smith Publishing Co., Napa, Calif., 1986.

Sterling, Dorothy, *We Are Your Sisters: Black Women in the Nineteenth Century*, W. W. Norton, Nueva York, 1984.

Trager, James, *The Women's Chronology: A Year-By-Year Record, from Prehistory to the Present*, Henry Holt, Nueva York, 1994.

Uglow, Jennifer S., *The Continuum Dictionary of Women's Biography*, Continuum, Nueva York, 1989.

Walter, Barbara G., *The Women's Encyclopedia of Myths and Secrets*. Harper & Row, San Francisco, 1983.

Weiser, Marjorie P. K., y Jean S. Arbeiter, *Womanlist*, Atheneum, Nueva York, 1991.

BIBLIOGRAFÍA EN ESPAÑOL

Anderson, Bonnie S., y Judith P. Zinsser, *Historia de las mujeres: una historia propia*, Crítica, Barcelona, 1991.

Bergmann, Emile L., *et al.*, *Breve historia feminista de la literatura española (en lengua castellana)*, Anthropos, Barcelona; Dirección General de la Mujer, Madrid; San Juan, Editorial de la Universidad de Puerto Rico, 1993-1998.

Cantarella, Eva, *La calamidad ambigua: condición e imagen de la mujer en la antigüedad griega y romana*, Ediciones Clásicas, Madrid, 1996.

Diccionario de mujeres célebres, Espasa-Calpe, Madrid, 1994.

Díez Celaya, Rosalía, *La mujer en el mundo*, Acento, Madrid, 1997.

Grimal, Pierre, dir., *Historia mundial de la mujer*, Grijalbo, Barcelona, 1973-1974.

Jiménez Morell, Inmaculada, *La prensa femenina en España: desde sus orígenes a 1868*, Ediciones de la Torre, Madrid, 1992.

Lloyd, Trevor Owen, *Las sufragistas: valoración social de la mujer*, Nauta, Barcelona, 1970.

Marías, Julián, *La mujer en el siglo XX*, Alianza, Madrid, 1980.

Mazenod, Lucienne, dir., *Las mujeres célebres*, Gustavo Gili, Barcelona, 1966.

Mudarra Barrero, Mercedes, *Artistas que son mujeres y mujeres que son arte*, Diputación de Córdoba, Córdoba, 1999.

Nash, Mary, *Mujer y movimiento obrero en España*, Fontamara, Barcelona, 1981.

——, *Rojas. Las mujeres republicanas en la Guerra Civil*, Taurus, Barcelona, 1999.

Nieva de la Paz, Pilar, *Autoras dramáticas españolas entre 1918 y 1936: texto y representación*, CSIC, Madrid, 1993.

Pomeroy, Sarah B, *Dioses, rameras, esposas y esclavas: mujeres en la Antigüedad*, Akal, Madrid, 1999.

Rivera Carretas, María–Milagros, *Textos y espacios de mujeres*, Icaria, Barcelona, 1990.

Rodrigo, Antonina, *Mujeres de España: (las silenciadas)*, Plaza & Janés, Barcelona, 1979.

Rodríguez Magda, Rosa M.ª, ed., *Mujeres en la historia del pensamiento*, Anthropos, Barcelona, 1997.

Sáinz de Robles, Federico Carlos, *Mujeres inolvidables de la Antigüedad*, Círculo de Amigos de la Historia, Madrid, 1974.

Sánchez Montero, Estrella, *La mujer y las letras*, Diputación de Córdoba, Córdoba, 1999.

Sauret, Teresa, coord., *Historia del arte y mujeres*, Universidad de Málaga, Málaga, 1996.

Scanlon, Geraldine M., *La polémica feminista en la España contemporánea: 1868-1974*, Siglo XXI, Madrid, 1976.

ÍNDICE ALFABÉTICO

ÍNDICE